19,26, 28,49

LE SPLEEN DE PARIS

CHARLES BAUDELAIRE

Le Spleen de Paris

(PETITS POÈMES EN PROSE)

ÉDITION PRÉSENTÉE, ÉTABLIE ET ANNOTÉE
PAR JEAN-LUC STEINMETZ

LE LIVRE DE POCHE
Classiques

Ouvrage paru sous la direction de Michel Zink et Michel Jarrety.

Poète et professeur à l'Université de Nantes, Jean-Luc Steinmetz a consacré de nombreux travaux à la poésie du XIXe et du XXe siècle. Il a procuré dans Le Livre de Poche Classiques l'édition des *Paradis artificiels*, de *Gaspard de la Nuit* d'Aloysius Bertrand et des œuvres complètes de Lautréamont.

© Librairie Générale Française, 2003.
ISBN : 978-2-253-16120-2 – 1re publication LGF

PRÉFACE

« Sois toujours poète, même en prose. »

Mon cœur mis à nu.

I

Avec *Le Spleen de Paris*, le lecteur prend connaissance d'une œuvre ouvertement moderne, contrôlée par l'auteur, mais qui, par certains côtés, lui échappe, un de ces phénomènes littéraires dont il serait audacieux de prétendre avoir toute la compréhension. L'effet est là, qui pourrait suffire. Plusieurs générations se sont mises à l'épreuve de ces textes indéfinissables. Il n'est pas dit que, malgré la richesse des études poétiques en ce siècle comme en l'autre, leur singulière beauté puisse être l'objet d'analyses qui les délivreraient enfin de leur ambiguïté foncière.

Comme pour les *Pensées* de Pascal, les *Poésies* de Chénier, les *Illuminations* de Rimbaud, nous devons nous satisfaire à leur endroit d'une édition posthume. Baudelaire est mort avant d'avoir pu mener à bien ce projet mis en place dès 1857[1] et qu'il semble avoir poursuivi selon des fortunes diverses. Si la maladie, puis la mort l'ont soustrait à ce très profond devoir, il

---

1. Voir lettre à Poulet-Malassis, 25 avril 1857 (C, I, p. 395), et à Mme Aupick, 9 juillet 1857 (C, I, p. 411), où il parle des « *poèmes nocturnes* ». – Pour les sigles, voir p. 56.

nous faut donc bien nous contenter d'un livre approximatif, encore qu'une liste autographe [1] tende à en justifier, non pas l'organisation – ce serait trop dire –, mais
l'ordre de publication des poèmes. Nombreuses sont
les questions qui se posent à ce sujet et auxquelles on
n'est guère en mesure de répondre, sinon par des
conjectures. Seuls quelques manuscrits nous sont par-
venus, moins brouillons profitables à une critique
génétique que copies dernières en vue de l'édition.
Quant à l'apparente table des matières établie par Baudelaire, elle ne laisse percevoir aucun principe de
composition générale, même si deux listes de sa main
indiquent des rubriques où ranger ses poèmes présents
et futurs. L'ensemble paraît vouloir rester fidèle à l'ancienne appréciation qu'il avait formulée, dès 1862,
lorsqu'il assurait tout à la fois du caractère hétéroclite
de ces textes et de leur interaction possible. Aucun critique cependant assez perspicace pour avoir détecté là
une « architecture secrète [2] ». Nul système d'alternances, de reflets, de chiasmes n'impose son évidence [3].
Aucune progression sensible dans l'enchaînement des
motifs. À peine soupçonne-t-on quelque évolution
chronologique, savamment brouillée toutefois dans la
première moitié du volume.

Face à l'ample poésie romantique, celle des Lamar-
tine, des Hugo, voire des Musset, que restait-il à Baudelaire, aux alentours de 1860, pour *oser écrire encore
malgré tout* ? À moins de se porter sur les zones
limites, les frontières. Or, à côté de ceux que le roman-

---

1. Elle se trouve à la Bibliothèque littéraire Jacques Doucet.
Voir sa reproduction p. 58.   **2.** Pour reprendre une expression de
Barbey d'Aurevilly à propos des *Fleurs du Mal* dans son article
prévu pour *Le Pays* (24 juillet 1857), mais refusé. Il sera publié
dans *Articles justificatifs pour Charles Baudelaire auteur des
« Fleurs du Mal »*, impr. Dondey-Dupré (1857).   **3.** Voir cepen-
dant, de James Lawler, « The Prose Poem as Art of Anticlimax :
Baudelaire's Kaléidoscope », dans *Australian Journal of French
Studies*, 1999, 3, vol. XXXVI, p. 327-338.

tisme avait passablement occultés : la voix du Joseph
Delorme de Sainte-Beuve[1], la précision allégorique du
Vigny des derniers poèmes (lesquels ne paraîtront posthumes qu'en 1864 sous le titre de *Les Destinées*),
s'étendait aussi quelque terrain vague, l'aire du poème
en prose. Baudelaire n'allait pas tout d'abord s'avancer
dans ce domaine mal défriché, mais, une fois réalisé le
livre des *Fleurs du Mal*, où se donnaient libre cours
l'érotisme et le blasphème, il lui devint vite évident
qu'il lui fallait ailleurs porter son élan, sans abandon-
ner toutefois le terrain conquis. Peu à peu la forme du
poème en prose s'est imposée à lui. Il y a là comme
une insinuation et, à côté du langage en vers dont ras-
sure la prosodie, une autre langue qui tente de parler.

Dès l'âge de vingt ans, il avait écrit une nouvelle
identitaire, *La Fanfarlo*[2], par laquelle il essayait de
conférer à son être flottant une vérité approximative.
On le reconnaît donc dans le personnage de Samuel
Cramer, pressé d'annoncer son recueil *Les Orfraies* et
capable, à l'occasion, pour séduire une femme, de
transposer en prose quelques passages bien sentis de
ses poèmes. Exercice délicieux et périlleux où, loin de
toute stratégie amoureuse de surface, il convient bien
davantage de capter déjà ce qui du vers à la prose pouvait se transférer, pertes et gains, prémices d'une alchi-
mie qui bientôt ne se satisfera plus d'un sas aussi
sommaire.

Plus dissimulé, mais plus éclatant dans le résultat,
ce que révèle une lecture attentive de *Du vin et du*

---

1. Lettre à Sainte-Beuve, fin 1844 ou début 1845 (C, I, p. 116-
118). Pour une relecture tardive par Baudelaire des *Consolations*
et des *Pensées d'août*, voir sa lettre à Sainte-Beuve du 15 janvier
1866 (C, II, p. 548 et suiv.). **2.** Voir, de Barbara Wright et
David Scott, *Baudelaire « La Fanfarlo » and « The Spleen de
Paris »*, Londres, Grant & Cutler, 1984, et ici même, p. 203, n. 2.

hachisch[1]. C'est, en effet, à l'intérieur de ce bref essai de 1851 que se repèrent, issus de « L'âme du vin » et de « Le vin des chiffonniers » en vers, les deux premiers poèmes en prose avérés de Baudelaire. Certes, par la suite, il ne jugera pas bon de les reprendre, et le passage qu'il ménage, en l'occurrence, de la poésie à la prose y est trop systématique pour que l'on puisse considérer pareille tentative autrement que comme une performance talentueuse. Baudelaire, au demeurant, les a si parfaitement intégrés qu'ils sont invisibles dans le corps du texte, en tant que compositions autonomes, même si le premier est nettement introduit par un « Il me semble parfois que j'entends dire au vin » et conclu par un « Voilà ce que chante le vin », et si le second débute par un présentatif : « Voici un homme ».

Il faut attendre cependant sa collaboration à l'*Hommage à Denecourt*[2] en 1855 pour que soient lisibles enfin sous sa plume deux textes qui, typographiquement, se donnent en leur stricte autonomie comme des poèmes en prose : « Le crépuscule du soir » et « La solitude ». Qu'ils aient revêtu à ses yeux un caractère inaugural, plusieurs indices engagent à le croire, entre autres leur publication jumelée à maintes reprises, les années suivantes (en 1857 et 1861), en tête de diverses séries de poèmes en prose, comme s'il souhaitait par là conserver le souvenir d'un commencement, d'un acte de naissance. La thématique du « Crépuscule du soir » et de « La solitude » semble, par ailleurs, avoir déterminé la publication du premier ensemble de poèmes en prose présentés comme tels par lui sous le

---

1. Texte publié les 7, 8, 11 et 12 mars 1851 dans *Le Messager de l'Assemblée*. **2.** *Hommage à C.-F. Denecourt. Fontainebleau. Paysages – Légendes – Souvenirs – Fantaisies*, Hachette, 1855, précédé d'une lettre à F. Desnoyers (voir p. 224). – Claude-François Denecourt (1788-1875) créa des chemins de randonnée balisés dans la forêt de Fontainebleau et y dégagea des points de vue. Théophile Gautier l'appelait « le Sylvain ».

titre de *Poèmes nocturnes*[1], autant hommage à l'Hoffmann des *Contes nocturnes* qu'au Bertrand de *Gaspard de la Nuit*. 1857 est l'année de cette publication qui regroupe six poèmes[2], contemporains donc de la première édition des *Fleurs du Mal* – ce qui conduit à penser que Baudelaire, dès ce moment, entendait développer, à côté de ses vers, un autre mode d'expression « sans rythme et sans rime ».

Rien qui soit clair, toutefois. Ou plutôt il nous est permis de croire qu'il songeait simplement encore à quelque transposition de ses vers en prose, comme le prouvent, s'ajoutant à la souche primitive formée par la contribution « Denecourt », deux textes dont les titres renvoient à deux de ses poèmes en vers : « La chevelure » et « L'invitation au voyage ».

Baudelaire se cherche. Son insatisfaction foncière, son sens de l'absolu le font aller, loin des voies communes, par les audaces d'une écriture en gestation. En témoignent, dans l'interrogation même de sa création, les divers essais qu'il tente, et ces annonces, constamment différées, sans lesquelles, procrastinateur comme Hamlet, Baudelaire ne serait pas Baudelaire.

Que désignent, par exemple, la « série de *nouvelles* d'une nature surprenante[3] » dont il entretient Alphonse de Calonne, propriétaire de la *Revue contemporaine*, où il s'apprêtait à publier ses études sur le hachisch et l'opium ? Ou ces méditations poétiques à propos des

---

1. Annoncés dans une lettre à sa mère du 9 juillet 1857 (C, I, p. 411) : « Les *Poèmes nocturnes* sont pour la *Revue des Deux Mondes* [...] », et dans une lettre à Alphonse de Calonne du 10 novembre 1858 (C, I, p. 522) : « Les *poèmes nocturnes* sont commencés. » **2.** À savoir « Le crépuscule du soir », « La solitude », « Les projets », « L'horloge », « La chevelure », « L'invitation au voyage », dans *Le Présent* du 24 août 1857. **3.** Lettre à A. de Calonne, 8 janvier 1859 (C, I, p. 537) : « Si je vous voyais plus porté à l'*audace* et à l'*innovation* [...] je pourrais vous donner une série de *nouvelles* d'une nature surprenante, et qui ne seraient ni du Balzac ni de l'Hoffmann, ni du Gautier, ni même du Poe, qui est le plus fort de tous. »

Eaux-fortes sur Paris de Charles Meryon[1], pour lesquelles il envisage d'écrire des rêveries de dix, vingt ou trente lignes, « les rêveries philosophiques d'un flâneur parisien[2] » ?

Durant la période où il travaille à compléter ses *Fleurs du Mal* en vue d'une deuxième édition (il compte surtout remplacer le vide créé par le retrait des six pièces condamnées), il annonce à ce même Calonne trois petits poèmes en chantier : « Dorothée », « Une femme sauvage à la foire » et « Le rêve »[3], dont tout laisse présumer qu'il les destinait aux *Fleurs du Mal*, mais qui prendront place sous leur titre original, ou un titre approchant, dans ses poèmes en prose, comme si l'hésitation était pensable d'un genre à l'autre.

L'année 1861, qui voit la sortie de la seconde édition des *Fleurs du Mal*, est en même temps celle où sa préoccupation d'un recueil de poèmes en prose se confirme. La *Revue fantaisiste* de Catulle Mendès, ouverte aux recherches nouvelles, en accueille alors une série[4] qui, tout en conservant l'ordre originel des *Poèmes nocturnes*, leur ajoute « Les foules », « Les veuves » et « Le vieux saltimbanque ».

Le livre semble plus avancé que ne permettaient de le présager les publications antérieures, rares jusqu'à cette date, puisque, dès le 9 février 1861, Baudelaire

---

1. Début 1860, Baudelaire, en effet, séduit par les planches de Meryon (il les décrit dans une lettre à sa mère, le 4 mars 1860 ; C, II, p. 4-5), a le projet d'écrire douze petits poèmes ou sonnets ou des « méditations en prose » (lettre à Poulet-Malassis, 11 mars 1860 ; C, II, p. 8).   **2.** Lettre à Poulet-Malassis, 16 février 1860 (C, I, p. 670). Sur ces planches, voir *Paris, 1860 (Meryon Baudelaire)*, éd. La Bibliothèque, « Les Utopies de la Bibliothèque », 2001.   **3.** Poèmes annoncés dans une lettre à Calonne du 15 décembre 1859 (C, I, p. 637). Il en reparle le 19 avril 1860 dans une lettre à Poulet-Malassis (C, II, p. 23).   **4.** Neuf poèmes en prose, numérotés de I à IX, publiés dans la dix-huitième livraison (mais annoncés dès la sixième) de la *Revue fantaisiste* du 1er novembre 1861 avec la mention « La suite à la prochaine livraison ». Mais la revue cesse de paraître ensuite.

parle à son ami Armand du Mesnil de *Poèmes nocturnes* (même titre qu'en 1857) qu'il présente comme des « essais de poésie lyrique en prose, dans le genre de *Gaspard de la Nuit* »[1]. Dès lors, ses expériences en ce domaine vont se multiplier jusqu'à former un « petit ouvrage », dont Arsène Houssaye (directeur de la partie littéraire de *La Presse*, à qui Nerval avait dédié ses *Petits Châteaux de Bohème*, « prose et poésie ») va devenir l'heureux destinataire le 20 décembre 1861. Le projet se décline dans toute son ampleur : quarante poèmes au minimum, cinquante au plus, le tout devant paraître d'abord en feuilleton (étrange feuilleton, en vérité !) dans *La Presse* et *L'Artiste*[2]. Un nouveau titre proposé (après *Poèmes nocturnes* et *Poèmes en prose*), *La Lueur et la Fumée*[3], affiche un contraste peut-être excessif. De quelle clarté s'agit-il, produisant aussitôt son offuscation ? Baudelaire, au demeurant, n'insiste guère et passe à d'autres dénominations plus richement significatives, *Le Promeneur solitaire*, *Le Rôdeur parisien*, qu'il réduit bientôt à la très simple appellation générique de *Petits Poèmes en prose*. Trois feuilletons paraissent dans *La Presse*, les 26, 27 août et le 24 septembre. Un quatrième reste en rade, composé sur épreuves et refusé pour des raisons apparemment éditoriales[4] (plusieurs de ces poèmes n'étaient pas inédits).

Avec une détermination certaine, marquée toutefois par d'inévitables phases de découragement, Baudelaire allait poursuivre ces compositions d'un nouveau genre,

---

1. C, II, p. 128.   **2.** Lettre à Arsène Houssaye, 20 décembre 1861 (C, II, p. 196) : « Votre idée de placer les choses alternativement dans *L'Artiste* et dans *La Presse* me sourit beaucoup. » **3.** Lettre à A. Houssaye, Noël 1861 (C, II, p. 207-208). **4.** Lettre à Arsène Houssaye, environ 22 septembre 1862 ; C, II, p. 262) : « J'ai proposé à M. Catrin de supprimer toutes les pièces sujettes à nouveaux remaniements puisqu'il a deux fois plus de matière qu'il n'en faut, et que tout est bien corrigé. » Voir aussi la lettre à sa mère, à la même date (C, II, p. 261) : « il se pourrait bien que je renonçasse à publier la suite des *Poèmes en prose*, qui faisaient quinze feuilletons. »

dont il confie certaines à Sainte-Beuve : « Je vous enverrai prochainement plusieurs paquets de *Rêvasseries* en prose[1] [...]. » Ce dernier titre, volontairement dépréciatif, souhaitait sans doute faire écho aux *Rêveries du promeneur solitaire* de Rousseau. L'auteur, néanmoins, a pleine conscience de l'originalité de son entreprise. Cette nouveauté formelle conduit, du reste, un éditeur aussi clairvoyant qu'Hetzel à le recommander à Houssaye, comme « le prosateur le plus original et le poète le plus personnel de ce temps[2] ». « Il n'y a pas de journal – ajoute Hetzel – qui puisse faire attendre cet étrange classique des choses qui ne sont pas classiques. » C'est d'ailleurs avec lui que, l'année suivante, le 13 janvier 1863, Baudelaire signe un double contrat (puisque Poulet-Malassis avait fait faillite) pour ses *Fleurs du Mal* et ses *Petits Poèmes en prose*[3]. Le titre de *Spleen de Paris* apparaît pour la première fois dans une lettre qu'il envoie à Hetzel le 20 mars 1863[4], et l'ouvrage y est vanté en conséquence : « Je puis vous garantir un livre *singulier et facile à vendre* », appréciation qu'il réitère dans un courrier à sa mère en date du 3 juin[5] : « Ce sera un livre singulier », cependant qu'une note de sa main à un certain Namslauer[6] porte une précision qui sera répétée bien des fois : « le *Spleen de Paris* (pour servir de pendant) » [sous-entendu « aux *Fleurs du Mal* »], les deux livres, quoique fort distincts, étant conçus comme complémentaires.

Tout en restant dans les mêmes dispositions d'esprit, Baudelaire ne cesse néanmoins de différer l'achève-

1. Lettre à Sainte-Beuve, 3 février 1862 (C, II, p. 229). Voir aussi lettre à Vigny du 30 janvier 1862 : « mes élucubrations en prose ». **2.** *Catalogue de l'exposition Charles Baudelaire*, Bibliothèque nationale, 1957 (n° 436). **3.** Contrat en date du 13 janvier 1863 (C, II, p. 289). **4.** C, II, p. 295. **5.** C, II, p. 301. **6.** Voir C, II, p. 299. Note datable de la fin mai ou du début juin 1863. Namslauer était un banquier ou un usurier parisien.

ment de son ouvrage. En réalité, il n'en a toujours pas élaboré le plan exact. Même si, par ailleurs, une grande liberté d'organisation importe à la facture de ce volume, il doit bien, cependant, se donner l'illusion (et la donner aux autres) d'une fin possible. Pour fixer les choses, il assure donc à Hetzel, le 8 octobre 1863, qu'il y aura cent morceaux (*Les Fleurs du Mal* de 1857 en comptaient autant) et qu'il en manque encore trente[1]. Or, de cette époque, on connaît surtout les vingt-six poèmes en prose, publiés dans *La Presse* ou restés à l'état d'épreuves.

D'autres textes depuis – il est vrai – avaient été donnés à petites doses au public, dans *Le Boulevard* d'Étienne Carjat et plus spécialement dans la *Revue nationale et étrangère*, le 10 juin, le 10 octobre et le 10 décembre, en tout sept poèmes en prose. D'autres encore (« Le joueur généreux » et « Les vocations ») avaient été refusés pour leur prétendue inconvenance par la *Revue libérale*.

En 1864, c'est au tour du *Figaro*, jusque-là défavorable à Baudelaire, de présenter, précédés d'une note chaleureuse de G. Bourdin, des échantillons du *Spleen de Paris*, les 7 et 14 février. La précision « Sera continué » du 14 février n'aura pourtant pas de suites. Et Baudelaire de conclure sans illusion : « C'est tout simplement parce que mes poèmes ennuyaient tout le monde (m'a dit le directeur du journal) qu'on les a interrompus[2]. » Les six textes ainsi publiés montraient pourtant au mieux son génie ; mais plus d'un risquait de choquer le public : « La corde », dédié à Manet, relatait le suicide d'un enfant ; « Les vocations » rapportaient un inquiétant quadrilogue ; « Un cheval de race » trahissait quelque dépravation du goût érotique. D'autres poèmes allaient encore paraître, sous la forme d'un spécimen unique : « Les vocations », de nouveau,

---

1. C, II, p. 324.   2. Lettre à sa mère, 3 mars 1864 (C, II, p. 350).

dans la très provinciale *Semaine de Cusset et de Vichy* de l'extravagant Albert Glatigny, « Les yeux des pauvres », pas même signé, le 2 juillet, dans *La Vie parisienne* de Louis Marcelin et, dans cette même revue, le 13 août « Les projets ». Plus généreusement, *L'Artiste* du 1er novembre accueille trois textes dont, pour la première fois, « La fausse monnaie ».

Dès le 17 décembre 1863, Baudelaire dans une lettre à Victor Hugo[1] avait mandé à son correspondant qu'il souhaitait lui envoyer « *Les Fleurs du Mal* (encore augmentées) avec *Le Spleen de Paris*, destiné à leur servir de pendant » ; sarcastique, il révélait ensuite la tonalité générale de ce dernier volume : « J'ai essayé d'enfermer là-dedans toute l'amertume et toute la mauvaise humeur dont je suis plein. »

Baudelaire, que lassent souvent ses incertitudes, reprend malgré tout confiance. Il annonce à Albert Collignon, directeur de la *Revue nouvelle* : « J'ai une soixantaine de *poèmes* appartenant au *Spleen de Paris* [...] je crois qu'ils ont besoin d'être encore très remaniés et transformés[2]. » Mais le découragement le guette. Ainsi, quand, dans une lettre à sa mère du 8 août 1864, il écrit : « Ah ! quelle joie quand ce sera fini ! Je suis si affaibli, si dégoûté de tout et de moi-même, que quelquefois je me figure que je ne saurai jamais achever ce livre interrompu depuis si longtemps, et dont j'ai cependant tant caressé l'idée[3]. » Il revient sur cet état d'esprit en novembre : « Ce maudit livre sur lequel je comptais tant, est resté suspendu à la moitié[4]. » Pourtant lui parviennent parfois certaines demandes providentielles, comme celle que lui fait Henry de la Madelène qui vient de prendre la direction de la *Nouvelle Revue de Paris* et qui le harcèle en ces termes : « Il est urgent que vous vous remettiez aux

---

1. C, II, p. 339.   **2.** Lettre du 22 février 1864 (C, II, p. 348).   **3.** C, II, p. 394-395.   **4.** Lettre à sa mère, 3 novembre 1864 (C, II, p. 417).

petits poèmes. Je ne vous fixe ni jour ni place : envoyez-nous *le plus* que vous pourrez et le plus tôt possible[1]. » Et, de fait, seront publiés le 25 décembre 1864 six poèmes, dont deux inédits : « Le port » et « Le miroir ».

La Belgique, où il va donner des conférences et tenter de convaincre Lacroix et Verboeckhoven de le publier, ne réussit pas à Baudelaire. En homme qui se châtie lui-même, il avait bien cherché pareil marasme. Le projet d'œuvres complètes pour lequel il voulait négocier échoue. Sa santé se délabre. En l'année 1865, un seul poème en prose, « Les bons chiens », paraît, dans *L'Indépendance belge* du 31 juin. Il n'empêche que *Le Spleen de Paris* le préoccupe constamment : abondance de la matière, riche, mais dispersée, urgence d'en finir. À Louis Marcelin, directeur de *La Vie parisienne*, il dit de ses poèmes en prose qu'il en a une trentaine sur le métier : « Mais ce sont des horreurs et des monstruosités qui feraient avorter vos lectrices enceintes[2]. » À sa mère, le 9 mars 1865, il assure que quarante ou cinquante poèmes ont paru (la précision est vague) et qu'il s'agit de « petites babioles », quoiqu'elles résultent d'une « grande concentration d'esprit »[3]. « J'espère, ajoute-t-il, que je réussirai à produire un ouvrage singulier, plus singulier, plus volontaire du moins, que *Les Fleurs du Mal*, où j'associerai l'effrayant avec le bouffon, et même la tendresse avec la haine » – remarques décisives, d'ailleurs amplifiées dans une très précieuse lettre à Sainte-Beuve où, fidèle à son chiffre fétiche, il annonce « *cent* bagatelles », dont il caractérise brièvement l'inspiration, à savoir une « excitation bizarre qui a besoin de spectacles, de foules, de musique, de réverbères [...]. Je

---

1. Lettre d'Henry de la Madelène à Baudelaire, 9 ou 10 novembre 1864 (*Lettres à Baudelaire*, dans *Études baudelairiennes*, IV-V, La Baconnière, 1973, p. 204-205). **2.** Lettre à Louis Marcelin, 15 février 1865 (C, II, p. 465). **3.** C, II, p. 473.

n'en suis qu'à *soixante*, et je ne peux plus aller. J'ai besoin de ce fameux *bain de multitude* dont l'incorrection vous avait justement choqué [1]. »

Tout semble prouver néanmoins qu'en dépit de multiples atermoiements il est enfin parvenu à former son livre. Il en donne l'annonce à Armand Fraisse dès le 5 avril 1865 : « Les *poèmes en prose* paraîtront dans la seconde partie de cette année, chez Hetzel, sous le titre *Le Spleen de Paris, pour faire pendant aux Fleurs du Mal.* Les fragments qui ont paru étaient disposés sans ordre. Il y aura dans le volume une classification particulière [2]. » Indication importante que confirme l'existence de certaines listes que nous examinerons plus loin.

L'imminence de la publication chez Hetzel n'était cependant qu'un faux espoir, puisqu'en juillet le même éditeur rend à Baudelaire la libre disposition de ses *Fleurs du Mal* et du *Spleen de Paris*, pour lesquels le poète avait signé dans le même temps un contrat avec Poulet-Malassis. Baudelaire choisit donc de se rabattre sur Julien Lemer, son agent littéraire à Paris, auquel il écrit le 13 octobre 1865 : « D'ici à la fin du mois, je vous livrerai cinquante poèmes en prose, complément du *Spleen de Paris* [3]. » Une fois encore, le chiffre dans son exactitude paraît plus imaginaire que réel, comme beaucoup de ceux qui jalonnent l'histoire de cette publication différée.

En 1866, un an avant sa mort, il continue de croire à la sortie prochaine du livre en question, qu'il mentionne, toujours accompagné de la précision « (pour faire pendant aux *Fleurs du Mal*) » dans deux lettres à Narcisse Ancelle, son conseil judiciaire, les 12 et 18 janvier, tandis qu'au cours du même mois, le 15, il

---

1. Lettre à Sainte-Beuve, 4 mai 1865 (C, II, p. 493). **2.** Voir *Nouvelles Lettres*, Fayard, 2000, p. 96. **3.** Lettre à Julien Lemer (C, II, p. 534). On connaît aussi un sommaire établi par Baudelaire d'un paquet à J. Lemer (voir *Le Manuscrit autographe*, 1927, p. 80, et ici même, p. 58) contenant onze poèmes.

écrit à Sainte-Beuve : « J'ai l'espoir de pouvoir montrer, un de ces jours, un nouveau Joseph Delorme accrochant sa pensée rapsodique à chaque accident de sa flânerie et tirant de chaque objet une morale désagréable[1]. » Il ne renonce pas, du reste, à qualifier ses poèmes de « bagatelles » et se plaît à spécifier leur manière à la fois pénétrante et légère. En février, dans une note adressée à Hippolyte Garnier, il précise que « le manuscrit est moitié ici (Bruxelles), moitié à Honfleur[2] ». Une dizaine de jours plus tard, il confie à Jules Troubat, le secrétaire de Sainte-Beuve : « Je suis assez content de mon *Spleen*. En somme, c'est encore les *Fleurs du Mal*, mais avec beaucoup plus de liberté, et de détail, et de raillerie[3]. » Mais, éternel insatisfait, il révise bientôt un tel jugement et se montre réticent devant certaines parties de l'ouvrage.

Le 30 mars, frappé d'un ictus hémiplégique à Namur, il doit peu ou prou s'écarter de la scène littéraire, en dépit de sa lucidité qu'il conserve intacte, sans plus parvenir à l'exprimer. On continue de publier ses œuvres, mais elles paraissent malgré lui, en quelque sorte. La *Revue du XIXᵉ siècle* offre, chiffrés I et II, « La fausse monnaie » et « Le diable » (antérieurement intitulé « Le joueur généreux ») sous le titre général, sans doute choisi auparavant par lui, de *Petits Poèmes lycanthropes*, qui résonne comme un tardif hommage au trop méconnu Pétrus Borel, chef, en 1830, de l'éphémère Camaraderie du Bousingo[4]. D'ores et déjà, étant donné la dégradation vertigineuse de sa santé, il était prévisible que le *Spleen* ne paraîtrait pas de son vivant. Et, de fait, c'est après sa mort, survenue le

---

1. C, II, p. 583. **2.** Note pour H. Garnier, éditeur pressenti de ses œuvres complètes. La note est incluse dans une lettre à Narcisse Ancelle du 6 février 1866 (C, II, p. 591). **3.** Lettre à Jules Troubat, 19 février 1866 (C, II, p. 615). **4.** Baudelaire avait rédigé à son sujet une notice pour les *Poètes français* d'Eugène Crépet. Elle en sera écartée, mais paraîtra dans la *Revue fantaisiste* du 15 juillet 1861.

31 août 1867, que la *Revue nationale et étrangère*
commence à sortir de ses tiroirs – actualité oblige –, à
côté de textes déjà publiés, plusieurs inédits : « Portraits de maîtresses », « *Any where out of the world* »,
« Le tir et le cimetière », provenant du paquet envoyé
à Lemer en juillet 1865 et déposé à cette date chez
Charpentier, gérant de ladite revue.

La rapide mise en place de l'édition des *Œuvres
complètes* chez Michel Lévy allait engager Banville et
un autre écrivain, Charles Asselineau, qui s'en étaient
chargés, dans un travail délicat, surtout quand il est
question d'offrir au public des livres inachevés. Tel
était le cas pour *Le Spleen de Paris*, pour lequel ils
disposaient, certes, d'un matériel important et d'une
table des matières peut-être fiable, encore que la suite
des textes indiqués s'achevât sur un poème, « Les bons
chiens », sans évident rôle conclusif. Banville et Asselineau ont assurément proposé là un ensemble dont on
peut penser que Baudelaire l'aurait approuvé. Il repose
sur l'incontestable suite des vingt-six premiers poèmes
en prose donnés en quatre feuilletons (dont trois seulement parus) dans *La Presse* en 1862 et corrigés ensuite
par l'auteur[1]. Le reste est, à coup sûr, plus aléatoire,
puisque ne le justifient, de façon éparpillée et nullement concertée, que de petits regroupements de cinq à
six poèmes, parfois moins, le plus considérable étant
la publication du 25 décembre 1864 dans la *Nouvelle
Revue de Paris*, qui en comporte six. Le quatrième
tome des *Œuvres complètes*, contenant aussi *Les Paradis artificiels*, révèle au sein de ce qui est intitulé *Petits
Poèmes en prose* (et non *Le Spleen de Paris*) cinq inédits : « Le galant tireur », « La soupe et les nuages »,
« Perte d'auréole », « Mademoiselle Bistouri », « Assommons les pauvres ! », qu'avait gardés la *Revue*

---

1. Sur ces différentes épreuves, voir la Note sur l'établissement
du texte et p. 231 et suiv.

nationale et étrangère, sans oser offenser ses lecteurs par de telles élucubrations[1].

On aurait mauvaise grâce de critiquer la publication posthume due à Banville et Asselineau. On en contestera toutefois le titre, dont tout prouve que Baudelaire l'aurait abandonné pour le plus brillant – quoique plus énigmatique – *Le Spleen de Paris*[2], qu'il y a lieu, en outre, de compléter par la mention « pour faire pendant aux *Fleurs du Mal* » répétée par lui les dernières années avec une obstination qui fait loi[3].

II

La décision de Baudelaire d'adopter la forme du poème en prose authentifie un geste spécifiquement moderne ; en dépit des ambiguïtés qui entourent la naissance de ce genre (car Aloysius Bertrand – comme le verra plus tard André Breton – évoque surtout le passé[4]), il n'en demeure pas moins la manifestation

---

1. Lettre de Pierre Géry à Narcisse Ancelle, citée dans OC, I, p. 1343 : « M. Charpentier a acquis la propriété des poèmes en prose suivants désignés sous le titre général *Petits Poèmes en prose*. Mais M. Charpentier ne s'oppose pas à la publication de ces morceaux dans les œuvres à paraître chez Michel Lévy. / Si même vous désirez avoir communication des poèmes en prose dont nous avons les manuscrits, peut-être inédits, et que nous n'avons pas encore publiés, je me ferai un plaisir de les mettre à votre disposition dans l'intérêt de l'œuvre de celui qui n'est plus. »   **2.** Voir Claude Pichois, notice du *Spleen de Paris*, dans OC, I, p. 1299 : « *Petits Poèmes en prose* est trop peu attesté pour qu'on puisse retenir cette expression comme un titre qui correspondrait à l'intention de Baudelaire. »   **3.** Voir successivement *Note pour M. Namslauer*, fin mai-début juin 1863 (C, II, p. 298), lettre à Victor Hugo, 17 décembre 1863 (C, II, p. 339), lettre à Armand Fraisse, 5 avril 1865 (*Nouvelles Lettres*, p. 96), lettre à J. Lemer, 6 juillet 1865 (C, II, p. 512), lettre à J. Lemer, 13 octobre 1865 (C, II, p. 534), lettres à Narcisse Ancelle, 13 octobre 1865 (C, II, p. 566), 18 janvier 1866 (C, II, p. 572), *Note pour H. Garnier*, du 6 février 1866 (C, II, p. 591).   **4.** Bertrand est qualifié par lui de « surréaliste dans le passé » dans le *Manifeste du surréalisme*, 1924.

d'une forme nouvelle, pressentie certes au XVIIIe siècle, mais incomplètement réalisée. Baudelaire lui-même n'a pas caché ce qu'il pensait devoir à son prédécesseur, quitte à entourer ses déclarations d'atténuations significatives : « C'est en feuilletant, pour la vingtième fois au moins, le fameux *Gaspard de la Nuit* [...] que l'idée m'est venue de tenter quelque chose d'analogue[1]. » À vrai dire, *Gaspard de la Nuit* n'était pas tant renommé à l'époque, bien que ce petit livre quasi magique circulât dans les milieux littéraires. Sainte-Beuve ne l'avait-il pas présenté ? Il s'ensuivait quelque vénération pour ce marginal, et plus d'un, comme le jeune Catulle Mendès, le conservait dans sa bibliothèque, où le vit et l'admira Mallarmé[2]. À l'affût de nouveautés, Baudelaire s'est délecté de ces textes précis, voire précieux, d'une parfaite élégance, parfois d'une supérieure singularité. Ce serait pourtant s'égarer que de vouloir chercher dans ses poèmes en prose une filiation possible avec ceux de Bertrand. Rien dans leur structure ni dans leur contenu ne les rapproche, sinon précisément les déclarations, par trop ostensibles, de Baudelaire faites à leur sujet. La disposition des poèmes de *Gaspard de la Nuit* respecte un blanchiment systématique découpant chaque texte en une suite de couplets ou de versets. Les motifs traités embrassent la vie d'autrefois et des scènes teintées de couleur locale ou de fantastique. Paris, certes, est l'objet de l'un des six livres de ce mince volume, mais il s'agit du « vieux Paris ».

Dans sa lettre-préface à Arsène Houssaye, Baudelaire tient, bien sûr, à montrer qu'il veut faire « quelque chose d'analogue » – mais non point de semblable. En effet, ses poèmes sont formés de paragraphes ou d'alinéas ; il souhaite, en outre, « appliquer à la description de la vie moderne [...] le procédé qu'il [Bertrand] avait

---

1. Voir lettre-préface à A. Houssaye, p. 60.   **2.** Voir les souvenirs de François Coppée dans *La Patrie* du 26 février 1883.

appliqué à la peinture de la vie ancienne ». Le terme de « description » ne convient guère, au demeurant, puisque la plupart des pièces du *Spleen de Paris* analysent des situations et que les éléments pittoresques y sont moins utilisés qu'une certaine façon de capter l'étrangeté du quotidien et ses paradoxes. Baudelaire, quant à lui, prend soin de nous dire qu'il souhaite exprimer là « *une* vie moderne et plus abstraite ». Le seul pittoresque est remis en cause au nom d'une sorte de distanciation qui permet de juger la réalité contemporaine, sans toutefois s'embarrasser d'un souci strictement réaliste.

Le recours à *Gaspard de la Nuit* de Bertrand apparaît donc comme une sorte d'alibi, même si Baudelaire, à juste titre, a pu le considérer comme un authentique devancier. Son poème en prose expose une forme inédite, et c'est elle, bien perçue par la génération suivante, qui sera adoptée par Rimbaud et Mallarmé. Nombreux sont les critiques qui se sont empressés d'anatomiser le poème en prose (unité, densité, gratuité), avec l'illusion de pouvoir en déduire des règles et des invariants [1], alors que s'impose en pareil cas (je veux dire, pour ce qui regarde Baudelaire) une variabilité remarquable contredisant toute visée unitaire (quelle que soit l'unité finale obtenue sous le titre de *Spleen de Paris*).

Baudelaire, qui s'est réclamé hautement de *Gaspard de la Nuit*, comme pour innocenter son œuvre, n'a pas manqué non plus d'invoquer, par bienséance, le médiocre Arsène Houssaye [2]. En revanche, il n'a men-

---

1. Le livre clef, en ce domaine, est celui de Suzanne Bernard, *Le Poème en prose de Baudelaire jusqu'à nos jours*, Nizet, 1959, qui demeure essentiel, malgré les réflexions, évidemment judicieuses, de Tzvetan Todorov dans son article « La poésie sans le vers », repris dans *La Notion de littérature*, Éd. du Seuil, « Points », 1987.   2. Voir d'Arsène Houssaye « La poésie primitive », ensemble de treize poèmes en prose recueillis dans le quatrième livre des *Œuvres poétiques*, Hachette, 1857.

tionné ni Alphonse Rabbe, dont tout prouve qu'il l'a lu avec admiration, ni le très prolixe et très effacé Lefèvre-Deumier[1]. Assurément le poète en lui l'emporte sur le prosateur ; mais ses premières œuvres signalaient l'excellence de sa prose, et ce fait explique peut-être pourquoi, à partir d'un certain moment, une forme de poème en prose particulière lui devint si nécessaire. À observer ses premiers essais de cet ordre, on remarque, néanmoins, qu'ils se sont développés dans la proximité de ses textes en vers, soit que ceux-ci, déjà rédigés, aient inspiré une sorte de réplique « sans rythme et sans rime », soit qu'un canevas préalable aux vers ait formé la matière d'un poème en prose. Sous la plume de Baudelaire, l'usage visible de ce genre nouveau apparaît d'abord sous forme de doublets. On le voit dans « Le crépuscule du soir » et, plus étroitement encore, dans « La chevelure » et « L'invitation au voyage ». Un autre cas de figure est à signaler à propos de « Dorothée », « Une femme sauvage à la foire » et « Le rêve », qui semblent avoir été conçus comme poèmes en vers (à réaliser)[2], puis avoir été rédigés sous forme de poèmes en prose. De même, plusieurs poèmes en prose des dernières années paraissent correspondre à certains poèmes en vers qui leur sont

---

1. Baudelaire signale dans ses *Fusées* (f° 18) (voir volume comprenant *Mon cœur mis à nu*, éd. Guyaux, Gallimard, « Folio », 1986) : « La note éternelle, le style éternel et cosmopolite. Chateaubriand, Alph. Rabbe, Edgar Poe » (*Album d'un pessimiste* de Rabbe, Librairie de Dumont, 2 vol., 1835-1836). – Jules Lefèvre-Deumier laisse surtout deux livres où domine le poème en prose : *Œuvres d'un désœuvré. Vespres de l'abbaye du Val*, 2 vol., Delloye, 1842, et *Le Livre du promeneur*, Amyot, 1854.   **2.** Voir lettre à Poulet-Malassis, 13 mars 1860 (C, II, p. 9) : « Sans compter trois morceaux commencés (*Dorothée* [...] *La Femme sauvage* [...] et *Plutus, l'Amour et la Gloire*) », et lettre à Calonne du 15 décembre 1859 (C, I, p. 637) : « J'ai encore trois petits poèmes sur le chantier ; *Dorothée* [...], *Une femme sauvage à la foire* [...] le *Rêve* », et enfin lettre à Poulet-Malassis du 19 avril 1860 (C, II, p. 23) : « Si le 1ᵉʳ mai, je n'ai pas fini la *préface* et les *trois morceaux* dont je vous ai parlé, je les sacrifie. »

contemporains et auxquels manifestement ils font écho[1].

D'où l'importance qui doit être accordée, malgré tout, au titre quasi définitif de *Spleen de Paris* prolongé par un essentiel « pour faire pendant aux *Fleurs du Mal* ». À bien entendre Baudelaire et son insistance à répéter cette souscription[2], on pourrait certes estimer qu'un rapport étroit relie les deux œuvres[3]. Encore convient-il de ne pas s'acharner à retrouver dans tout poème en prose un poème en vers sous-jacent. Mieux vaut regarder l'ensemble du *Spleen de Paris* comme une construction concertante faisant écho au volume des *Fleurs du Mal*. Affirmer, par conséquent, que *Le Spleen de Paris* serait impensable sans *Les Fleurs du Mal* et, plus encore, sans les « Tableaux parisiens », même si le livre en vers ne saurait à lui seul expliquer la naissance et la genèse du livre de poèmes en prose. Car le poème en prose est une façon de voir et de dire ; il est l'inévitable expression, la seule, que les vers, en certains cas, laissaient pressentir, mais qui se réalise pleinement dans ses limites et selon ses tensions propres. La poésie des *Petits Poèmes en prose* se tient tout entière dans une forme de langage, inviable sinon ; elle reflète la nécessité profonde d'un phrasé que la régularité prosodique ne saurait atteindre. Véhémences

---

1. Voir dans *Les Épaves* (Poulet-Malassis, 1866) « Les yeux de Berthe », « Hymne », « Le monstre », « À une Malabaraise », « Un cabaret folâtre ».   **2.** Voir, outre la note 3 p. 21, cette autre référence dans une lettre à Poulet-Malassis du 13 décembre 1862 : « Hetzel m'a fait une fort belle proposition pour *deux* ouvrages se faisant pendant réciproquement » (C, II, p. 271).   **3.** « D'une façon très générale il [Baudelaire] semble avoir été compulsivement contraint de revenir au moins sur chacun de ses thèmes [...]. Les allégories sont les lieux où Baudelaire expiait sa pulsion de destruction. Ainsi peut-être s'éclaire la correspondance singulière entre tant de "poèmes en prose" et les poèmes des *Fleurs du Mal* » (Walter Benjamin, *Charles Baudelaire. Un poète lyrique à l'apogée du capitalisme*, trad. J. Lacoste, Petite Bibliothèque Payot, 1982, p. 226).

ou réticences, allure pédestre face à toute tentative
sublimante, surexposition du réel aux rayons d'une
éthique dénonciatrice, où « le vocabulaire le plus familier voisine [...] avec la terminologie la plus noble ou
la plus traditionnellement philosophique [1] ».

Tout exégète, voire tout simple lecteur attentif, réa-
git devant l'extrême disparité du livre qui, cependant,
n'a rien d'un recueil. Se déduit donc bien une visée
d'ensemble, un « serpent » total, tête et queue, dont il
s'est plu à dire qu'il ne livrait que les tronçons. Ce
n'était pas assurer que certains manquaient. Ni davantage affirmer qu'ils étaient tous là au complet ; et si
refaire ce serpent illusoire tient de la chimère, encore
doit-on considérer que se construit là une « vision du
monde » baudelairienne, secrète organisatrice (au fur
et à mesure) de l'œuvre, force rationnelle et puissance
imaginative en vertu desquelles les poèmes en prose
ont été rédigés, concentration de la vision, expérience
du moi et de la multitude, souveraineté de la contradiction. Faute de disposer de l'espèce de doctrine implicite dont *Fusées*, *Mon cœur mis à nu* et *La Belgique
déshabillée* livrent des éléments, des strates, des cor-
puscules, nous devons imaginer que ces poèmes en
prose configurent eux aussi cette pensée et que de leur
assemblage dispersé, de leur mosaïque, une image se
dégage, nullement *représentative*, incitatrice plutôt, en
constant sismographe.

Le caractère hétéroclite des *Petits Poèmes en prose*
refuse l'égalité de ton, malgré l'équilibre de chaque
composition prise en soi. Baudelaire, quelque livre
qu'il ait eu en tête, conteste l'idée d'une uniformité et
propose au lecteur un espace-temps irrégulier. On n'y
observe donc pas de ces alternances qui semblaient
vouloir ordonnancer une partie des *Fleurs du Mal* : « À

---

1. Voir Georges Blin, « Introduction aux *Petits Poèmes en prose* », dans *Le Sadisme de Baudelaire*, J. Corti, 1948, p. 163.

un blasphème, j'opposerai des élancements vers le Ciel, à une obscénité, des fleurs platoniques[1]. »

Le Spleen de Paris s'est donc constitué – on l'a vu – au gré d'une disposition mentale singulière. La suite des titres, prévus ou dûment imprimés, tend à le prouver : « Poèmes nocturnes », « Le promeneur solitaire », « Le rôdeur parisien », « La lueur et la fumée », « Petits poèmes en prose », « Le spleen de Paris », « Petits poèmes lycanthropes ». Tour à tour, elle met l'accent sur le moment, le comportement, le lieu, la forme, l'humeur, même si dès les premiers textes le motif urbain prédomine (comme il s'était imposé contradictoirement quand Baudelaire avait collaboré à l'*Hommage à Denecourt*, collectif devant célébrer la nature). Il est, du moins, permis de dire que le site des « villes énormes » est vite devenu son thème de prédilection. Des beautés agrestes, à l'inverse de ses prédécesseurs, il n'avait que faire, et il est clair qu'il a trouvé dans le « grand désert d'hommes[2] », déjà hanté par Poe et De Quincey, un matériau nouveau. Car plus qu'un ample concert de sentiments, l'intéressent, au premier chef, « le mystère de la vie » et, devant celui-ci, la prédominance du *spleen*, « l'embêtement de l'existence[3] », comme dira Flaubert. Il ne s'agit donc pas d'une quelconque nostalgie née de l'éloignement de Paris (le titre est inscrit bien avant que Baudelaire ne s'installe à Bruxelles), mais d'un état d'esprit inspiré par la cité elle-même et proche d'une « mélancolie

---

1. Dans « Notes et documents pour mon avocat » (voir le Dossier des *Fleurs du Mal*, OC, I, p. 195). **2.** Ces mots se trouvent au quatrième chapitre, « La modernité », du *Peintre de la vie moderne* (*Le Figaro*, nov.-déc. 1863). Ils sont empruntés au *René* de Chateaubriand : « Inconnu, je me mêlais à la foule : vaste désert d'hommes ! » Dans *Les Paradis artificiels* (Le Livre de Poche, n° 1326, p. 180), Baudelaire parle du « Sahara des grandes villes ». **3.** Lettre de Flaubert à Baudelaire du 13 juillet 1857 pour le remercier des *Fleurs du Mal* (*Lettres à Baudelaire*, dans *Études baudelairiennes*, t. IV-V, 1973, p. 150).

irritée », d'une « postulation des nerfs »[1] consciente de l'enfer actuel et du paradis lointain. Au moment où il ajoute aux *Fleurs du Mal* l'exceptionnelle section des « Tableaux parisiens »[2], il a sans doute l'intuition que ce domaine trouble où bouillonnent les passions, où s'active le péché, où les rapports humains s'exacerbent dans la vénalité et la prostitution, offre une étendue immense à explorer par divers moyens – aussi bien les lavis de Constantin Guys que les descriptions fuligineuses à la Balzac – et que lui-même, avec son génie singulier, doit s'aventurer dans ces zones interlopes d'où transsude une amère poésie, à la fois détresse, éphémère beauté, ironie, force du passager, intrication des presque incompatibles, action de la disparate. Une autre esthétique en émane, qu'il a l'opportunité de percevoir, sitôt qu'il en ramène les premiers indices. Quant à venir à bout d'un tel programme, à s'accorder à cette pléiade d'antinomies, Baudelaire, bien sûr, sait qu'il n'y faut pas compter, d'autant qu'il refuse – et ce n'est d'ailleurs pas sa manière de voir – la voie du roman, qu'il juge trop abondamment descriptif, analytique[3] et, pour tout dire, laborieux.

L'œuvre de Poe, en revanche, lui avait révélé – outre un souci de lucidité peu commun et le sens de l'effet exact à produire – les mérites d'une forme spécifique : la nouvelle[4]. Il n'hésite pas, en l'occurrence, à considérer

---

1. Ces expressions se lisent dans l'article de Baudelaire sur Théophile Gautier publié pour la première fois dans *L'Artiste*, le 13 mars 1859.   **2.** Lui-même, à pareil moment, a l'impression intense de franchir un cap. C'est ce que confirme, avec l'envoi de « Fantômes parisiens », sa lettre à Jean Morel, fin mai 1859 (C, I, p. 583) : « C'est le premier numéro d'une nouvelle série que je veux tenter, et je crains bien d'avoir simplement réussi à dépasser les limites assignées à la Poésie. »   **3.** « L'âme lyrique fait des enjambées vastes comme des synthèses ; l'esprit du romancier se délecte dans l'analyse », *Théodore de Banville*, première publication dans la *Revue fantaisiste*, 1er août 1861.   **4.** La deuxième liste de textes pour *Le Spleen de Paris* (voir p. 221) envisage de traiter certains poèmes sous forme de nouvelles : « Le prétendant

celle-ci comme supérieure au poème, dès lors qu'il ne s'agit plus d'exprimer la beauté, mais la vérité : « L'auteur d'une nouvelle a à sa disposition une multitude de tons, de nuances de langage, le ton raisonneur, le sarcastique, l'humoristique, que répudie la poésie, et qui sont comme des dissonances, des outrages à l'idée de beauté pure[1]. » Or, sans égard pour une beauté désormais problématique, les petits poèmes en prose jouent de ces multiples tons, déploient cet éventail de possibles.

La « prose poétique » dont Baudelaire se réclame dans la lettre-préface à Arsène Houssaye concerne d'abord, il est vrai, l'allure même de la phrase, et sa progression plus ou moins rapide : mouvements, ondulations, soubresauts[2], en relation aussi bien avec l'âme ou la conscience qu'avec la rêverie. À lire le volume, on s'aperçoit, toutefois, que Baudelaire n'a pas rempli un tel programme. Lui-même reconnaît l'« accident » en quoi consistent de tels textes, face à sa toute première détermination, et son style, loin d'avoir les inflexions d'un Chateaubriand ou du Sainte-Beuve de *Volupté* qu'il admire, montre plus de heurts que de souplesse, bien qu'il n'ignore pas – tant s'en faut – les ressources d'une musique des mots, de la répétition, voire du refrain[3]. À la rêverie centrifuge s'oppose pourtant volontiers l'acuité de sa méditation, où l'intelligence et l'esprit critique percutent la sensibilité vive.

---

malgache », « Le boa », « Une rancune satisfaite », « Le père qui attend », « Le rêve avertisseur ».
1. *Notes nouvelles sur Poe*, en préface aux *Nouvelles Histoires extraordinaires*, M. Lévy frères, 1857. **2.** De même, dans un projet de Préface pour *Les Fleurs du Mal* (OC, I, p. 183), il observait que « la phrase poétique peut imiter [...] la ligne horizontale, la ligne droite ascendante, la ligne droite descendante ; [...] suivre la spirale, décrire la parabole, [...] ». **3.** Voir notamment « Un hémisphère dans une chevelure », « L'invitation au voyage », « Enivrez-vous », « Déjà ! », « Les bienfaits de la lune », « Un cheval de race », « Le galant tireur », « *Any where out of the world* », « Les bons chiens ».

Si quelques plans sont repérables pour *Le Spleen de Paris*, il ne faut pas trop miser sur eux pour mieux comprendre le développement du volume. On retiendra l'indication, par deux fois fournie, d'un classement par rubriques : « Choses parisiennes », « Oneirocritie », « Symboles et moralités ». De ces trois sections probables n'a guère été exploitée celle qui concernait le rêve (à l'exception des « Tentations » et du « Joueur généreux », songes fabriqués, du reste) et l'on peut regretter que, conscient de l'« extraordinaireté » onirique, dont De Quincey lui avait fait découvrir la richesse, Baudelaire ait freiné là son élan. En revanche, *Le Spleen de Paris* contient à l'évidence des « choses parisiennes » (titre à rapprocher du plus précis « tableaux parisiens »), comme il recueille nombre de textes ayant valeur de symboles, ou à la faveur desquels l'auteur s'est plu à mettre en situation, comme une sorte de fabuliste, un problème d'ordre éthique.

Le livre couvre un vaste champ générique qui va de la brève anecdote, à peine commentée, façon Chamfort, à la nouvelle de plusieurs pages, proche de certains récits de Poe : « Portraits de maîtresses », « Mademoiselle Bistouri », « Une mort héroïque ». Sur cette étendue, du plus court au plus développé, on trouve aussi des contes, parfois féeriques, parfois sataniques, des paraboles (« Chacun sa Chimère », « Le fou et la Vénus »), des prières, des notations purement esthétiques. Baudelaire ne s'en est jamais tenu à un modèle avéré ; il s'est adonné à ce que lui dictait sa conscience poétique, selon l'avancée de la phrase qu'il projetait et la nécessité de toucher au vif l'essentiel, en évitant de déployer une habileté trop grande, une trop sensible beauté. Sa diversité formelle interdit, par conséquent, de considérer l'usage qu'il a du poème en prose comme celui d'un cadre rigoureux. Elle ouvre plutôt un espace de liberté, quoique cette liberté n'ait rien de commun avec l'intempérance d'une écriture automatique avant la lettre, puisque la contrôle une volonté artiste apte à débusquer le trait moral, à le faire saillir, à condition de bien comprendre qu'une telle morale ne se confond pas avec l'opinion du tout-venant, mais procède bien davantage de ce dont Nietzsche, guère plus tard, cherchera la « généalogie »[1].

Flâneur ou promeneur, Baudelaire incarne un nouveau regard venu à l'homme moderne. Au cours de sa déambulation quotidienne, cet oisif poursuivait un travail de fond qui consistait à profiter de toutes les connexions que lui offrait sa marche à travers la grande cité : scènes de rues qui révèlent l'obscène avec une espèce d'ingénuité, situations paradoxales, souvent insupportables, où se rencontrent dans le conflit de vivre les individus sociaux. À l'affût, presque dépossédé de lui comme l'observateur du *Facino Cane*[2] de Balzac, il saisit travers et traverses, tire l'épreuve où surgissent et demeurent désormais l'éphémère et le déplaisant, ces neuves infra-valeurs dont se nourrit, en bien ou en mal, notre modernité. Le cadre change, ampleur ou concentration, nouvelle qu'il amorce ou « brève » réduite à ses angles sarcastiques. En serait-il venu là, par la vertu probatoire d'un autre art ? Je pense à Constantin Guys, à Daumier, à Meryon surtout, dont les *Eaux-fortes sur Paris* l'avaient enchanté, au point qu'il veuille en concevoir une écriture peut-être analogique, souhait auquel Meryon, misanthrope et touché de folie, n'accéda pas[3].

Le conseil de lecture donné à Houssaye incite assu-

---

1. Voir les *Fragments posthumes* de Nietzsche, le texte d'Henri Thomas « Les notes de Nietzsche sur Baudelaire » (*Nouvelle Revue française*, déc. 1953) et l'article de Stéphane Michaud, « Nietzsche et Baudelaire », dans *Le Surnaturalisme contemporain* (collectif, La Baconnière, 1979). On retiendra la phrase de Baudelaire dans une lettre à Swinburne, 10 oct. 1863 : « J'ai même une haine très décidée contre toute *intention* morale exclusive dans un poème » (C, II, p. 325). **2.** Nouvelle publiée d'abord dans la *Revue de Paris* du 17 mars 1836 et recueillie dans les *Scènes de la vie parisienne*. **3.** Voir, de Pierre Jean Jouve, « Le quartier Meryon », dans *Tombeau de Baudelaire*, Éd. du Seuil, 1958.

rément à considérer son « petit ouvrage » comme une
« tortueuse fantaisie »[1], sécable, selon lui, au gré de
chacun, sans qu'une telle opération nuise à sa qualité
foncière. « Tronçons », répète-t-il, bien que nous devi-
nions, en fin de compte, qu'aucune réelle esthétique du
fragment ne conviendrait pour la justifier[2]. « Kaléidoscope », note-t-il aussi, dans un projet de lettre, sans
éprouver plus tard le besoin de retenir pareille image.

Le Spleen de Paris comporte cinquante poèmes. À
certaines époques, il était question qu'il en contînt une
centaine. Une ébauche de préface à Houssaye avance
le chiffre de 66 (et jusqu'à 6666 même !) d'allure initia-
tique et qui renvoie à quelque infini. Quelle nécessité
mène de « L'étranger » aux « Bons chiens » ? Le par-
cours ainsi ménagé n'offre aucun point de culmination,
pas plus qu'il ne présente de fléchissements notables,
mais, conjonctif autant que conjoncturel, comporte
d'infinies possibilités de connexions. Admettons simplement que nous sommes là dans « la folie Baudelaire[3] » (comme il y a un domaine d'Arnheim) et que
chaque nouveau poème la confirme à sa manière, ins-
tallant ses propriétés, lesquelles sont aussi sujettes de
l'ensemble ; elles agissent à leur entour, suggèrent des
greffes, des coalescences, des marcottages ; de même
nous pénétrons dans une chambre d'échos ; tel mot
résonne d'un texte à l'autre ; des situations se répètent,
des symboles se répondent, suractivés par la lecture
qui, reprise, ne cesse de retrouver des figures, des

---

1. Voir lettre-préface à Houssaye, p. 59 et suiv. La comparaison
avec le serpent implique aux yeux de Baudelaire un contenu labile,
mais aussi un *corpus* de malice et de venin.   **2.** On notera néanmoins cette remarque de Baudelaire dans une lettre à Hetzel, environ
du 8 mai 1864 : « Je ne retournerai pas non plus à Paris sans avoir fait
le dernier fragment du *Spleen de Paris* » (C, II, p. 365).   **3.** Pour
reprendre le mot de Sainte-Beuve dans son article du *Constitutionnel*
du 20 janvier 1862 : « Ce singulier kiosque, fait en marqueterie,
d'une originalité concertée et composite, qui, depuis quelque temps,
attire les regards à la pointe extrême du Kamtschatka romantique,
j'appelle cela *la folie Baudelaire*. »

expressions, des marquages. Ainsi s'établit une emprise familière. Une reconnaissance se fonde à base d'étrangetés. La réalité du monde moderne multiplie ses images, affiche ses semblants, que détrame l'ironie. D'un bord à l'autre, des personnages reparaissent, pourvus d'une tout autre valeur que les silhouettes romanesques convenues (pauvres, femmes, enfants), et les diverses émanations du moi en butte à ses contradictions : homme des foules et de la solitude, regardeur ému, mais judicatif, amant misogyne en proie aux caprices de l'esprit féminin, âme apitoyée parfois, mais dont l'émotion se jugule par le sarcasme.

La première personne domine, en effet, même quand la troisième consone avec elle, « homme occupé de travaux spirituels » (« Le vieux saltimbanque »), « solitaire le plus fort » (« Un plaisant »). Elle se veut responsable des jugements proférés, confirme sa position de témoin capable d'extraire de la multiplicité quotidienne la scène significative. Loin de toute psychologie qui provoquerait notre attendrissement ou notre répulsion, elle affirme, en actes et en paroles, sa particularité, où le droit de se contredire [1] et celui de déplaire l'emportent sur les « immortels principes de 89 ». Égalité entre les hommes ? Baudelaire y a cru, sans doute, pendant la révolution de 1848. Mais pour vite revenir à la formule impitoyable d'un Hobbes dans son *Léviathan* : « L'homme est un loup pour l'homme. » Face à la célèbre citation de Térence : « Rien de ce qui est humain ne m'est étranger », n'assure-t-il pas qu'« un poète [donc lui-même] aurait le droit de répondre : "Je me suis imposé de si hauts devoirs, que *quidquid humani a me alienum puto*. Ma fonction est extra-humaine !" » C'est bien sa familiarité avec l'*homme à tout jamais*

---

1. Voir dans la Préface aux *Histoires extraordinaires* de Poe (1856) : « Parmi l'énumération nombreuse des *droits de l'homme* [...] deux assez importants ont été oubliés, qui sont le droit de se contredire et le droit de *s'en aller*. »

étranger qu'il montre [1], par des moyens bien différents de la philosophie et de la réflexion idéologique, quand la pensée proprement innerve la poésie, loin de toute doctrine et de tout diktat : « Qu'en dis-tu, citoyen Proudhon [2] ? » Sa parfaite originalité ne craint pas d'énoncer des maximes dissolvantes, de fouailler la bonne conscience, de renverser le consensus de l'humanisme. À l'ancienne règle de plaire, il oppose celle du désagrément et du malaise, quand l'inacceptable vient à la première place et que l'indécence *légifère*, révélatrice de la loi du sexe et de l'argent. *Le Spleen de Paris* propage sous forme de poèmes les étapes, en désordre, d'un journal intime ; le « je », promeneur, flâneur, voyeur, individu de l'occasion et du hasard, s'y avance pour un constat inéluctable où il n'est plus possible de se dérober. La bienséance artistique s'effondre ; les simples mots du jour, auxquels s'ajoutent ceux de l'argot, reviennent à la surface avec d'autant plus d'âpreté que le poème en vers les avait proscrits, jaloux de préserver sa majesté et sa grâce. Dans « La chambre double », brillent les « mirettes » de l'aimée ; sur le tir forain on s'amuse à « tuer le Temps ». Des traces ignées d'italiques parcourent le livre pour que s'enflamme à cet endroit le lecteur.

III

De ces cinquante poèmes se dégagent une morale de Baudelaire [3] aussi bien qu'une expérience de style. La perception constante qu'il a de l'adversité, de la rivalité, des hostilités, des contrastes, la lutte harassante

---

1. « Théophile Gautier », article dans *L'Artiste* du 13 mars 1859, puis en plaquette chez Poulet-Malassis et De Broise (1859). Voir OC, II, p. 127-128. **2.** Dernière phrase d'« Assommons les pauvres ! », supprimée de l'édition posthume en 1869, mais que nous avons rétablie (voir p. 211). **3.** Dans son *Manifeste du surréalisme* de 1924, A. Breton dit de Baudelaire qu'il est « surréaliste dans la morale ».

avec le semblable comme avec soi ne s'en accompa-
gnent pas moins d'un souvenir du paradis perdu, et la
force du négatif ne triomphe que perpétuellement
remise en cause. « La chambre double » donne bien la
mesure de cet univers qui admet toujours un tréfonds
déceptif peu ou prou assimilable au réel, alors qu'une
illusion créait un espace merveilleux où jouir pleinement du bonheur. L'huissier, la maîtresse arrogante,
l'employeur manifestent en temps voulu leur autorité,
éloignent de l'éternité un instant conquise. À l'intérieur
même de la chambre édénique règne l'Idole, l'illusion
de la femme et de l'autre sexe. Pareille douloureuse
dualité sera plus tard illustrée par « Laquelle est la
vraie ? », parabole sur l'idéal et le réel, où l'adorable
aimée se double d'une tapageuse canaille qui cerne
Baudelaire de ses sauts hystériques. La vérité, en ce
cas, se confond avec la parodie, cependant que l'idéal,
qu'il a fallu mettre au tombeau, happe comme un piège
celui qui lui portait sa confiance.

Rien dans *Le Spleen de Paris* qui offre à l'esprit
la vertu de quelque compensation durable. Avec une
malignité qu'il n'est pas exagéré de considérer comme
satanique [1], Baudelaire s'applique à détruire toute
image euphorique et gratifiante. Il est clair qu'il
compose mû essentiellement par la préoccupation de
déssiller le regard et de fragiliser l'espoir. À peine si
quelques poèmes, échappés comme par miracle de ce
ravage programmé, subsistent, tel « Le port », endor-
mant dans le bercement de la houle et le balancement
des navires un esprit résigné. Assurément, ici et là,
demeurent des îlots fortunés, comme « Un hémisphère
dans une chevelure » ou « L'invitation au voyage ».
Mais ils ne font qu'entériner de belles visions antérieures et, par certains côtés, s'emploient à les atténuer

---

1. Voir la notice de Baudelaire sur Théodore de Banville pour
les *Poètes français* d'E. Crépet : « l'art moderne a une tendance
essentiellement démoniaque ».

au moyen de la prose. Un ailleurs persiste, bien entendu, sans lequel le Baudelaire du « Voyage » ne serait pas lui-même. Et néanmoins l'esprit de négation s'insinue là encore, exténuant « Les projets » qui, constamment déplacés, finissent par n'être plus que du vent, ou repoussant la destination du voyage pour, au bout d'une pérégrination qui va de Lisbonne au pôle Arctique, reconnaître que seul un « hors du monde » ouvre le havre souhaité. C'est avec la déception que Baudelaire joue, sans combler pour autant l'appel du désir. Car existe chez ce « promeneur », à côté de la flânerie libre, un sens de la marche condamnée comme sous le faix d'une punition qui se confond peut-être avec la destinée de l'homme. Tel apparaît le cortège de « Chacun sa Chimère » où l'illusion, loin d'éblouir la vie, l'écrase d'un poids sans rémission. Les chimères de Baudelaire n'ont rien de celles de Nerval aux superbes visages ; elles tiennent, au contraire, du monstre, souvent présent dans ses pages comme l'expression irregardable d'un réel auquel on ne peut se soustraire. À l'occasion, les foires en adjugent le phénomène, où l'on peut voir une femme « sauvage » dévoratrice, parfait reflet, en vérité, de l'insupportable, mais présentable mijaurée qui accompagne le poète. D'autres nous hèlent dans les faubourgs des grandes villes, comme cette « Mademoiselle Bistouri » pour laquelle Baudelaire adresse une ultime prière, en sachant quelle fatalité préside aux actions humaines, et combien l'amour est, ni plus ni moins, une opération chirurgicale que masquent bien des élans risibles et des déclarations obligées. La monstruosité ambiante tend dès lors à généraliser l'exception, à enchaîner quiconque aux injonctions du sadisme et du masochisme[1]. Ce qui peut sembler au premier abord une conduite extraordinaire, inexcusable, n'enregistre, en vérité,

---

1. Voir Eugene W. Holland, *Baudelaire and Schizoanalysis. The Sociopoetics of Modernism*, Cambridge University Press, 1993.

qu'un type de comportement fort répandu, où la haine et la perversion s'expriment. À nos yeux détrompés, Baudelaire découvre inlassablement les au-delà du principe de plaisir, les irrésistibles mouvements destructeurs qui engagent à faire le mal (« Le mauvais vitrier », « Le crépuscule du soir »). Rien qui les explique, rien qui les disculpe.

Ce qui, dans *Les Fleurs du Mal*, était malgré tout sublimé par une esthétique valorisante ne connaît plus désormais de belles excuses. Le lecteur « hypocrite » est confronté à l'activité humaine dans ce qu'elle a de plus impardonnable. L'homme des foules ne s'est pas simplement jeté dans le va-tout des grandes ruées communautaires ; il s'est transformé en observateur caustique détectant l'instinct des luttes.

Correspondant aux notes acerbes qui constellent *Fusées* et *Mon cœur mis à nu*[1], *Le Spleen de Paris* agence un puissant réquisitoire contre la femme, pourtant adorée. Sans être toujours l'« autre » de ses poèmes, elle en constitue néanmoins la figure privilégiée et la part maudite. Plus d'une fois, on la voit au bras du poète mise en situation, mise à l'épreuve, et les mots avec lesquels il lui parle portent moins d'amour que d'ironie. Femme sauvage ou petite maîtresse, malgré la disparité visible, peut-être est-ce la même, l'une révélant l'animalité de l'autre ? L'impossible réunion des sexes domine le rapport humain, tout comme la communication, qui ne s'établit qu'à mauvais escient entre eux. Aussi bien le « galant tireur » cherche par analogie à faire cesser une telle comédie de poupées. Aucune résolution toutefois qui parvienne à délivrer l'homme de son désir le plus foncier ; et, si critiques que soient les pages du *Spleen de Paris* à cet

---

1. C'est, en effet, en corrélation avec ces deux œuvres qu'il faut lire aussi les poèmes en prose de Baudelaire. Sur l'ensemble du projet autobiographique baudelairien, voir la remarquable préface d'André Guyaux à son édition de *Fusées. Mon cœur mis à nu. La Belgique déshabillée*, Gallimard, « Folio », 1986.

égard, elles n'en ménagent pas moins une place notable
à quelques-unes pour qui l'étrangeté tient lieu de
beauté – par quoi Baudelaire tend à construire les éléments d'une esthétique paradoxale. Certes, on s'accorde avec l'harmonie de « La chevelure », tout
comme on savoure les splendeurs de l'exotique « Belle
Dorothée » à la démarche majestueuse ; mais ces
poèmes en prose comptent parmi les plus anciens et
sont encore marqués par une délicieuse euphorie que
bientôt il s'emploiera à défaire. Déjà, Dorothée, qui
aurait pu incarner une parfaite image de la pureté primitive, est touchée par la prostitution et le goût du
lucre. Et si dans les yeux de la Féline de « L'horloge »,
il est permis de capter un moment d'éternité, Baudelaire conclut bientôt de manière désastreuse, en assurant que les phrases précédentes relevaient d'un
exercice de style et se confondaient avec quelque
madrigal obligé. C'est surtout – et il n'y a là vraisemblablement aucun hasard – vers la fin du livre qu'un
certain nombre de poèmes consacrés à des femmes forment une suite repérable. Le genre de beautés qu'ils
évoquent ne coïncide pas avec un type canonique, et le
bonheur possible est vite contrecarré par des éléments
insolites. La passante du « Désir de peindre » entraîne
vers un « désir de mourir ». Marquée par l'influence
de la lune, elle se transforme en magicienne admirable
et sinistre réduisant l'homme à sa merci. Le poème
suivant répète sur un mode majeur cette influence et
fomente, à sa faveur, un type d'égérie qui, à l'image
de Baudelaire lui-même, participe du caprice et
contient en soi un secret poison [1]. Plus admirable certes
est Bénédicta, trop belle pour vivre, si bien que son
double maléfique l'emporte, comme le réel sur l'idéal.
Mais c'est plus particulièrement dans « Un cheval de
race » que Baudelaire érige l'exemple d'une beauté
inhabituelle où la laideur s'est insinuée. L'impureté a

---

1. Voir « Les bienfaits de la lune », p. 177.

force de séduction, comme l'usure et la perte. L'être dégradé donne la mesure de la beauté moderne passée à l'épreuve du temps. Comme pour conclure par un redéploiement, Baudelaire, plus loin, imagine encore une sorte de nouvelle : « Portraits de maîtresses », où aucune n'est épargnée, ni la virile, ni la frigide, ni la boulimique, ni – ce qui est pis encore – la parfaite, offrant paradoxalement une proie rêvée à celui qu'agace désormais toute prétention à l'absolu.

L'élément féminin, omniprésent dans *Le Spleen de Paris*, n'échappe au sarcasme coutumier dont il est l'objet (malgré l'admiration sous-jacente, et peut-être en réaction forcenée contre elle) que dans certains textes de rémission où l'être fané, décrépit, usé par l'existence, se voit comme sacralisé dans la personne des veuves, parallèlement célébrées avec un attendrissement qui frôle l'ironie, dans « Les petites vieilles » des *Fleurs du Mal*. L'évidente dislocation de ces corps, admirés autrefois, stimule chez lui un mouvement compassionnel, qu'il manifeste également envers les misérables, selon toute l'attitude contradictoire dont il est capable. « Car s'il est une place qu'ils [les poètes] dédaignent de visiter, [...] c'est surtout la joie des riches [1]. »

Presque symétriques, « Le gâteau » et « Le joujou du pauvre » montrent des types de comportement opposés en apparence. D'une part, une rivalité fratricide entre deux enfants autour d'un morceau de pain ; de l'autre, le significatif dénouement d'un face-à-face que l'on pouvait craindre hostile. Or, avec un sourire qui découvre l'*égale blancheur* de leurs dents, l'enfant riche et l'enfant pauvre guettent ardemment ce joujou vivant qu'est un rat dans une cage. Conscient à sa façon de la lutte des classes qu'à la même époque Marx commençait à décrire, et que bien d'autres pressentaient, Baudelaire à plusieurs reprises édifie le spec-

---

1. « Les veuves », p. 93.

tacle d'un tel affrontement, devant lequel, la plupart du temps, il se garde d'intervenir. S'il désapprouve sa maîtresse de mépriser les pauvres qui « dévorent » des yeux les fastes d'un nouveau café des Boulevards [1], s'il réprouve pareillement la conduite d'un ami qui accorde à un mendiant une pièce fausse (en croyant ainsi satisfaire du même coup la charité [2]), il oppose néanmoins une véritable agression pédagogique à un indigent réclamant avec trop de résignation l'aumône [3]. La pitié, voire la charité, se muent dès lors en leurs valeurs contraires, tant il souhaite redonner à l'être déchu le sens de l'orgueil et de la dignité. Le résultat ne se fait pas attendre, puisque le moraliste à rebours qu'il prétend être ne tarde pas à recevoir la leçon que lui-même avait assenée. La présence constante des misérables dans *Le Spleen de Paris* souligne, à l'évidence, une réalité de l'époque : Hugo venait d'écrire les siens [4] ; le jeune Mallarmé s'apprêtait à rimer son « Aumône du pauvre ». Baudelaire lui-même avait célébré « Le vin des chiffonniers ». En dépit d'une certaine duplicité, il n'envisage là aucune conciliation possible, et s'il peut songer à une forme de charité, ce n'est point celle, évangélique, qui soulage l'indigence, mais celle par laquelle témoigner d'une certaine compréhension d'autrui, compréhension qui, en dernier lieu, par un mouvement égocentrique avéré, profite surtout à lui-même. En ce sens, le scandaleux « Assommons les pauvres ! » manifeste bien le souci d'une dignité humaine, mais recourt à une inadmissible violence, suffisamment équivoque, au demeurant, pour avoir

---

1. « Les yeux des pauvres », p. 135. 2. « La fausse monnaie », p. 144. 3. Dans « Assommons les pauvres ! », p. 208. 4. Voir l'article de Baudelaire sur *Les Misérables* de V. Hugo, qu'il qualifie de livre de « charité », ce qui ne l'empêche pas de rappeler « l'immémoriale réalité » du péché originel (*Le Boulevard*, 20 avril 1862). Au même moment, il écrivait à sa mère : « Ce livre est immonde et inepte. »

donné lieu à quantité d'interprétations incompatibles
entre elles.

Si *Le Spleen de Paris* est attentif au spectacle du
quotidien, aux mille et une rencontres que ménage l'er-
rance urbaine, il l'est d'autant plus, et sous des avatars
multiples, à la réalité de la poésie qui, dans ce cas,
prend une tournure inédite. Baudelaire procède à une
révolution du lyrisme – ce qu'implique d'entrée de jeu
son usage du poème en prose[1]. Encore un tel choix ne
lui suffit-il pas, puisqu'il pousse jusqu'aux limites du
prosaïsme ce qui, avant lui, se voulait parole sublimée,
succédanés divers de la beauté. Rien de plus sympto-
matique de son dessein qu'une vingtaine de textes où la
fonction poétique se voit redéfinie sans complaisance.

Presque à l'orée du *Spleen de Paris*, « Le *Confiteor*
de l'artiste » peut être pris pour une confidence individuelle, même s'il n'est pas sûr que la première personne du locuteur lui corresponde tout à fait. Le lieu
n'est pas non plus celui des villes où s'entrecroisent
les différences, mais le grand espace littoral où l'individu est mis à l'épreuve de l'infini. Il semble évident,
après lecture, que cet espace-temps est récusé au nom
d'une impossibilité, celle qui menace l'œuvre littéraire
quand elle est confrontée à ce qui s'exprime « musicalement et pittoresquement ». Cette réflexion en prélude paraît vouloir congédier le beau naturel que, par
ailleurs, Baudelaire engage à considérer comme un
simple *incitamentum* propre à stimuler l'imagination[2]
et dont il redoute l'impassibilité, tout à la fois sereine
et inatteignable. Renoncerait-il dans ces conditions
à exercer ce qu'il nomme ailleurs sa « fantasque

---

1. Jérôme Thélot parle, à ce propos, de « réflexivité » et de « rigueur analytique » (*Baudelaire. Violence et poésie*, Gallimard,
« Bibliothèque des Idées », 1998, p. 16-17). 2. Dans « L'œuvre
et la vie d'Eugène Delacroix », chapitre III, *L'Opinion nationale*,
2 septembre 1863.

escrime [1] » ? Aussi bien la prise en compte du réel doit-elle se faire par des voies plus impures, même s'il n'est nullement question pour lui de revenir à l'« art positif » qui s'empare du tout-venant pour en offrir une sorte de daguerréotype. On ne saurait cependant adorer désormais une certaine image de la beauté, en être le masochiste serviteur. La fable « Le fou et la Vénus » en administre la preuve d'une manière éclatante. L'immortelle et colossale déesse ne mérite plus les hommages de l'artiste histrion, qui croyait trop en elle. Si proche qu'il s'estime de ce bouffon que l'on retrouve dans le Fancioulle d'« Une mort héroïque », Baudelaire dénonce une telle idolâtrie, non sans pressentir qu'elle est pourtant irremplaçable.

Adaptés au monde contemporain qui, sous ses yeux, présente des images que ne soupçonnait pas l'antique beauté, se rencontrent maints ersatz du poète, défiguré, soit, dans les silhouettes séculières du comédien, du saltimbanque [2], du tsigane, bien que toutes gardent en elles, comme un précieux gage, le sens de l'infini. Car, si rompu qu'il soit par la déréliction, Baudelaire ne doute pas qu'une esthétique du dépassement ne doive rivaliser avec celle d'une possible résignation. En témoigne « Le port » où, revenu de tout, un de ces perdants de la vie n'en contemple pas moins avec ferveur l'ouverture sur le large.

Contraint par sa raison ou son impuissance, entraîné non moins par son illusion (qui n'est pas toujours chimère pondérale), l'homme du *Spleen de Paris* cède encore à l'attrait d'un ailleurs que reflète en sa matérialité l'ampleur de l'océan, à moins que ne s'impose, outrepassant toutes les odyssées, un « n'importe où hors du monde », prouvant qu'ici et maintenant, rien

1. « Le soleil », deuxième poème des « Tableaux parisiens ». Pièce LXXXVII de l'édition de 1861 des *Fleurs du Mal*. Deuxième pièce de la partie « Spleen et Idéal » dans *Les Fleurs du Mal* de 1857. **2.** Voir, de Jean Starobinski, « Sur quelques répondants allégoriques du poète », dans RHLF, avril-juin 1967, p. 402-412.

ne saurait plus nous satisfaire. Parmi les « projets » qui nous attirent, lequel répondra tout à fait à notre attente, sinon celui que nous continuons de rêver sans le toucher, comme si la persistance du désir dépendait d'une procrastination continue ? Loin d'être un sectateur de l'ancienne beauté, le nouveau poète erratique, promeneur et non plus fidèle d'un temple convenu, se voue à l'éphémère dans lequel il reconnaît l'inattendue valeur d'une esthétique déplacée, fuyante, comme cette passante entrevue dont il tente de restituer la mouvance, mais qui ne peut que lui échapper. Son « Désir de peindre », abandonnant finalement tout espoir de saisie artistique, consent à l'échec de la représentation, et le modèle fatal attire le génie au point de provoquer sa perte [1].

À l'aise dans ces apories, Baudelaire, par trois fois, au moins, s'est appliqué à nous donner une image plus étendue du poète, sans plus ruser avec le lecteur, puisqu'il a tenu à livrer en fin de texte la règle de son jeu, la morale de son histoire.

« Le mauvais vitrier », qui n'a rien, au demeurant, d'un texte homogène, commence par quelques réflexions psychologiques où le démon de la perversité est invoqué. Puis le sujet dévie pour se focaliser sur une anecdote dans laquelle le narrateur se rit d'un pauvre vitrier jusqu'à briser la « fortune ambulatoire » de celui-ci. Outre l'irrépressible bonheur de mal faire, l'acte destructeur se réclame d'une logique esthétique. Pourquoi l'artisan ne propose-t-il pas des verres de couleur qui feraient voir la vie en beau ? C'est dire que la seule transparence donnant sur le réel ne saurait combler notre attente, pas plus qu'une littérature reproductrice, et que l'art se doit d'illuminer l'immanence. Fonction compréhensible, certes, mais qui, si l'on

---

1. Voir « Le désir de peindre », p. 175, que l'on comparera avec « À une passante » des « Tableaux parisiens » (pièce XCIII de l'édition de 1861).

scrute *Le Spleen de Paris*, paraît inconvenante. Car Baudelaire n'entre jamais dans cette sorte de sublimation, pas plus qu'il ne s'asservit à quelque mimésis.

C'est encore à la vie urbaine qu'il emprunte une scène navrante quand, décrivant une ambiance de fête, il s'attarde devant la baraque d'un « vieux saltimbanque ». Quelle merveille oserait montrer cet ancien amuseur, négligé désormais du public ? Baudelaire n'ignore pas que chacun doit « faire son tour », que l'art est prostitution et que le goût de la foule varie. Aussi bien l'apologue du « chien et du flacon » montre les lecteurs plus sensibles aux ordures d'une littérature dégradée qu'aux rares parfums de la poésie (*Les Fleurs du Mal*, par exemple !).

Nouvelle autant que poème, « Une mort héroïque » exhibe les essentiels personnages d'une histoire où se trouvent concentrés les rapports de l'art et du pouvoir. Là s'affrontent le prince et le bouffon dans une relation exemplaire. Narrateur poète (Baudelaire, sans doute), prince poète (comme Néron), poète histrion, ont leur part dans ce drame, ce complot, pièce dans la pièce (pensons à *Hamlet*) où le sublime, révélé un instant, se heurte aux données quotidiennes, jalouses de son excès. Tout prouve que Baudelaire s'est ici dédoublé – à la fois témoin et prodigieux acteur de ces « drames féeriques » où s'expose « le mystère de la vie ».

Si, dans « Les vocations », il se rapproche volontiers de l'enfant *incompris* prêt à suivre dans leur destin les gypsies, la « tribu prophétique », c'est encore à ces errants qu'il emprunte une forme d'esthétique lorsqu'il produit comme emblème le thyrse du cortège de Bacchus[1]. Songeant à Liszt auquel le poème est dédié, plusieurs critiques ont estimé qu'il ne convenait pas

---

1. « Le thyrse », p. 165. Voir ces vers du célèbre *Pain et Vin* d'Hölderlin : « Pourquoi, dans ce temps d'ombre misérable, des Poètes ? / Mais ils sont, nous dis-tu, pareils aux saints prêtres du dieu des vignes / Vaguant de terre en terre au long de la nuit sainte » (trad. Gustave Roud).

d'identifier aussi facilement le poète au musicien ; mais la plus franche lecture (qui n'est pas nécessairement la moins bonne) induit à penser que dans la structure du thyrse (ou du caducée), combinant ligne droite et arabesque, il est juste de voir la riche contradiction dont le style de Baudelaire tire son efficace : rigueur d'une pensée et goût rapsodique pour la diversion [1]. On n'oubliera pas davantage que pour lui l'ivresse fait écrire – non celle qu'engendrent volontairement les « paradis artificiels », mais une quelconque stimulation de l'imagination, un sens du dépassement. Sans doute à ce compte risque-t-on de s'effondrer dans l'abîme d'un provisoire au-delà, de se défaire dans la contemplation du passager (et dès lors, il est toujours possible de s'entendre appeler « sacré bougre de marchand de nuages [2] ! »). À moins que, plus à même de saisir les contradictions de la vie sociale, on tente par un mouvement altruiste (qui peut toujours se refermer en cercle égocentrique) de s'insinuer dans l'âme d'autrui, de se fondre dans l'infinie richesse du vivant que révèlent à satiété les foules (où se perdait De Quincey), voire le théâtre d'une simple fenêtre éclairée le soir. Cette « sainte prostitution » ouvre l'accès à des valeurs mal cernées jusqu'alors : « poésie et charité », quand le poète se dévoue entièrement à « l'imprévu qui se montre, à l'inconnu qui passe [3] ». Posture qu'il ne respectera pas toujours, certes, mais qui, au même titre que la contrariété et l'énergie du négatif, semble avoir

---

1. D'une tout autre façon, plus intéressée à la forme, Mallarmé reprendra cette image : « [...] toute prose d'écrivain fastueux [...], ornementale, vaut en tant qu'un vers rompu, jouant avec ses timbres et encore les rimes dissimulées ; selon un thyrse plus complexe. Bien l'épanouissement de ce qui naguère obtint le titre de *poème en prose* » (*La Musique et les Lettres*, Librairie académique Didier, Perrin et Cie, 1895). 2. « La soupe et les nuages », p. 195. 3. « Les foules », p. 91. Ce style de comportement est profondément expliqué au chapitre du *Peintre de la vie moderne* intitulé « L'artiste, homme du monde, homme des foules et enfant » (*Le Figaro*, 29 novembre 1863).

plus volontiers inspiré sa démarche, faite d'inlassable curiosité[1] et d'une sympathie provisoire pour son semblable, ce semblable pourtant inacceptable et meurtrier. Il s'adonne au passager, à la surprise, parfois féconde. Le plus souvent, il nous assigne au pire, nous soumet au poids de la chimère, malgré les baroques et légères architectures des « merveilleux nuages ». Rien qui tienne, par conséquent. Plus de Vénus debout sur son piédestal, mais une « Vénustre » *impudica*, « sauteuse » de cirque[2]. Partout la vie se donne en représentation. L'hypocrisie règne. Seul l'histrion débride le réel – à force d'artifices. Du reste, toute vérité est en fuite. L'idéal tend un piège, le réel est parodique, et la fausse Bénédicta (assurément maudite) impose une loi sans pitié : « Tu m'aimeras telle que je suis. »

Le Spleen de Paris, loin de tourner le dos à la vie comme le malade évoqué au début d'« *Any where out of the world* », extrait du quotidien la scène typique, l'élève au niveau d'une légende du temps présent, prend appui d'un réalisme de premier abord pour désigner ensuite cette réalité des âmes que plus tard percevra avec l'acuité d'un curé d'Ars un Bernanos[3]. Une imagination du symbole ou de la parabole fermente à partir de la « chose vue »[4], qui n'a que faire d'être documentaire. Ce que l'on voit, de ses yeux, et que rapporte, avide, le promeneur clandestin, conduit à une découverte spirituelle – résultat d'un dévouement, prodigieux, à tout prendre, car il n'y a rien à en attendre,

---

1. Max Milner a longuement analysé cette « curiosité » dans l'introduction de son édition du *Spleen de Paris*, Imprimerie nationale, 1979, p. 35-41.   2. Voir « À une heure du matin », p. 84.   3. Voir *Sous le soleil de Satan* (1926) et *L'Imposture* (1927).   4. « Ces textes semblent, pour nombre d'entre eux, relever d'une tendance à créer des allégories narratives, c'est-à-dire de véritables paraboles ou apologues que précèdent ou ponctuent des considérations gnomiques presque toujours paradoxales et ambiguës » (*Patrick Labarthe commente « Petits Poèmes en prose »*, Gallimard, « Foliothèque », 2000, p. 35).

hormis le dévoilement de la déception, l'insupportable matière contradictoire de l'homme, l'aiguisement continu des antithèses, la plaie et le couteau en perpétuelle osmose, l'hystérie généralisée serrant la gorge. Le soleil en ce cas sert moins à épanouir les fleurs qu'à favoriser la pourriture, et la lune répand ses rayons de folie et de caprice excitant une variabilité universelle, une impudique inconstance. L'immortelle beauté cède le pas à une autre image de la femme, « laide [et] délicieuse pourtant », « exquise », portant en elle non plus l'équilibre froid des *antiques* d'admirables proportions, mais une « vitalité endiablée », une « harmonie pétillante », le « feu nouveau » et tardif de l'automne[1]. Baudelaire a jeté le définitif, le parangon, le modèle et, du même coup, perdu non sans contentement son auréole. Elle est tombée, là, dans « la fange du macadam », non loin d'une maison de passe où désormais il peut se « livrer à la crapule », comme dans le lieu le plus propice aux échanges humains – intéressant prélude aux *Demoiselles d'Avignon* de Picasso[2]. Ramasse qui voudra ses lauriers, les plus belles pièces des *Fleurs du Mal*, sa destinée ratée de postulant à l'Académie française. L'honorabilité n'est plus jouable. La décence obligée, le respect des pièces condamnées – ni même la ligne euphonique de l'alexandrin. Le « buveur de quintessences » et « mangeur d'ambroisie » peut s'enivrer de *stout*, comme Poe, même si remonte en lui parfois, quand vient « l'examen de minuit », le désir de « produire quelques beaux vers ».

Le livre se termine – mais devait-il se terminer là ? – par un rejet de l'anthropocentrisme. Et comme « Les chats » veillaient sur *Les Fleurs du Mal*, « Les bons chiens », parias, malappris, vagabonds, concluent sur une note où se mêlent les antinomies, sarcasme et bonté. Baudelaire invoque avec un grain d'ironie la

---

1. « Un cheval de race », p. 182.   **2.** Voir « Perte d'auréole », p. 198.

« Muse familière », la citadine, la vivante [...] »
– comme dans son premier livre il s'adressait à « la
muse malade » et à « la muse vénale ».

On l'aura compris, jamais la poésie n'avait été aussi
malmenée dans l'état d'esprit même qu'elle suppose
autant que dans la forme qu'elle met en jeu. Si *Le
Spleen de Paris* fait « pendant aux *Fleurs du Mal* »,
c'est moins par souci d'équilibre que par désir de sub-
version. *Les Fleurs du Mal*, par-delà le désagrément de
leur propos (l'autopsie morale sans pitié), permettaient
que l'on se raccrochât à la perfection de leurs vers
– comme le Gautier de la dédicace s'en portait le
garant. Il n'est plus possible maintenant de recourir à
un tel alibi en parcourant ces pages nouvelles qui n'ont
que faire de l'harmonie et, plus qu'aux « ondulations
de la rêverie » mentionnées comme excuse dans la
lettre-préface, recourent au grincement, à la raillerie, à
l'explosion, manient un arsenal de dislocations, parcourent d'une ligne de soufre l'élan de la prose, bles-
sent plus qu'elles ne guérissent. Il en résulte, à coup
sûr, cette beauté moderne bien cernée par Baudelaire
lui-même dans son essai sur Constantin Guys et son
Salon de 1859, croisements et métissages, expérimen-
tation curieuse où l'arabesque coopère à la ligne direc-
trice – tout comme cette dernière parfois se diversifie,
devient bifide. Nous ne sommes pas pour autant dans
le régime de la satire, puisque en ces mélanges affleu-
rent souvent les couleurs de la pure poésie. Et la
cruauté se double aussi bien d'une compassion admirable. Il n'empêche que Baudelaire s'est livré là à une
opération antilyrique dont il n'est pas du tout certain
que Rimbaud ni Mallarmé aient perçu l'exacte portée,
attachés qu'ils étaient encore à une sorte de sublimation que lui, pour sa part, jetait aux pieds, avec la rage
d'un porteur d'auréole enfin débarrassé d'une trop
pesante couronne.

IV

C'est sous le titre de *Poèmes en prose*, donné pour la première fois aux textes publiés dans la *Revue fantaisiste* du 1er novembre 1861, que Baudelaire a consacré un genre qui, jusqu'à lui, restait indéterminé quant à sa dénomination. Celle-ci, en effet, n'était pas apparue sous la plume d'Aloysius Bertrand, ni sous celle de Sainte-Beuve commentant Bertrand. Il lui revient donc de l'avoir nettement caractérisée et assumée, bien que, à la différence de Bertrand, il ait fait preuve à ce sujet d'une extrême liberté de conception et d'exécution. Par Baudelaire, le poème en prose s'est acquis droit de cité dans la littérature.

Dès 1861, dans le milieu des futurs Parnassiens, un Verlaine, un Mendès, un Villiers de l'Isle-Adam, un Mallarmé, un Banville avaient été frappés par l'originalité de ces textes qu'ils découvraient dans la *Revue fantaisiste* et, l'année suivante, dans trois feuilletons publiés dans *La Presse*[1]. Plus que tout, le jeune Mallarmé leur voue une attention particulière et, moins de deux ans plus tard, alors qu'il est à Londres, compose à son tour ses premiers poèmes en prose[2]. Nommé à Tournon ensuite, il rédige encore dans ce lieu d'exil provincial, à côté de somptueuses pièces en vers, plusieurs morceaux intimistes qui évoquent « la grâce des choses fanées[3] ». En 1864, c'est avec émerveillement qu'il savoure « Le spleen de Paris » (le titre se lit alors

---

1. Sur la réception du *Spleen de Paris*, au moment de sa publication en revue, puis lors de la parution des *Œuvres complètes*, voir p. 238.   **2.** Notamment « L'orgue de Barbarie » (premier titre de « Plainte d'automne »).   **3.** L'expression, qui se lit dans « Frisson d'hiver », renvoie à « Symphonie littéraire » (*L'Artiste*, 1er février 1865) déjà écrite à cette époque. Elle paraissait dans la partie de ce poème en prose consacrée à Baudelaire. À Tournon ont été écrits « Pauvre enfant pâle » (d'abord intitulé « La tête »), « Frisson d'hiver », « L'orphelin » (devenu, fort modifié, « Réminiscence ») et « La pipe ».

pour la première fois), soit six textes à propos desquels il a l'intention de faire un compte rendu [1]. Deux de ses poèmes en prose, « L'orgue de Barbarie » et « La tête », figurent bientôt dans un numéro de la *Semaine de Cusset et de Vichy* [2] d'Albert Glatigny où, le mois précédent, Baudelaire avait donné ses « Vocations ». Fin 1864, il compose « Le phénomène futur » [3] qu'il envoie manuscrit à Mme Lejosne, laquelle dut le transmettre à Baudelaire, puisque ce dernier note à ce propos dans *La Belgique déshabillée* : « Un jeune écrivain a eu récemment une conception ingénieuse, mais non absolument juste. Le monde va finir. L'humanité est décrépite », etc. [4] Mallarmé n'a jamais su, sans doute, que Baudelaire l'avait lu. Vers 1865 (époque où il découvre également le *Gaspard de la Nuit* de Bertrand), il envisage de regrouper ses poèmes en prose sous le titre de « Pages déchirées » [5]. La *Revue des Lettres et des Arts* de Villiers de l'Isle-Adam en offre un certain nombre [6], en même temps qu'elle replace sous les yeux du lecteur une trentaine de textes de Bertrand. Cependant, il nourrit de plus vastes ambitions, et il faut attendre une deuxième période, celle de 1885-1887, pour qu'il revienne au poème en prose, dès lors conçu bien davantage par lui comme anecdote de caractère supérieur. Dans le tardif livre de ses *Divagations*, il rassemble les poèmes en prose de sa première

---

1. Lettre à Albert Collignon, directeur de la *Revue nouvelle*, le 11 avril 1864. L'article n'y parut pas. **2.** Ils étaient annoncés comme « Poèmes en prose » et portaient la dédicace « À Charles Baudelaire » (numéro du 2 juillet 1864). **3.** Une lettre de Mallarmé à Mme H. Lejosne, du 8 février 1866, semble y faire allusion (Mallarmé, *Correspondance, Lettres sur la poésie*, Gallimard, « Folio », 1995, p. 285-286). **4.** Voir *Fusées. Mon cœur mis à nu. La Belgique déshabillée* (f° 39). **5.** Titre annoncé à H. Cazalis dans une lettre de mars 1865. **6.** « Pages oubliées » dans *La Revue des Lettres et des Arts*, 20 et 27 octobre, 24 novembre 1867, 12 janvier 1868. Ce titre général sera repris dans *L'Art libre* (1872), *La République des Lettres* (1875), *La Vogue* (1886), *Le Chat noir* (1886).

et de sa deuxième manière, en les caractérisant les uns et les autres comme des « riens » (qu'il se doit pourtant de montrer au public)[1]. On comprend, par ailleurs, qu'il accorde une tout autre importance à une certaine forme, le « poème critique » : « Sans doute y a-t-il moyen, là, pour un poète qui par habitude ne pratique pas le vers libre, de montrer en l'aspect de morceaux compréhensifs et brefs [...] tels rythmes immédiats de pensée ordonnant une prosodie[2]. » Ainsi se dégageait-il de l'emprise baudelairienne, prépondérante au début de sa création, et ouvrait-il une nouvelle voie – peu empruntée, il est vrai, depuis.

Un autre territoire semble avoir été découvert par le Rimbaud des *Illuminations*. S'il est assuré que Rimbaud lut *Les Fleurs du Mal*, dont il critiquait la « forme mesquine »[3], tout en vénérant Baudelaire comme un « *vrai dieu* », il est non moins certain qu'un tel reproche ne valait vraisemblablement pas pour *Le Spleen de Paris*. Aucun témoignage tout à fait crédible n'assure, au demeurant, qu'il ait lu cet ensemble ; mais il est plus que probable qu'il en prit connaissance durant l'hiver 1871-1872, lors de son séjour à Paris, où tous ceux qui l'entouraient appréciaient d'autant mieux *Le Spleen de Paris* que, sous le titre de *Petits Poèmes en prose*, il venait d'être publié, enfin complet, dans le quatrième tome des *Œuvres complètes*. On doit même penser que la lecture de tels textes, beaucoup plus que celle du *Gaspard de la Nuit*, l'a incité à explorer ce genre neuf et à y imposer sa marque. Reste que le terme générique (pas plus que le titre) ne se lit dans sa correspondance. Seul le mot de « fraguemants », peu élucidable, se repère dans une de ses lettres à Dela-

---

1. Ils figuraient dans *Divagations* (1897) sous le titre général d'« Anecdotes ou Poèmes » qui fait penser à la « description de la vie moderne » souhaitée par Baudelaire.   **2.** Bibliographie de *Divagations*, à propos des textes intitulés « Grands faits divers ». **3.** Voir la célèbre « lettre du voyant » à Paul Demeny, 15 mai 1871 (OC, éd. P. Brunel, Le Livre de Poche, « La Pochothèque », p. 243).

haye[1], cependant que Verlaine, dans une épître à E. Lepelletier du 1er mai 1875, apprend que Rimbaud l'a « prié d'envoyer pour être imprimés des "poèmes en prose" siens ». La dénomination est placée entre guillemets et pourrait bien coïncider avec les *Illuminations*, sous-titrées, toujours d'après Verlaine, « *painted plates* » ou « *coloured plates* »[2]. Le rapport de tels textes avec ceux du *Spleen de Paris* est assez vague, même si l'on pressent que, sans le livre de Baudelaire, Rimbaud, malgré tout son génie, n'aurait pu accéder à ce type de création[3]. Dans l'un et l'autre cas, le formatage est fait selon des alinéas (rien, par conséquent, des couplets à la Bertrand), mais ceux de Rimbaud sont moins soumis à un principe de développement linéaire. Le tiret y intervient abondamment – et quelques irrégularités syntaxiques imprévisibles. Les motifs entre les deux œuvres se recoupent aussi, mais le plus souvent diffèrent. Rimbaud agence des séries chiffrées – ce qui n'entre pas dans le programme de Baudelaire, annoncé, lui, (sur brouillons), par grandes rubriques. Rarement, il se confie à l'anecdote, bien qu'il sacrifie, le cas échéant, au « conte ». L'un et l'autre cependant observent un intérêt identique pour le monde forain, le poète histrion et le site urbain, auquel Rimbaud confère, en peu de

---

1. Lettre dite de « Laïtou » à Ernest Delahaye, mai 1873 : « Il [Verlaine] te chargera probablement de quelques fraguemants *[sic]* en prose de moi ou de lui, à me retourner » (*ibid.*, p. 383).
2. Précision d'abord donnée dans une lettre de Verlaine à Charles de Sivry, du 8 août 1878 : « Avoir lu *Illuminations* (*painted plates*) du sieur que tu sais [...]. » Voir aussi la préface des *Illuminations* aux éditions de *La Vogue*, 1886 : « Le mot *Illuminations* est anglais et veut dire gravures coloriées, – *coloured plates* : c'est même ce sous-titre que M. Rimbaud avait donné à son manuscrit. »
3. Voir, de Michel Murat, *L'Art de Rimbaud*, J. Corti, 2002, « Les *Illuminations* et le modèle baudelairien », p. 250-260. Si Murat et Steve Murphy pensent que nous avons bien affaire à un recueil de poèmes en prose, A. Guyaux, en revanche, défend l'hypothèse d'une esthétique du fragment (voir sa *Poétique du fragment*, La Baconnière, 1985).

lignes, une ampleur inaccoutumée : c'est lui – et non Baudelaire – qui fabrique par ses mots les « villes énormes » du futur [1]. On comprend vite que la visée rimbaldienne correspond à une intention hors limites, dégagée des « communs élans [2] ». Ses dimensions sont surhumaines ; elles touchent au rêve, aux virtualités du surréel, alors que Baudelaire s'astreint, par hygiène morale, à l'autopsie du monde moderne, en extrait le sens inéluctable, se place en témoin qui ne pardonne pas. Rares sont les voies de fuite qu'il propose. Nul messianisme, de sa part, comme dans « Génie » [3]. Point d'annonce. Le rabaissement que convoque le prosaïsme, la curiosité desquamante, l'absence d'espoir.

D'autant plus claire nous paraît aujourd'hui sa démarche, pour peu qu'on en admette l'attitude offensive, la résolution d'aller contre les lieux communs de la poésie, de s'opposer à toute sublimation. Le désagrément baudelairien demeure en avance sur les tentatives d'élévation – par la voyance chez Rimbaud, par la « notion pure » chez Mallarmé [4]. Sans doute, en ce cas, se révèle-t-il plus foncièrement moderne pour avoir refusé, dans cette dernière partie de son œuvre, les secours d'une beauté transcendante, les attraits de l'idéalisme. Une forme d'héroïsme est perceptible en pareil cas – celle qui consiste à affronter la poésie à ses trop belles images pour, malgré tout, la sauver [5] et

---

1. Notamment dans « Ville », « Villes » [« Ce sont des villes »] et « Villes » [« L'acropole officielle... »].   **2.** L'expression provient du poème « L'éternité » (dans *Vers nouveaux*).   **3.** L'un des poèmes les plus célèbres des *Illuminations* et habituellement placé à la fin de cet ensemble (ms. Berès).   **4.** Plutôt que d'observer les multiples influences du *Spleen de Paris* sur la littérature française, nous avons privilégié les deux exemples immédiatement contemporains de Mallarmé et de Rimbaud qui, chacun à sa façon, donnent au poème en prose une destination singulière.   **5.** « Tout se passe comme si la poésie avait besoin de se manquer et de manquer à elle-même [...] comme si elle n'était pure et profonde qu'à raison de son propre défaut » (Maurice Blanchot, *La Part du feu*, Gallimard, 1949).

pour qu'un certain mode de parole et de style, une allure de langage tiennent, avec des moyens de moins en moins ostensibles, à l'heure d'une modernité qui suppose en elle plus de dégradation que d'exaltation souveraine.

JEAN-LUC STEINMETZ.

NOTE SUR L'ÉTABLISSEMENT DU TEXTE

Notre édition donne les poèmes en prose du *Spleen de Paris* dans l'ordre selon lequel ils apparaissent dans l'édition originale (posthume), au quatrième tome des *Œuvres complètes* (Michel Lévy frères, 1869), comprenant également *Les Paradis artificiels*. Charles Asselineau et Théodore de Banville, amis de Baudelaire, l'ont établie, d'après une liste de la main de Baudelaire (voir sa reproduction, p. 58).

Il n'existe pas de véritables brouillons de ces poèmes, mais pour quelques-uns, on a conservé soit des épreuves corrigées, soit des coupures de feuilletons corrigées, soit des copies pour l'éditeur.

Pour les quatorze premiers (I à XIV), de « L'étranger » au « Vieux saltimbanque », on dispose du feuilleton de *La Presse* des 26 et 27 août 1862, monté sur grandes feuilles de papier blanc paginées de 2 à 22. Les corrections portées par Baudelaire, peu nombreuses, ont servi à l'établissement du texte final de l'édition de 1869. Pour les poèmes XXI à XXVI (quatrième feuilleton à paraître dans *La Presse*, mais qui n'y parut point), on a les épreuves corrigées par Baudelaire (vente à l'hôtel Drouot, 26 novembre 1993, ancienne collection Jean Lanssade). Pour les autres poèmes, « Le port », manuscrit prêt pour l'éditeur, se trouve à la Bibliothèque littéraire Jacques Doucet (cote

9018). On connaît, d'autre part, copiés pour l'éditeur, « Les bons chiens », « Mademoiselle Bistouri », « Assommons les pauvres ! », « La soupe et les nuages », « Portraits de maîtresses » (paginés 1-4, 22-26, 28-31, 35, 39-44), ancienne collection Armand Godoy (vente à l'hôtel Drouot, 12 octobre 1988). Ils ont été reproduits dans *Le Manuscrit autographe*, numéro spécial consacré à Baudelaire (A. Blaizot, 1927), et présentés par Jacques Crépet. Ces manuscrits ont été écrits sur du papier « polycopiste » et dateraient de la seconde moitié de l'année 1865, époque à laquelle ils auraient été déposés par Julien Lemer, agent littéraire de Baudelaire à Paris, chez Charpentier, c'est-à-dire à la *Revue nationale et étrangère* (voir lettre à Lemer du 15 février 1865).

Pour les textes des poèmes en prose dont nous n'avons ni manuscrits ni épreuves ni coupures du texte imprimé corrigées, nous avons donné le texte conforme à l'édition originale (quand il n'y avait pas eu publication en revue) ou à l'original publié en revue. Dans les cas où un poème a été publié plusieurs fois, nous avons choisi la version qui nous paraissait la meilleure (ce qui ne veut pas dire nécessairement la plus récente), en quoi nous nous sommes trouvés d'accord, la plupart du temps, avec celle qu'avaient choisie Asselineau et Banville pour l'édition posthume.

Notre édition, toutefois, diffère de la leur par la ponctuation, le nombre d'alinéas en certains cas, en d'autres l'usage des majuscules, parfois même pour quelques éléments de texte. Toutes ces modifications ont été faites par nous d'après les textes originaux (première publication, publication adoptée, épreuves corrigées). Les variantes orthographiques (*poëte* ou *poète*, *rhythme* ou *rythme*...) ont été unifiées sur l'orthographe moderne, afin de ne pas gêner le lecteur.

Chaque poème en prose est ici accompagné de notes infrapaginales et d'éléments de commentaire que l'on peut consulter en fin de volume (p. 231-238), où sont également précisées les leçons adoptées.

Pour ce qui regarde la source de ces poèmes, nous nous sommes contenté de citer les références indispensables et notamment les poèmes des *Fleurs du Mal* auxquels ils font le plus manifestement écho.

Sigles utilisés

C   Baudelaire, *Correspondance*, éd. Cl. Pichois, Gallimard, « Bibliothèque de la Pléiade », 2 vol.

FM   Baudelaire, *Les Fleurs du Mal*, éd. J. E. Jackson, Le Livre de Poche, n° 677, 2000.

OC   Baudelaire, *Œuvres complètes*, éd. Cl. Pichois, Gallimard, « Bibliothèque de la Pléiade », 2 vol.

LE SPLEEN DE PARIS

pour faire pendant aux

FLEURS DU MAL

Liste autographe des cinquante poèmes en prose du *Spleen de Paris*. La phrase en bas à droite n'est pas de la main de Baudelaire. (Bibliothèque littéraire Jacques Doucet, cote alpha 9022.) © Bibliothèque littéraire Jacques Doucet (photo Suzanne Nagy).

À ARSÈNE HOUSSAYE

Mon cher ami, je vous envoie un petit ouvrage[1] dont on ne pourrait pas dire, sans injustice, qu'il n'a ni queue ni tête[2], puisque tout, au contraire, y est à la fois tête et queue, alternativement et réciproquement[3]. Considérez, je vous prie, quelles admirables commodités cette combinaison nous offre à tous, à vous, à moi et au lecteur. Nous pouvons couper où nous voulons, moi ma rêverie[4], vous le manuscrit, le lecteur sa lecture ; car je ne suspends pas la volonté rétive de celui-ci au fil interminable d'une intrigue superflue[5]. Enlevez une vertèbre, et les deux morceaux de cette

---

1. « Petit ouvrage » implique que l'envoi à Houssaye concerne une totalité à publier. Le plan en a donc été conçu et l'ordre de publication des poèmes dans *La Presse*, tel que nous le connaissons (jusqu'au vingt-sixième), semble pouvoir être tenu pour le bon, à cette époque, du moins. **2.** À dessein, Baudelaire utilise cette expression un peu triviale. D'elle ensuite, il tirera l'image du serpent tronçonné. **3.** Des *Fleurs du Mal*, en revanche, Baudelaire disait que c'était un livre qui avait « un commencement et une fin » (lettre à Vigny, environ du 16 décembre 1861, C, II, p. 196). **4.** L'accent est mis sur la « rêverie » en tant qu'activité littéraire. On pense évidemment à Rousseau. Avec une nuance péjorative, Baudelaire présentera ensuite ses poèmes en prose à Sainte-Beuve comme des « *Rêvasseries* ». **5.** Baudelaire critique ainsi « l'esprit du romancier » qui se « délecte dans l'analyse » (voir sa notice sur Théodore de Banville dans *Les Poètes français* d'E. Crépet). On sait, en revanche, tout ce qu'il doit à la brièveté de la nouvelle selon Poe.

tortueuse fantaisie[1] se rejoindront sans peine. Hachez-la en nombreux fragments, et vous verrez que chacun peut exister à part. Dans l'espérance que quelques-uns de ces tronçons seront assez vivants pour vous plaire et vous amuser, j'ose vous dédier le serpent tout entier[2].

J'ai une petite confession à vous faire. C'est en feuilletant, pour la vingtième fois au moins, le fameux *Gaspard de la Nuit*, d'Aloysius Bertrand[3] (un livre connu de vous[4], de moi et de quelques-uns de nos amis, n'a-t-il pas tous les droits à être appelé *fameux* ?) que l'idée m'est venue de tenter quelque chose d'analogue, et d'appliquer à la description de la vie moderne, ou plutôt d'*une*[5] vie moderne et plus abstraite, le procédé qu'il avait appliqué à la peinture de la vie ancienne, si étrangement pittoresque.

Quel est celui de nous qui n'a pas, dans ses jours d'ambition, rêvé le miracle d'une prose poétique[6], musicale sans rythme et sans rime, assez souple et assez heurtée pour s'adapter aux mouvements lyriques de l'âme, aux ondulations de la rêverie, aux soubresauts de la conscience ?

C'est surtout de la fréquentation des villes énormes[7], c'est du croisement de leurs innombrables rapports que

---

1. *Gaspard de la Nuit*, cité par la suite, portait comme souscription « fantaisies à la manière de Rembrandt et de Callot ». 2. Dédier un serpent ne va pas sans malice, surtout si l'on songe à celui qui veillait dans l'arbre de l'Éden. 3. *Gaspard de la Nuit*, premier recueil de poèmes en prose, avait été publié à Angers, par Victor Pavie, en 1842, avec une notice de Sainte-Beuve. 4. A. Houssaye, en effet, avait évoqué Bertrand dans son *Voyage à ma fenêtre* (Lecou, 1851). 5. L'italique précise la singularité de cette vie. L'abstraction, en ce cas, porte sur la capacité de Baudelaire à symboliser des scènes quotidiennes pour en extraire une quintessence. 6. On voit donc que pour parler du poème en prose, Baudelaire prend comme point de départ la « prose poétique » (Rousseau, Chateaubriand, Sénancour) qu'il distingue du vers, mais à laquelle il tient à attribuer une euphonie. 7. Le mot prend une intensité visionnaire à laquelle Rimbaud donnera tout son effet. On songe à Paris, mais aussi au Londres de De Quincey et aux cités de Poe.

naît cet idéal obsédant. Vous-même, mon cher ami, n'avez-vous pas tenté de traduire en une *chanson* le cri strident du *Vitrier*[1], et d'exprimer dans une prose lyrique toutes les désolantes suggestions que ce cri envoie jusqu'aux mansardes, à travers les plus hautes brumes de la rue ?

Mais, pour dire le vrai, je crains que ma jalousie ne m'ait pas porté bonheur. Sitôt que j'eus commencé le travail, je m'aperçus que non seulement je restais bien loin de mon mystérieux et brillant modèle, mais encore que je faisais quelque chose (si cela peut s'appeler *quelque chose*) de singulièrement différent, accident[2] dont tout autre que moi s'enorgueillirait sans doute, mais qui ne peut qu'humilier profondément un esprit qui regarde comme le plus grand honneur du poète d'accomplir *juste* ce qu'il a projeté de faire[3].

Votre bien affectionné,

C. B.

---

1. Voir « Le mauvais vitrier », p. 78. Il est notoire que Baudelaire était parfaitement conscient de la médiocrité de « La chanson du vitrier » d'A. Houssaye (voir p. 221), qu'il corrige avec génie.   **2.** L'« accident » aura été révélateur d'un « inconnu » compatible avec le « *nouveau* » qu'évoque la fin du « Voyage » (FM, p. 192).   **3.** C'est le traducteur et fidèle de Poe qui parle ici, en accord avec « Genèse du poème » et l'idée de l'effet à produire : « L'artiste, s'il est habile, n'accommodera pas ses pensées aux incidents, mais, ayant conçu délibérément, à loisir, un effet à produire, inventera les incidents, combinera les événements les plus propres à amener l'effet voulu » (*Notes nouvelles sur Poe*, 1857).

I

L'étranger

— Qui aimes-tu le mieux, homme énigmatique, dis ? ton père, ta mère[1], ta sœur ou ton frère ?

— Je n'ai ni père, ni mère, ni sœur, ni frère.

— Tes amis ?

— Vous vous servez là d'une parole dont le sens m'est resté jusqu'à ce jour inconnu.

— Ta patrie ?

— J'ignore sous quelle latitude elle est située.

— La beauté ?

— Je l'aimerais volontiers, déesse et immortelle[2].

— L'or ?

— Je le hais comme vous haïssez Dieu[3].

— Eh ! qu'aimes-tu donc, extraordinaire étranger ?

— J'aime les nuages... les nuages qui passent... là-bas... là-bas... les merveilleux nuages[4] !

---

1. Au lieu de « ton père, ta mère » et, plus bas, de « ni père, ni mère », Baudelaire avait d'abord écrit « tes parents » et « ni parents ». En 1865, à Bruxelles, il traduira *Le Pont des soupirs* de Thomas Hood qui donne à la huitième strophe (trad. Baudelaire) : « Qui était son père ? Qui était sa mère ? / Avait-elle une sœur ? / Avait-elle un frère ? » Mais « L'étranger » est antérieur. **2.** Voir dans *Les Fleurs du Mal* « La Beauté », faite pour « inspirer au poète un amour / Éternel et muet [...] ». **3.** D'ordinaire, on aime Dieu ; mais on peut aussi le haïr comme un despote absolu. Ailleurs, Baudelaire dénonce Plutus, dieu de la Richesse chez les Grecs et les Latins (voir « Les tentations »). À la place du mot « or », le texte original de *La Presse* portait « argent ». **4.** Les nuages sont aussi présentés comme objet de la rêverie poétique dans « La soupe et les nuages », et dans « Le voyage », dernière

II

Le désespoir de la vieille

La petite vieille ratatinée[1] se sentit toute réjouie en voyant ce joli enfant[2] à qui chacun faisait fête, à qui tout le monde voulait plaire ; ce joli être, si fragile comme elle, la petite vieille, et, comme elle aussi, sans dents et sans cheveux.

Et elle s'approcha de lui, voulant lui faire des risettes et des mines agréables.

Mais l'enfant épouvanté se débattait sous les caresses de la bonne femme décrépite, et remplissait la maison de ses glapissements.

Alors la bonne vieille se retira dans sa solitude éternelle, et elle pleurait dans un coin, se disant : – « Ah ! pour nous, malheureuses vieilles femelles[3], l'âge est passé de plaire, même aux innocents, et nous faisons horreur aux petits enfants que nous voulons aimer ! »

La vieille : le temps = the mute thing

---

pièce de FM (1861), on peut lire : « Les plus riches cités, les plus grands paysages, / Jamais ne contenaient l'attrait mystérieux / De ceux que le hasard fait avec les nuages. »
1. On lit dans « Les petites vieilles » (FM, p. 141) où Baudelaire compare celles-ci à des enfants, l'expression « ombres ratatinées », et la description de ces « êtres singuliers, décrépits et charmants ». **2.** À dessein, l'hiatus n'est pas évité. On le retrouve plus loin dans « joli être ». Même hiatus dans « Une mort héroïque », quand Baudelaire nomme le page un « joli enfant ». **3.** Le terme est évidemment dépréciatif, car il renvoie au monde animal. La vieille reprend ainsi les mots dont on la traite avec mépris.

III

Le « Confiteor » de l'artiste

Que les fins de journées d'automne sont pénétrantes ! Ah ! pénétrantes jusqu'à la douleur ! car il est de certaines sensations délicieuses dont le vague n'exclut pas l'intensité[1], et il n'est pas de pointe plus acérée que celle de l'Infini[2].

Grand délice que celui de noyer son regard dans l'immensité du ciel et de la mer ! Solitude, silence, incomparable chasteté de l'azur[3], une petite voile frissonnante à l'horizon, et qui, par sa petitesse et son isolement, imite mon irrémédiable existence, mélodie monotone de la houle, toutes ces choses pensent par moi, ou je pense par elles (car dans la grandeur de la rêverie, le *moi* se perd si vite[4] !) ; elles pensent, dis-je, mais musicalement et pittoresquement, sans arguties, sans syllogismes, sans déductions.

Toutefois, ces pensées, qu'elles sortent de moi ou

---

1. La sensation dont témoigne ce passage (bien différente de celle que provoque le violent automne romantique) est à mettre en relation avec le tempérament hystérique que plus d'une fois Baudelaire reconnaît être le sien. Elle est aussi comparable à l'extrême sensibilité de certains personnages de Poe ou d'Hoffmann. **2.** Voir dans *Mon cœur mis à nu* et dans *Les Paradis artificiels* le chapitre intitulé « Le goût de l'infini ». Baudelaire s'exprime selon les termes d'une philosophie sensualiste et la théorie de la *titillatio*. **3.** C'est un azur sans nuages, contrairement aux lourds ciels pluvieux de Paris. **4.** Cette perte fait intervenir de nouveau la réflexion philosophique. On se souviendra de la célèbre formule de *Mon cœur mis à nu* : « De la vaporisation et de la centralisation du *Moi*. Tout est là. »

s'élancent des choses[1], deviennent bientôt trop intenses. L'énergie dans la volupté crée un malaise et une souffrance positive[2]. Mes nerfs trop tendus ne donnent plus que des vibrations criardes et douloureuses.

Et maintenant la profondeur du ciel me consterne ; sa limpidité m'exaspère. L'insensibilité de la mer[3], l'immuabilité du spectacle me révoltent... Ah ! faut-il éternellement souffrir ou fuir éternellement le beau ? Nature, enchanteresse sans pitié, rivale toujours victorieuse, laisse-moi ! Cesse de tenter mes désirs et mon orgueil ! L'étude du beau est un duel[4] où l'artiste crie de frayeur avant d'être vaincu.

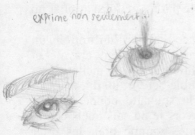

---

1. Il y a donc dans les choses une forme de pensée diffuse qui échappe à la logique, mais se rapproche de l'expression musicale ou picturale. **2.** L'adjectif n'est pas valorisant. Il indique la force du « malaise » et de la « souffrance ». Dans *La Peau de chagrin* (première partie), Balzac avait écrit : « Qui pourrait déterminer le point où la volupté devient un mal et celui où le mal est encore volupté ? » **3.** Plus tard, Mallarmé, à la fin du sonnet « Tristesse d'été » (*Le Parnasse contemporain*, 30 juin 1866), parlera de « l'insensibilité de l'azur et des pierres ». **4.** Dans « Le soleil », poème des *Fleurs du Mal* (p. 133), Baudelaire désigne sa pratique de la poésie comme une « fantasque escrime ».

IV

Un plaisant

C'était l'explosion du nouvel an. Chaos de boue et de neige, traversé de mille carrosses, étincelant de joujoux et de bonbons, grouillant de cupidités et de désespoirs, délire officiel[1] d'une grande ville fait pour troubler le cerveau du solitaire le plus fort[2].

Au milieu de ce tohu-bohu et de ce vacarme, un âne trottait vivement, harcelé par un malotru armé d'un fouet.

Comme l'âne allait tourner l'angle d'un trottoir, un beau monsieur ganté, verni, cruellement cravaté et emprisonné dans des habits tout neufs[3], s'inclina cérémonieusement devant l'humble bête, et lui dit, en ôtant son chapeau : « Je vous la souhaite bonne et heureuse[4] ! » puis se retourna vers je ne sais quels camarades avec un air de fatuité, comme pour les prier d'ajouter leur approbation à son contentement.

L'âne ne vit pas ce beau plaisant, et continua de courir avec zèle où l'appelait son devoir.

---

1. La fête ici est voulue et presque de commande.   **2.** Par ce solitaire endurci, Baudelaire s'assure à l'avance une place dans le tableau.   **3.** C'est-à-dire « serré dans sa cravate ». Le personnage, porteur d'habits trop neufs, se distingue en cela du dandy.
4. Comprendre « l'année ». Le jeu de mots est implicite avec « ânesse ».

Pour moi, je fus pris subitement d'une incommensurable rage contre ce magnifique imbécile, qui me parut concentrer en lui tout l'esprit de la France [1].

---

1. Dans une note sur *Les Liaisons dangereuses* de Laclos, qui date vraisemblablement de 1866, Baudelaire a écrit : « Et la niaiserie a pris la place de l'esprit » (OC, II, p. 68). Un premier projet de Préface pour *Les Fleurs du Mal* contenait cette remarque : « Paris, centre et rayonnement de bêtise universelle » (C, I, p. 182). Dans une lettre à sa mère du 5 juin 1863, à propos de *Mon cœur mis à nu*, on peut lire aussi : « Je tournerai contre la *France entière* mon réel talent d'impertinence » (C, II, p. 305).

V

La chambre double

Une chambre qui ressemble à une rêverie, une chambre véritablement *spirituelle*[1], où l'atmosphère stagnante est légèrement teintée de rose et de bleu[2].

L'âme y prend un bain de paresse, aromatisé par le regret et le désir. – C'est quelque chose de crépusculaire, de bleuâtre et de rosâtre ; un rêve de volupté pendant une éclipse.

Les meubles ont des formes allongées, prostrées, alanguies. Les meubles ont l'air de rêver ; on les dirait doués d'une vie somnambulique, comme le végétal et le minéral. Les étoffes parlent une langue muette[3], comme les fleurs, comme les ciels[4], comme les soleils couchants.

Sur les murs nulle abomination artistique. Relativement au rêve pur, à l'impression non analysée, l'art

---

1. Qui facilite les vues de l'esprit. Dans *Les Paradis artificiels*, Baudelaire parle de l'allégorie en tant que genre spirituel. Voir aussi son poème « L'aube spirituelle » (FM, p. 94). « L'objet que Baudelaire a créé par une émanation perpétuelle dans ses poèmes [...] c'est ce qu'il a nommé et que nous nommerons après lui le *spirituel*. Le spirituel est le fait poétique baudelairien » (J.-P. Sartre, *Baudelaire*, Gallimard, 1947 ; rééd. coll. « Idées », 1963, p. 220). **2.** Ces couleurs sont appariées chez Baudelaire pour créer une volupté particulière : « Un soir fait de rose et de bleu mystique » (« La mort des amants », FM, p. 182). **3.** L'atmosphère est celle d'« Élévation » et surtout de « L'invitation au voyage » (FM, p. 102) : « Tout y parlerait / À l'âme en secret / Sa douce langue natale. » **4.** « Ciels » pour « cieux », au sens pictural du terme.

défini, l'art positif est un blasphème[1]. Ici, tout a la suffisante clarté et la délicieuse obscurité de l'harmonie.

Une senteur infinitésimale du choix le plus exquis, à laquelle se mêle une très légère humidité, nage dans cette atmosphère, où l'esprit sommeillant est bercé par des sensations de serre-chaude[2].

La mousseline pleut abondamment devant les fenêtres et devant le lit ; elle s'épanche en cascades neigeuses. Sur ce lit est couchée l'Idole, la souveraine des rêves. Mais comment est-elle ici ? Qui l'a amenée ? quel pouvoir magique l'a installée sur ce trône de rêverie et de volupté ? Qu'importe ? la voilà, je la reconnais !

Voilà bien ces yeux dont la flamme traverse le crépuscule ; ces subtiles et terribles *mirettes*[3], que je reconnais à leur effrayante malice[4] ! Elles attirent, elles subjuguent, elles dévorent le regard de l'imprudent qui les contemple. Je les ai souvent étudiées, ces étoiles noires[5] qui commandent la curiosité et l'admiration.

À quel démon bienveillant dois-je d'être ainsi entouré de mystère, de silence, de paix et de parfums ? Ô béatitude ! ce que nous nommons généralement la vie, même dans son expansion la plus heureuse, n'a

---

1. Baudelaire évacue donc de ce lieu parfait toute représentation artistique qui relèverait de la simple imitation, et singulièrement tout échantillon d'art réaliste « positiviste » (comme il le caractérise dans son *Salon de 1859*). 2. On pouvait lire déjà dans *La Fanfarlo*, nouvelle de jeunesse : « L'art, chargé de miasmes bizarres, donnait envie d'y mourir lentement, comme dans une serre chaude. » *Serres chaudes* sera le titre du premier recueil de poésies publié par Maurice Maeterlinck (1889). 3. Mot argotique, excusé, du reste, par l'italique, et qui désigne les yeux. Il introduit un élément de trivialité, donc de réalité accentuée dans l'univers paradisiaque. 4. La malice, au sens fort du terme, donc la méchanceté. 5. Cet oxymore, contradiction dans les termes, manifeste, comme le « soleil noir » de la Mélancolie chez Nerval, le pouvoir d'une inquiétante sidération. La femme du « Désir de peindre » (p. 175) est aussi comparée à un soleil noir. Poe avait également montré l'extraordinaire pouvoir d'expression des yeux noirs de Ligeia.

rien de commun avec cette vie suprême dont j'ai maintenant connaissance et que je savoure minute par minute, seconde par seconde !

Non ! il n'est plus de minutes, il n'est plus de secondes ! Le Temps a disparu, c'est l'Éternité qui règne, une Éternité de délices[1] !

Mais un coup terrible, lourd, a retenti à la porte, et, comme dans les rêves infernaux, il m'a semblé que je recevais un coup de pioche dans l'estomac.

Et puis un Spectre est entré. C'est un huissier qui vient me torturer au nom de la loi ; une infâme concubine qui vient crier misère et ajouter les trivialités de sa vie aux douleurs de la mienne ; ou bien le saute-ruisseau d'un directeur de journal qui réclame la suite du manuscrit[2].

La chambre paradisiaque, l'idole, la souveraine des rêves, la *Sylphide*, comme disait le grand René[3], toute cette magie a disparu au coup brutal frappé par le Spectre.

Horreur ! je me souviens ! je me souviens[4] ! Oui ! ce taudis[5], ce séjour de l'éternel ennui, est bien le

---

1. L'éternité que promet le Paradis, par opposition avec l'éternité des peines de l'Enfer.   **2.** Trois formes de réalités quotidiennes se manifestent : l'argent, l'amour vénalisé et le travail. – Un « saute-ruisseau » est un garçon de course.   **3.** La sylphide, sorte de créature élémentale liée au monde aérien, était le nom que, dans son adolescence, Chateaubriand (« le grand René ») avait donné à la créature de ses rêves. C'est du moins, en ces termes qu'il l'évoque à plusieurs reprises dans ses *Mémoires d'outre-tombe* (voir livre premier : « vous allez voir qu'en effet j'y ai rencontré ma sylphide », et dans le livre troisième, chap. 10, « Chagrins d'amour »). Le mot apparaît également dans « L'horloge » (FM, p. 131) : « Le Plaisir vaporeux fuira vers l'horizon / Ainsi qu'une sylphide au fond de la coulisse. »   **4.** Dans le poème cité à la note 3, Baudelaire fait dire à l'horloge : « *Remember ! Souviens-toi*, prodigue ! *Esto memor !* »   **5.** Voir « Rêve parisien » (FM, p. 157) : « En rouvrant mes yeux pleins de flamme / J'ai vu l'horreur de mon taudis » ou encore « Le voyage » (FM, p. 188) : « Son œil ensorcelé découvre une Capoue / Partout où la chandelle illumine un taudis. »

mien. Voici les meubles sots[1], poudreux, écornés ; la cheminée sans flamme et sans braise, souillée de crachats ; les tristes fenêtres où la pluie a tracé des sillons dans la poussière ; les manuscrits, raturés ou incomplets ; l'almanach où le crayon a marqué les dates sinistres[2] !

Et ce parfum d'un autre monde, dont je m'enivrais avec une sensibilité perfectionnée, hélas ! il est remplacé par une fétide odeur de tabac mêlée à je ne sais quelle nauséabonde moisissure. On respire ici maintenant le ranci de la désolation.

Dans ce monde étroit, mais si plein de dégoût, un seul objet connu me sourit : la fiole de laudanum ; une vieille et terrible amie[3] ; comme toutes les amies, hélas ! féconde en caresses et en traîtrises.

Oh ! oui ! le Temps a reparu ; le Temps règne en souverain maintenant ; et avec le hideux vieillard[4] est revenu tout son démoniaque cortège de Souvenirs, de Regrets, de Spasmes, de Peurs, d'Angoisses, de Cauchemars, de Colères et de Névroses.

Je vous assure que les Secondes maintenant sont fortement et solennellement accentuées, et chacune, en jaillissant de la pendule, dit : – « Je suis la Vie, l'insupportable, l'implacable Vie ! »

Il n'y a qu'une Seconde dans la vie humaine qui

---

1. Appliqué à un objet inanimé, le mot surprend. – « Poudreux » veut dire « couverts de poussière ».   **2.** Baudelaire veut parler d'une éphéméride où sont inscrites les dates des termes à payer ou des copies à remettre à des revues.   **3.** Le laudanum prend ainsi la place de l'Idole. Baudelaire usait de cette forme d'opium liquide pour soigner les douleurs de sa syphilis. Il n'est pas évident que le spectacle paradisiaque de la chambre ait été uniquement causé par l'absorption de cette drogue.   **4.** Allégorie traditionnelle du Temps. – Le terme de « Névroses » qui apparaît ensuite et désignait alors une maladie des nerfs était appelé à connaître une fortune considérable. En 1883, Maurice Rollinat fera paraître le recueil outré de ses *Névroses*.

ait mission d'annoncer une bonne nouvelle, la *bonne nouvelle*[1] qui cause à chacun une inexplicable peur.

Oui ! le Temps règne ; il a repris sa brutale dictature. Et il me pousse, comme si j'étais un bœuf, avec son double aiguillon[2]. – « Et hue donc ! bourrique[3] ! Sue donc, esclave ! Vis donc, damné ! »

---

1. L'italique indique qu'il y a référence à l'Évangile (« la bonne parole », en grec) ; le mot a valeur d'euphémisme pour dire la mort. 2. L'aiguillon est un bâton de bois pointu dont on poussait les bêtes de labour.   3. Comparer avec la fin de « L'horloge » (FM, p. 131) : « Meurs, vieux lâche ! il est trop tard ! » Le terme de « bourrique », qui nomme familièrement un âne, se trouve établir – sans doute, après coup – un lien avec le poème précédent, présentant un âne harcelé par un malotru.

VI

Chacun sa Chimère

Sous un grand ciel gris, dans une grande plaine poudreuse, sans chemins, sans gazon, sans un chardon, sans une ortie[1], je rencontrai plusieurs hommes qui marchaient courbés.

Chacun d'eux portait sur son dos une énorme Chimère[2], aussi lourde qu'un sac de farine ou de charbon, ou le fourniment[3] d'un fantassin romain.

Mais la monstrueuse bête n'était pas un poids inerte ; au contraire, elle enveloppait et opprimait l'homme de ses muscles élastiques et puissants ; elle s'agrafait avec ses deux vastes griffes à la poitrine de sa monture, et sa tête fabuleuse surmontait le front de l'homme comme un de ces casques horribles par lesquels les anciens guerriers espéraient ajouter à la terreur de l'ennemi[4].

Je questionnai l'un de ces hommes, et je lui demandai où ils allaient ainsi.

Il me répondit qu'il n'en savait rien, ni lui, ni les

---

1. Voir le début de « La Béatrice » (FM, p. 171) : « Dans des terrains cendreux, calcinés, sans verdure ». **2.** Cet animal mythologique a une tête de lion, le corps d'une chèvre et la queue d'un dragon. Dans un autre poème en prose, « Enivrez-vous » (p. 168), Baudelaire parle de l'horrible fardeau du Temps. Le « sac de farine ou de charbon » indique la nature différente de ces chimères, idéales ou viles. **3.** C'est le barda (*impedimenta*) du fantassin romain. **4.** Souvenir probable d'un passage des *Martyrs* de Chateaubriand (livre sixième) : « Leur casque était d'argent, surmonté d'une louve de vermeil. »

autres, mais qu'évidemment ils allaient quelque part, puisqu'ils étaient poussés par un invincible besoin de marcher.

Chose curieuse à noter, aucun de ces voyageurs n'avait l'air irrité contre la bête féroce suspendue à son cou et collée à son dos ; on eût dit qu'il la considérait comme faisant partie de lui-même. Tous ces visages fatigués et sérieux ne témoignaient d'aucun désespoir ; sous la coupole spleenétique du ciel [1], les pieds plongés dans la poussière d'un sol aussi désolé que ce ciel, ils cheminaient avec la physionomie résignée de ceux qui sont condamnés à espérer toujours [2].

Et le cortège passa à côté de moi et s'enfonça dans l'atmosphère de l'horizon, à l'endroit où la surface arrondie de la planète se dérobe à la curiosité du regard humain.

Et pendant quelques instants je m'obstinai à vouloir comprendre ce mystère ; mais bientôt l'irrésistible Indifférence s'abattit sur moi, et j'en fus plus lourdement accablé [3] qu'ils ne l'étaient eux-mêmes par leurs écrasantes Chimères.

---

1. La coupole du ciel engendre le spleen. Y fait écho l'image géométrique de la « surface arrondie de la planète », à l'avant-dernier alinéa. Lautréamont semble s'être souvenu de ce qualificatif dans ses *Chants de Maldoror* (II, 8) : « Je soulevai avec lenteur mes yeux spleenétiques [...] vers la concavité du firmament. » 2. Voir « Bohémiens en voyage » (FM, p. 63) : « Les hommes vont à pied sous leurs armes luisantes / [...] / Promenant sur le ciel des yeux appesantis / Par le morne regret des chimères absentes. » 3. L'Indifférence est ainsi allégorisée comme un autre monstre, encore supérieur aux cruelles Chimères.

VII

Le fou et la Vénus

Quelle admirable journée ! le vaste parc se pâme[1] sous l'œil brûlant du soleil, comme la jeunesse sous la domination de l'Amour.

L'extase universelle des choses ne s'exprime par aucun bruit ; les eaux elles-mêmes sont comme endormies. Bien différente des fêtes humaines[2], c'est ici une orgie silencieuse.

On dirait qu'une lumière toujours croissante fait de plus en plus étinceler les objets ; que les fleurs excitées brûlent du désir de rivaliser avec l'azur du ciel par l'énergie de leurs couleurs, et que la chaleur, rendant visibles les parfums, les fait monter vers l'astre comme des fumées[3].

Cependant, dans cette jouissance universelle, j'ai aperçu un être affligé.

Aux pieds d'une colossale Vénus, un de ces fous[4] artificiels, un de ces bouffons volontaires chargés de faire rire les rois quand le Remords ou l'Ennui les

---

1. Ce verbe entraîne une vision érotique généralisée. **2.** La fête humaine est apparue précédemment dans « Un plaisant » (p. 66). Elle forme thème dans *Le Spleen de Paris*. **3.** Le mouvement vertical de l'extase s'impose ici. Voir aussi, concernant l'exaltation de la nature, « Le tir et le cimetière » (p. 196). **4.** Le fou est une fonction bien attestée dans la littérature romantique où V. Hugo lui a donné ses lettres de noblesse. En tant qu'il est artificiel, il représente une figure de l'artiste. Voir également le personnage de Fancioulle dans « Une mort héroïque » (p. 138). Traditionnellement, il portait un bonnet à cornes et tenait en main une marotte ornée de grelots.

obsède, affublé d'un costume éclatant et ridicule, coiffé de cornes et de sonnettes, tout ramassé contre le piédestal, lève des yeux pleins de larmes vers l'immortelle Déesse.

Et ses yeux disent : – « Je suis le dernier[1] et le plus solitaire des humains, privé d'amour et d'amitié, et bien inférieur en cela au plus imparfait des animaux. Cependant, je suis fait, moi aussi, pour comprendre et sentir l'immortelle Beauté ! Ah ! Déesse ! ayez pitié de ma tristesse et de mon délire ! »

Mais l'implacable Vénus regarde au loin je ne sais quoi avec ses yeux de marbre[2].

---

1. Le plus pitoyable, le plus bas.   **2.** La Beauté classique immortelle ne se laisse pas fléchir : « Je suis belle, ô mortels ! comme un rêve de pierre » (« La Beauté », FM, p. 66) ; « monstre énorme, effrayant, ingénu » (« Hymne à la beauté », FM, p. 71).

Il se sent comme tout le monde

VIII

Le chien et le flacon

l'ironie de fausse politesse créée par la juxtaposition entre le vouvoiement et le dédain évident du narrateur envers le chien — c'est à dire,

« – Mon beau chien, mon bon chien, mon cher tou-tou[1], approchez et venez respirer un excellent parfum acheté chez le meilleur parfumeur de la ville. »

Et le chien, en frétillant de la queue, ce qui est, je crois, chez ces pauvres êtres[2], le signe correspondant du rire et du sourire, s'approche et pose curieusement[3] son nez humide sur le flacon débouché ; puis, reculant soudainement avec effroi, il aboie contre moi, en manière de reproche.

« – Ah ! misérable chien, si je vous avais offert un paquet d'excréments, vous l'auriez flairé avec délices et peut-être dévoré. Ainsi, vous-même, indigne compagnon de ma triste vie, vous ressemblez au public, à qui il ne faut jamais présenter des parfums délicats qui l'exaspèrent, mais des ordures soigneusement choisies[4]. »

garbage / crap carefully

---

1. Le mot est familier à dessein. Mais le vouvoiement intervient ensuite, contrairement à la relation habituelle de parole entre l'homme et l'animal qu'il possède. Cette ironie de fausse politesse était déjà mise en œuvre dans « Un plaisant » (p. 66). **2.** Baude-laire voit les animaux comme des êtres inférieurs, malgré son inté-rêt pour les chats « puissants et doux » ou sa compassion pour les « bons chiens ». Il note cependant ailleurs (lettre à sa mère du 22 mars 1852) : « La vue des chiens me fait mal. » **3.** Avec curiosité. **4.** Voir dans *Mon cœur mis à nu* (f° 62) : « Le Fran-çais est un animal de basse-cour [...] ; l'ordure ne lui déplaît pas dans son domicile, et en littérature, il est scatophage. Il raffole des excréments. »

IX

Le mauvais vitrier[1]

Il y a des natures purement contemplatives et tout à fait impropres à l'action, qui cependant, sous une impulsion mystérieuse et inconnue[2], agissent quelquefois avec une rapidité dont elles se seraient crues elles-mêmes incapables.

Tel qui, craignant de trouver chez son concierge une nouvelle chagrinante, rôde lâchement une heure devant sa porte sans oser rentrer ; tel qui garde quinze jours une lettre sans la décacheter, ou ne se résigne qu'au bout de six mois à opérer une démarche nécessaire depuis un an, se sentent quelquefois brusquement précipités vers l'action par une force irrésistible, comme la flèche d'un arc.

Le moraliste et le médecin[3], qui prétendent tout savoir ne peuvent pas expliquer d'où vient si subite-

---

1. Comme l'indique Baudelaire dans sa lettre-préface (p. 61), ce poème a pour origine « La chanson du vitrier » d'Arsène Houssaye (voir p. 221), charitable scène qu'il transforme du tout au tout. 2. Poe parle ainsi dans *Le Démon de la perversité* (traduit par Baudelaire dans *Nouvelles Histoires extraordinaires*, 1857) d'une « *force* invincible » qui nous pousse « à accomplir *ce que nous ne devrions pas* », et il donne en exemple « le désir de remettre au lendemain ou de se dénoncer ». Nodier avait traité d'un sujet voisin dans ses *Rêveries psychologiques* : « De la monomanie réflective » (*L'Europe littéraire*, 15 mars 1833), où il évoquait le courage subit de certains hommes à tenter des actions dangereuses. 3. Poe parlait de l'autorité, vaine en la matière, des phrénologues déterminant le caractère d'un individu d'après la conformation de son crâne.

ment une si folle énergie à ces âmes paresseuses et
voluptueuses, et comment, incapables d'accomplir les
choses les plus simples et les plus nécessaires, elles
trouvent, à une certaine minute, un courage de luxe
pour exécuter les actes les plus absurdes et souvent
même les plus dangereux.

Un de mes amis, le plus inoffensif rêveur qui ait
existé, a mis une fois le feu à une forêt pour voir,
disait-il, si le feu prenait avec autant de facilité qu'on
l'affirme généralement. Dix fois de suite, l'expérience
manqua ; mais, à la onzième, elle réussit beaucoup trop
bien.

Un autre allumera un cigare à côté d'un tonneau de
poudre, *pour voir, pour savoir, pour tenter la destinée*,
pour se contraindre lui-même à faire preuve d'énergie,
pour faire le joueur[1], pour connaître les plaisirs de
l'anxiété, pour rien, par caprice, par désœuvrement.

C'est une espèce d'énergie qui jaillit de l'ennui et
de la rêverie, et ceux en qui elle se manifeste si inopi-
nément sont, en général, comme je l'ai dit, les plus
indolents et les plus rêveurs des êtres.

Un autre, timide à ce point qu'il baisse les yeux
même devant les regards des hommes, à ce point qu'il
lui faut rassembler toute sa pauvre volonté pour entrer
dans un café ou passer devant le bureau d'un théâtre[2],

---

1. « La vie n'a qu'un charme vrai ; c'est le charme du *Jeu* »,
écrit Baudelaire dans *Fusées* (f° 8). « Faire le joueur » rentre dans
sa psychologie (voir « Le joueur généreux », p. 147), mais aussi
dans celle de Pascal, dont il fut un lecteur attentif. **2.** On peut
lire dans *Fusées* (f° 8) : « Jean-Jacques disait qu'il n'entrait dans
un café qu'avec une certaine émotion. Pour une nature timide, un
contrôle de théâtre ressemble quelque peu au tribunal des Enfers. »
Or les *Confessions* parlent simplement de la boutique d'un pâtissier
ou d'une fruitière. C'est dans *Les Nuits de Paris* de Restif de la
Bretonne que Baudelaire a sans doute lu cette remarque sur Rousseau : « C'est faute de vivre avec le monde que, jusqu'en 1772,
il n'osait entrer dans un café » (cité par Marc Eigeldinger dans
« Baudelaire juge de Jean-Jacques », *Mythologie et intertextualité*,
Genève, Slatkine, 1987).

où les contrôleurs lui paraissent investis de la majesté
de Minos, d'Éaque et de Rhadamanthe [1], sautera brusquement au cou d'un vieillard qui passe à côté de lui
et l'embrassera avec enthousiasme devant la foule
étonnée.

Pourquoi ? Parce que... parce que cette physionomie
lui était irrésistiblement sympathique [2] ? Peut-être ;
mais il est plus légitime de supposer que lui-même ne
sait pas pourquoi.

J'ai été plus d'une fois victime de ces crises et de ces
élans, qui nous autorisent à croire que des Démons [3]
malicieux se glissent en nous et nous font accomplir, à
notre insu, leurs plus absurdes volontés.

Un matin je m'étais levé maussade, triste, fatigué
d'oisiveté, et poussé, me semblait-il, à faire quelque
chose de grand, une action d'éclat ; et j'ouvris la fenêtre [4], hélas !

(Observez, je vous prie, que l'esprit de mystification
qui, chez quelques personnes, n'est pas le résultat d'un
travail ou d'une combinaison, mais d'une inspiration
fortuite, participe beaucoup, ne fût-ce que par l'ardeur
du désir, de cette humeur [5], hystérique selon les médecins, satanique selon ceux qui pensent un peu mieux
que les médecins, qui nous pousse sans résistance vers
une foule d'actions dangereuses ou inconvenantes.)

---

1. Les trois juges des Enfers, dans la mythologie gréco-
latine.   **2.** Le sens est plus fort que de nos jours. Comprendre
« en accord avec son tempérament, sa sensibilité ».   **3.** Baudelaire emploie souvent ce mot, au pluriel ou au singulier, pour désigner, à l'instar de Poe, ce qui en nous relève de la libido ou du
caprice. Nombreux sont à son actif les exemples d'un tel comportement.   **4.** Les deux mots « éclat » et « fenêtre » annoncent très
précisément la suite et le dénouement.   **5.** L'humeur, en tant que
liquide déterminant une forme particulière de tempérament. Baudelaire se réfère ensuite à la science et à la théologie (il préfère évidemment cette dernière). L'« hystérie » servait alors à désigner
toute maladie nerveuse. Il la revendiquait pour lui-même, au point
de dire qu'il la « cultivait » avec « jouissance et terreur » (*Fusées*,
f° 86 ; voir p. 99, n. 2).

La première personne que j'aperçus dans la rue, ce fut un vitrier dont le cri perçant, discordant, monta jusqu'à moi à travers la lourde et sale atmosphère parisienne. Il me serait d'ailleurs impossible de dire pourquoi je fus pris, à l'égard de ce pauvre homme, d'une haine aussi soudaine que despotique.

« – Hé ! hé ! » et je lui criai de monter. Cependant je réfléchissais, non sans quelque gaieté, que, la chambre étant au sixième étage et l'escalier fort étroit, l'homme devait éprouver quelque peine à opérer son ascension et accrocher en maint endroit les angles de sa fragile marchandise.

Enfin il parut, j'examinai curieusement toutes ses vitres, et je lui dis : « – Comment ! vous n'avez pas de verres de couleur[1], des verres roses, rouges, bleus ; des vitres magiques, des vitres de paradis ! Impudent que vous êtes, vous osez vous promener dans des quartiers pauvres, et vous n'avez pas même de vitres qui fassent voir la vie en beau ! » Et je le poussai vivement vers l'escalier, où il trébucha en grognant.

Je m'approchai du balcon et je me saisis d'un petit pot de fleurs, et quand l'homme reparut au débouché de la porte, je laissai tomber perpendiculairement mon engin de guerre sur le rebord postérieur de ses crochets[2] ; et le choc le renversant, il acheva de briser sous son dos toute sa pauvre fortune ambulatoire[3], qui

---

1. Dans la *Revue fantaisiste* (premier numéro, 15 février 1861), la fantaisie était définie comme « un verre de couleur à travers lequel nous regardons la réalité ».   **2.** Il s'agit des crochets qui servent à maintenir les vitres dans un cadre posé sur le dos du vitrier.   **3.** Périphrase presque comique pour désigner cette marchandise transportable. À ce ton réaliste, légèrement ironique, s'oppose brusquement la métaphore amplificatrice du « palais diaphane ». « Cristal », fréquent dans *Les Fleurs du Mal*, comporte toujours un sens renvoyant à l'idéal : « Rimes de cristal » dans « À une Madone » (p. 107). On lit aussi sous la plume de Baudelaire parlant des poèmes de Poe : « Quelque chose [...] de mystérieux et de parfait comme le cristal. »

rendit le bruit éclatant d'un palais de cristal crevé par la foudre.

Et, ivre de ma folie, je lui criai furieusement : « La vie en beau ! la vie en beau ! »

Ces plaisanteries nerveuses ne sont pas sans péril, et on peut souvent les payer cher. Mais qu'importe l'éternité de la damnation à qui a trouvé dans une seconde l'infini de la jouissance ?

X

À une heure du matin

[handwritten annotations: seulement ; à 1AM, il est heureux]

Enfin ! seul ! On n'entend plus que le roulement de quelques fiacres attardés et éreintés. Pendant quelques heures, nous[1] posséderons le silence, sinon le repos. Enfin ! la tyrannie de la face humaine[2] a disparu, et je ne souffrirai plus que par moi-même.

Enfin ! il m'est donc permis de me délasser dans un bain de ténèbres[3] ! D'abord, un double tour à la serrure. Il me semble que ce tour de clef augmentera ma solitude et fortifiera les barricades qui me séparent actuellement du monde.

Horrible vie ! Horrible ville[4] ! Récapitulons la journée. Avoir vu plusieurs hommes de lettres, dont l'un m'a demandé si l'on pouvait aller en Russie par voie de terre (il prenait sans doute la Russie pour une île) ; avoir disputé généreusement contre le directeur d'une

---

1. Le « nous » n'implique pas encore une première personne du singulier, mais, étant donné l'énonciation de la suite, il correspond déjà sans doute à une forme de pluriel de majesté, comme dans le poème en vers « L'examen de minuit » (FM, p. 203). **2.** Cette expression, empruntée à Thomas De Quincey et à ses *Rêveries d'un mangeur d'opium*, se trouve dans *Les Paradis artificiels* (« Un mangeur d'opium », p. 197). Voir aussi lettre à sa mère, 10 août 1862 : « Je vais fuir la face humaine, mais surtout la face française » (C, II, p. 254). **3.** On peut lire dans « L'examen de minuit » (FM, p. 203) : « Vite soufflons la lampe, afin / De nous cacher dans les ténèbres ! » et le poème « La fin de la journée » (FM, p. 185) : « Et me rouler dans vos rideaux, / Ô rafraîchissantes ténèbres ! » **4.** Significative paronomase établissant une correspondance entre la personne et ce qui l'entoure.

revue, qui à chaque objection répondait : « – C'est ici le parti des honnêtes gens » [1], ce qui implique que tous les autres journaux sont rédigés par des coquins ; avoir salué une vingtaine de personnes, dont quinze me sont inconnues ; avoir distribué des poignées de main dans la même proportion, et cela sans avoir pris la précaution d'acheter des gants [2] ; être monté pour tuer le temps, pendant une averse, chez une sauteuse [3] qui m'a prié de lui dessiner un costume de *Vénustre* [4] ; avoir fait ma cour à un directeur de théâtre [5], qui m'a dit, en me congédiant : « – Vous feriez peut-être bien de vous adresser à Z... ; c'est le plus lourd, le plus sot et le plus célèbre de tous mes auteurs ; avec lui vous pourriez peut-être aboutir à quelque chose. Voyez-le, et puis nous verrons » ; m'être vanté (pourquoi ?) de plusieurs vilaines actions que je n'ai jamais commises, et avoir lâchement nié quelques autres méfaits que j'ai accomplis avec joie ; délit de fanfaronnade, crime de respect humain [6] ; avoir refusé à un ami un service facile, et donné une recommandation écrite à un parfait drôle ; ouf ! Est-ce bien fini ?

Mécontent de tous et mécontent de moi, je voudrais bien me racheter et m'enorgueillir un peu dans le

---

1. « À une heure du matin » paraîtra cependant dans *La Presse* du 27 août 1862, avant que Baudelaire n'ait de graves différends avec Catrin, secrétaire de cette revue.   2. On relève dans *Fusées* (f° 18) cette remarque : « Beaucoup d'amis, beaucoup de gants, – de peur de la gale. »   3. Autant dire, dans l'argot de l'époque, une femme légère, mais aussi une femme qui fait des sauts dans un cirque ou dans une troupe de saltimbanques. Voir Théodore de Banville : « Il y avait aussi la sauteuse, svelte femme de dix-sept ans [...] hardiment taillée comme la Diane antique, si ce n'est qu'elle avait, sous son maillot déteint, les jambes et les pieds forts de la danseuse » (*Les Pauvres Saltimbanques*, M. Lévy, 1853).
4. Par analogie avec « balustre », par exemple. Le parler populaire écorche les mots de terminaison latine.   5. Les tentatives de Baudelaire au théâtre sont bien avérées. On connaît ses projets d'*Idéolus*, de *L'Ivrogne* et du *Marquis du Ier Houzards*.   6. Tous les témoins et amis ont reconnu à Baudelaire ce genre de conduite contradictoire et provocatrice.

silence et la solitude de la nuit. Âmes de ceux que j'ai aimés[1], âmes de ceux que j'ai chantés, fortifiez-moi, soutenez-moi, éloignez de moi le mensonge et les vapeurs corruptrices du monde, et vous, Seigneur mon Dieu ! accordez-moi la grâce de produire quelques beaux vers qui me prouvent à moi-même que je ne suis pas le dernier des hommes[2], que je ne suis pas inférieur à ceux que je méprise !

---

1. Le poème se termine par une prière complexe impliquant une communion des saints, un *vade retro* (arrière, Satan) et une supplication. Voir, pour la dernière phrase, ce vers de « Bénédiction » (FM, p. 53) : « Je sais que vous gardez une place au Poète. » L'ensemble de ce dernier alinéa est cité par Rainer Maria Rilke dans ses *Cahiers de Malte Laurids Brigge* (1910).   2. Le fou du poème « Le fou et la Vénus » se considérait, lui aussi, comme « le dernier et le plus solitaire des humains » (p. 75).

XI

La femme sauvage
et la petite maîtresse [1]

« Vraiment, ma chère, vous me fatiguez sans mesure et sans pitié ; on dirait, à vous entendre soupirer, que vous souffrez plus que les glaneuses [2] sexagénaires, et que les vieilles mendiantes qui ramassent des croûtes de pain à la porte des cabarets.

« Si au moins vos soupirs exprimaient le remords, ils vous feraient quelque honneur ; mais ils ne traduisent que la satiété du bien-être et l'accablement du repos. Et puis, vous ne cessez de vous répandre en paroles inutiles : "Aimez-moi bien ! j'en ai tant besoin ! Consolez-moi par-ci, caressez-moi par-là !" Tenez, je veux essayer de vous guérir ; nous en trouverons peut-être le moyen, pour deux sols, au milieu d'une fête, et sans aller bien loin.

« Considérez bien, je vous prie [3], cette solide cage de fer derrière laquelle s'agite, hurlant comme un damné, secouant les barreaux comme un orang-outang exaspéré par l'exil, imitant, dans la perfection, tantôt les bonds circulaires du tigre, tantôt les dandinements stu-

---

1. Le sens de « petite maîtresse » (féminin de « petit maître ») est ainsi défini dans le dictionnaire Bescherelle : « Femme qui a un air avantageux, un ton tranchant et des manières libres. » **2.** Celles qui, après la moisson, ramassaient les épis que l'on n'avait pas mis en gerbes. **3.** Le ton est rhétorique et non pas affectif. Voir dans « Le mauvais vitrier » : « Observez, je vous prie... » (p. 80).

pides de l'ours blanc, ce monstre poilu dont la forme imite assez vaguement la vôtre.

« Ce monstre [1] est un de ces animaux qu'on appelle généralement "mon ange !" c'est-à-dire une femme. L'autre monstre, celui qui crie à tue-tête, un bâton à la main, est un mari. Il a enchaîné sa femme légitime comme une bête, et il la montre dans les faubourgs les jours de foire, avec permission des magistrats, cela va sans dire.

« Faites bien attention ! Voyez avec quelle voracité (non simulée peut-être !) elle déchire des lapins vivants et des volailles piaillantes que lui jette son cornac [2]. "Allons, dit-il, il ne faut pas manger tout son bien en un jour", et sur cette sage parole, il lui arrache cruellement la proie, dont les boyaux dévidés restent un instant accrochés aux dents de la bête féroce, de la femme, veux-je dire.

« Allons ! un bon coup de bâton pour la calmer ! car elle darde des yeux terribles de convoitise sur la nourriture enlevée. Grand Dieu ! le bâton n'est pas un bâton de comédie [3] ; avez-vous entendu résonner la chair, malgré le poil postiche [4] ? Aussi les yeux lui sortent maintenant de la tête, elle hurle *plus naturellement*. Dans sa rage, elle étincelle tout entière, comme le fer qu'on bat.

« Telles sont les mœurs conjugales de ces deux descendants d'Ève et d'Adam, ces œuvres de vos mains, ô mon Dieu [5] ! Cette femme est incontestablement malheureuse, quoique après tout, peut-être, les jouissances

---

1. C'est proprement la fonction du monstre que d'être ainsi *montré* dans une foire. 2. Mot d'origine indienne : celui qui est chargé de nourrir et de conduire un éléphant pour lui faire accomplir certaines tâches. 3. Le bâton de comédie qui ne fait pas mal est celui que, par tradition, manie l'Arlequin de la *commedia dell'arte* et que l'on nomme « batte ». 4. L'imitation est donc bien réelle et confine à la supercherie. 5. Baudelaire change de point de vue et délaisse celle à qui il s'adressait d'abord.

titillantes [1] de la gloire ne lui soient pas inconnues. Il y a des malheurs plus irrémédiables, et sans compensation. Mais dans le monde où elle a été jetée, elle n'a jamais pu croire que la femme méritât une autre destinée.

« Maintenant, à nous deux, chère précieuse [2] ! À voir les enfers dont le monde est peuplé, que voulez-vous que je pense de votre joli enfer, vous qui ne reposez que sur des étoffes aussi douces que votre peau, qui ne mangez que de la viande cuite, et pour qui un domestique habile prend soin de découper les morceaux ?

« Et que peuvent signifier pour moi tous ces petits soupirs qui gonflent votre poitrine parfumée, robuste coquette [3] ? Et toutes ces affectations apprises dans les livres, et cette infatigable mélancolie, faite pour inspirer au spectateur un tout autre sentiment que la pitié [4] ? En vérité, il me prend quelquefois envie de vous apprendre ce que c'est que le vrai malheur.

« À vous voir ainsi, ma belle délicate, les pieds dans la fange et les yeux tournés vaporeusement vers le ciel, comme pour lui demander un roi, on dirait vraisemblablement une jeune grenouille qui invoquerait l'idéal. Si vous méprisez le soliveau (ce que je suis maintenant, comme vous savez bien), gare la grue *qui vous croquera, vous gobera et vous tuera à son plaisir* [5] !

« Tant poète que je sois, je ne suis pas aussi dupe que vous voudriez le croire, et si vous me fatiguez

---

1. On a déjà vu dans d'autres poèmes cette référence à une théorie de la *titillatio* venant de la pensée sensualiste du XVIIIe siècle.   **2.** La « précieuse » désigne un type de femme apprêtée (on parlera plus loin d'« évaporée »), déjà moqué au XVIIe siècle par Molière dans ses *Précieuses ridicules*.   **3.** Délectable oxymore à valeur critique.   **4.** La précieuse se comporte donc comme si le monde était un théâtre où elle aurait un rôle à jouer. Les ressorts de la tragédie selon Aristote sont la terreur et la pitié.   **5.** Allusion à la fable de La Fontaine (III, 4) « Les grenouilles qui demandent un roi » où, mécontentes du soliveau qu'on leur a envoyé, elles se voient dotées d'une grue qui les dévore.

trop souvent de vos *précieuses* [1] pleurnicheries, je vous traiterai en *femme sauvage*, ou je vous jetterai par la fenêtre, comme une bouteille vide [2]. »

---

1. L'italique engage à considérer ce qualificatif comme un synonyme non pas de « riches », mais de « fausses » ou de « maniérées ». Baudelaire, face au féroce mari montreur d'un monstre, se refuse à faire figure de protecteur bonasse.   **2.** Voir « Phrases » de Rimbaud (dans *Illuminations*) : « Je ne pourrai jamais envoyer l'Amour par la fenêtre. »

~ multiplicité du soi ~

la foule

XII

Les foules

Il n'est pas donné à chacun de prendre un bain de multitude[1] ; jouir de la foule est un art, et celui-là seul peut faire, aux dépens du genre humain, une ribote[2] de vitalité, à qui une fée a insufflé dans son berceau[3] le goût du travestissement et du masque, la haine du domicile et la passion du voyage. *thème*

Multitude, solitude[4], termes égaux et convertibles par le poète actif et fécond[5]. Qui ne sait pas peupler sa solitude ne sait pas non plus être seul dans une foule affairée.

Le poète jouit de cet incomparable privilège, qu'il peut, à sa guise, être lui-même et autrui[6]. Comme ces

---

1. L'expression se trouvait d'abord chez Thomas De Quincey et sera reprise dans *Les Paradis artificiels* (p. 195). Voir également une lettre de Baudelaire à Sainte-Beuve, 4 mai 1865 : « J'ai besoin de ce fameux *bain de multitude* dont l'incorrection vous avait justement choqué » (C, II, p. 493). On lit aussi dans *Le Peintre de la vie moderne* (chap. III) cette remarque attribuée à Constantin Guys lui-même : « Tout homme [...] qui *s'ennuie au sein de la multitude*, est un sot ! un sot ! et je le méprise ! » **2.** C'est-à-dire une orgie. Voir au cinquième alinéa « cette ineffable orgie ». **3.** Voir « Les dons des fées » (p. 114). **4.** On lit dans le poème « Que diras-tu ce soir, pauvre âme solitaire... » (FM, p. 91) la même alternative : « Que ce soit dans la nuit et dans la solitude, / Que ce soit dans la rue et dans la multitude [...]. » **5.** Vauvenargues parle, quant à lui, du « génie actif, fécond » de l'artiste. **6.** Tel se montre Balzac au début de *Facino Cane* (1837) : « Quitter ses habitudes, devenir un autre que soi par l'ivresse des facultés morales, et jouer ce jeu à volonté, telle était ma distraction. »

âmes errantes qui cherchent un corps, il entre, quand il veut, dans le personnage de chacun. Pour lui seul, tout est vacant, et si de certaines places paraissent lui être fermées, c'est qu'à ses yeux elles ne valent pas la peine d'être visitées.

Le promeneur solitaire[1] et pensif tire une singulière ivresse de cette universelle communion. Celui-là qui épouse facilement la foule[2] connaît des jouissances fiévreuses, dont seront éternellement privés l'égoïste, fermé comme un coffre, et le paresseux, interné comme un mollusque. Il adopte comme siennes toutes les professions, toutes les joies et toutes les misères que la circonstance lui présente[3].

Ce que les hommes nomment amour est bien petit, bien restreint et bien faible, comparé à cette ineffable orgie, à cette sainte prostitution de l'âme[4] qui se donne tout entière, poésie et charité[5], à l'imprévu qui se montre, à l'inconnu qui passe.

Il est bon d'apprendre quelquefois aux heureux de ce monde, ne fût-ce que pour humilier un instant leur sot orgueil, qu'il est des bonheurs supérieurs au leur, plus vastes et plus raffinés. Les fondateurs de colonies, les pasteurs de peuples, les prêtres missionnaires exilés au bout du monde[6], connaissent sans doute quelque

---

1. La référence au Rousseau des *Rêveries du promeneur solitaire* est évidente, à ceci près que Baudelaire est solitaire au milieu de la foule. Dans une lettre à Houssaye de Noël 1861, il envisageait de donner pour titre à l'ensemble de ses poèmes en prose *Le Promeneur solitaire* ou *Le Rôdeur parisien*.   **2.** Voir dans *Le Peintre de la vie moderne* : « Sa passion [celle de Constantin Guys] et sa préférence, c'est d'*épouser la foule*. »   **3.** Cette remarque permet d'établir un lien avec le poème précédent.   **4.** Voir *Fusées* (f° 1) : « L'amour, c'est le goût de la prostitution. [...] / Dans un spectacle, dans un bal, chacun jouit de tous. / Qu'est-ce que l'art ? Prostitution. / Le plaisir d'être dans la foule est une expression mystérieuse de la jouissance de la multiplication du nombre. »   **5.** C'est ce point que, pour sa part, Rimbaud entendra dans *Une saison en enfer* : « La charité est cette clef. »   **6.** Il est possible que Baudelaire pense ici au quatrième livre de la quatrième partie du *Génie du christianisme* de Chateaubriand, consacré

chose de ces mystérieuses ivresses, et, au sein de la vaste famille que leur génie [1] s'est faite, ils doivent rire quelquefois de ceux qui les plaignent pour leur fortune [2] si agitée et pour leur vie si chaste.

---

aux missions. « Pasteurs de peuples » renvoie, entre autres, à Abraham et à Moïse.

1. Leur tempérament particulier.   **2.** Au sens de « destinée ».

XIII

Les veuves

Vauvenargues dit que, dans les jardins publics, il est des allées hantées principalement par l'ambition déçue, par les inventeurs malheureux, par les gloires avortées, par les cœurs brisés, par toutes ces âmes tumultueuses et fermées, en qui grondent encore les derniers soupirs d'un orage, et qui reculent loin du regard insolent des joyeux et des oisifs. Ces retraites ombreuses sont les rendez-vous des éclopés de la vie[1].

C'est surtout vers ces lieux que le poète et le philosophe aiment diriger leurs avides conjectures. Il y a là une pâture certaine. Car s'il est une place qu'ils dédaignent de visiter, comme je l'insinuais tout à l'heure, c'est surtout la joie des riches. Cette turbulence dans le vide n'a rien qui les attire. Au contraire, ils se sentent irrésistiblement entraînés vers tout ce qui est faible, ruiné, contristé, orphelin[2].

Un œil expérimenté ne s'y trompe jamais. Dans ces traits rigides ou abattus, dans ces yeux caves et ternes, ou brillants des derniers éclairs de la lutte, dans ces rides profondes et nombreuses, dans ces démarches si lentes

---

1. Voir *Œuvres* de Vauvenargues, éd. de D. L. Gilbert, Furne, 1857, t. I, « Sur les misères cachées ». Ce passage avait été cité intégralement dans le compte rendu de ce volume publié dans *La Revue française* du 20 décembre 1857, où Baudelaire a pu le lire.
2. Dans sa « Notice sur Victor Hugo » pour l'anthologie des *Poètes français* de Crépet, notice d'abord publiée dans la *Revue fantaisiste* du 15 juin 1861, Baudelaire avait écrit : « Le poète se montre toujours l'air attendri de tout ce qui est faible, solitaire, contristé ; de tout ce qui est orphelin [...]. »

ou si saccadées, il déchiffre tout de suite les innombrables légendes[1] de l'amour trompé, du dévouement
méconnu, des efforts non récompensés, de la faim et du
froid humblement, silencieusement supportés.

Avez-vous quelquefois aperçu des veuves[2] sur ces
bancs solitaires, des veuves pauvres ? Qu'elles soient
en deuil ou non, il est facile de les reconnaître. D'ailleurs, il y a toujours dans le deuil du pauvre quelque
chose qui manque, une absence d'harmonie qui le rend
plus navrant. Il est contraint de lésiner sur sa douleur.
Le riche porte la sienne au grand complet.

Quelle est la veuve la plus triste et la plus attristante,
celle qui traîne à sa main un bambin avec qui elle ne
peut pas partager sa rêverie, ou celle qui est tout à fait
seule ? Je ne sais. Il m'est arrivé une fois de suivre
pendant de longues heures une vieille affligée de cette
espèce ; celle-là raide, droite, sous un petit châle usé,
portait dans tout son être une fierté de stoïcienne.

Elle était évidemment condamnée, par une absolue
solitude, à des habitudes de vieux célibataire, et le
caractère masculin[3] de ses mœurs ajoutait un piquant
mystérieux à leur austérité. Je sais dans quel misérable
café et de quelle façon elle déjeuna. Je la suivis au
cabinet de lecture[4], et je l'épiai longtemps, pendant
qu'elle cherchait dans les gazettes, avec des yeux
actifs, jadis brûlés par les larmes, des nouvelles d'un
intérêt puissant et personnel[5].

---

1. L'histoire d'une vie peut ainsi se lire (« légendes ») comme
imprimée dans la chair et dans les traits physiques.   **2.** Les
veuves sont aussi évoquées dans « Les petites vieilles » (FM,
p. 141), poème qui appartient à la section, nouvelle en 1861, des
« Tableaux parisiens ».   **3.** Se perçoit ici une forme d'androgynie, à laquelle Baudelaire est spécialement sensible chez la
femme.   **4.** Établissement dans lequel, moyennant une faible
rétribution, on pouvait lire journaux, revues, ouvrages divers et
même en louer pour les lire chez soi.   **5.** Cette précision singulière pourrait signifier que la veuve cherche là les noms de ceux
qu'elle a connus autrefois et que mentionnent des rubriques nécro-
logiques, par exemple.

Enfin, dans l'après-midi, sous un ciel d'automne charmant, un de ces ciels d'où descendent en foule les regrets et les souvenirs[1], elle s'assit à l'écart, dans un jardin, pour entendre, loin de la foule, un de ces concerts dont la musique des régiments gratifie le peuple parisien.

C'était sans doute là la petite débauche de cette vieille innocente (ou de cette vieille purifiée), la consolation bien gagnée d'une de ces lourdes journées sans ami, sans causerie, sans joie, sans confident, que Dieu laissait tomber sur elle, depuis bien des ans peut-être, trois cent soixante-cinq fois par an.

Une autre encore :

Je ne puis jamais m'empêcher de jeter un regard, sinon universellement sympathique[2], au moins curieux, sur la foule de parias qui se pressent autour de l'enceinte d'un concert public[3]. L'orchestre jette à travers la nuit des chants de fête, de triomphe ou de volupté. Les robes traînent en miroitant ; les regards se croisent ; les oisifs, fatigués de n'avoir rien fait, se dandinent, feignant de déguster indolemment la musique. Ici, rien que de riche, d'heureux ; rien qui ne respire et n'inspire l'insouciance et le plaisir de se laisser vivre ; rien, excepté l'aspect de cette tourbe qui s'appuie là-bas sur la barrière extérieure, attrapant gratis, au gré du vent, un lambeau de musique, et regardant l'étincelante fournaise intérieure.

C'est toujours chose intéressante que ce reflet de la joie du riche au fond de l'œil du pauvre[4]. Mais ce jour-là, à travers ce peuple vêtu de blouses et d'indienne[5],

---

1. L'alliance des regrets et des souvenirs est faite aussi dans « La chambre double » : « son démoniaque cortège de Souvenirs, de Regrets » (p. 71).　2. Regard de connivence et qui « souffre avec ». Voir « Le mauvais vitrier » (p. 80).　3. La foule de ceux qui se trouvent à l'extérieur de l'enceinte réservée aux auditeurs payants. Cet alinéa et les deux suivants s'inspirent plus particulièrement de la troisième partie des « Petites vieilles » (FM, p. 143).　4. Voir « Les yeux des pauvres » (p. 135).　5. Les blouses caractérisaient le vêtement des ouvriers ; l'indienne était une étoffe modeste dont se revêtaient les femmes des milieux populaires.

j'aperçus un être dont la noblesse faisait un éclatant contraste avec toute la trivialité environnante.

C'était une femme grande, majestueuse, et si noble dans tout son air, que je n'ai pas souvenir d'avoir vu sa pareille dans les collections des aristocratiques beautés du passé. Un parfum de hautaine vertu émanait de toute sa personne. Son visage, triste et amaigri, était en parfaite accordance [1] avec le grand deuil dont elle était revêtue. Elle aussi, comme la plèbe [2] à laquelle elle s'était mêlée et qu'elle ne voyait pas, elle regardait le monde lumineux avec un œil profond, et elle écoutait en hochant doucement la tête.

Singulière vision ! « À coup sûr, me dis-je, cette pauvreté-là, si pauvreté il y a, ne doit pas admettre l'économie sordide ; un si noble visage m'en répond. Pourquoi donc reste-t-elle volontairement dans un milieu où elle fait une tache si éclatante ? »

Mais en passant curieusement auprès d'elle, je crus en deviner la raison. La grande veuve tenait par la main un enfant, comme elle vêtu de noir [3] ; si modique que fût le prix d'entrée, ce prix suffisait peut-être pour payer un des besoins du petit être, mieux encore, une superfluité [4], un jouet.

Et elle sera rentrée à pied, méditant et rêvant, seule, toujours seule ; car l'enfant est turbulent, égoïste, sans douceur et sans patience, et il ne peut même pas, comme le pur animal, comme le chien ou le chat, servir de confident aux douleurs solitaires [5].

---

1. Ce mot, formé sur « concordance », semble être un néologisme. Il équivaut au mot « accord », qu'il densifie.   2. Le mot est plus fort que « peuple » et s'oppose d'autant mieux à « noblesse » et à la comparaison avec les « aristocratiques beautés » faite plus haut. 3. Baudelaire fut, lui aussi, cet enfant vêtu de noir, après la mort de son père survenue le 10 février 1827.   4. Une chose en plus, et peut-être inutile.   5. Cette dernière partie de la phrase se termine exceptionnellement par un alexandrin – ce qu'évite d'habitude la prose « sans rythme » du *Spleen de Paris*.

Id. cette une reflexion sur la condition du poète

XIV

Le vieux saltimbanque

Partout s'étalait, se répandait, s'ébaudissait[1] le peuple en vacances. C'était une de ces solennités sur lesquelles, pendant un long temps, comptent les saltimbanques, les faiseurs de tours, les montreurs d'animaux et les boutiquiers ambulants, pour compenser les mauvais temps de l'année.

En ces jours-là, il me semble que le peuple oublie tout, la douleur et le travail ; il devient pareil aux enfants. Pour les petits, c'est un jour de congé, c'est l'horreur de l'école renvoyée à vingt-quatre heures. Pour les grands, c'est un armistice conclu avec les puissances malfaisantes de la vie, un répit dans la contention[2] et la lutte universelles.

L'homme du monde, lui-même[3] et l'homme occupé de travaux spirituels, échappent difficilement à l'influence de ce jubilé[4] populaire. Ils absorbent, sans le vouloir, leur part de cette atmosphère d'insouciance. Pour moi, je ne manque jamais, en vrai Parisien, de

---

1. Mot relativement rare, mais que l'on retrouve dans un autre texte, « Le gâteau » (p. 103). Il garde une connotation médiévale (« s'esbaudir ») et renvoie aux fêtes carnavalesques de ce temps.   2. L'effort, l'extrême application de l'esprit plus que du corps.   3. L'homme du monde, figure de l'univers baudelairien, renvoie à l'artiste. Ce n'est pas le mondain qu'il considère, en ce cas, mais l'homme habitué à la vie sociale. Constantin Guys, le « peintre de la vie moderne », lui en avait offert le meilleur exemple.   4. « Jubilé » désigne une grande fête populaire, en principe une fête religieuse ou un cinquantenaire particulier.

passer la revue de toutes les baraques qui se pavanent à ces époques solennelles.

Elles se faisaient, en vérité, une concurrence formidable. Elles piaillaient, beuglaient, hurlaient ; c'était un mélange de cris, de détonations de cuivre et d'explosions de fusées ; les queues-rouges[1] et les Jocrisses[2] convulsaient les traits de leurs visages basanés, racornis par le vent, la pluie et le soleil ; ils lançaient, avec l'aplomb des comédiens sûrs de leurs effets, des bons mots et des plaisanteries d'un comique solide et lourd comme celui de Molière[3]. Les hercules, fiers de l'énormité de leurs membres, sans front et sans crâne, comme les orangs-outangs, se prélassaient majestueusement sous leurs maillots lavés la veille pour la circonstance. Les danseuses, belles comme des fées ou des princesses, sautaient et cabriolaient, sous le feu des lanternes qui remplissaient leurs jupes d'étincelles.

Tout n'était que lumière, poussière, cris, joie, tumulte ; les uns dépensaient, les autres gagnaient, les uns et les autres également joyeux. Les enfants se suspendaient aux jupons de leurs mères pour obtenir quelque bâton de sucre, ou montaient sur les épaules de leurs pères pour mieux voir un escamoteur[4] éblouissant comme un dieu. Et partout circulait, dominant tous les parfums, une odeur de friture qui était comme l'encens de cette fête.

Au bout, à l'extrême bout de la rangée de baraques, comme si, honteux, il s'était exilé lui-même de toutes

---

1. Types de clowns, du genre paillasses, dont la perruque était terminée par une queue portant un ruban rouge.   **2.** Le Jocrisse est un valet de comédie d'une gaucherie franche et naïve. **3.** L'admiration de Baudelaire pour Molière est pleine de réticences. Voir le canevas des « Lettres d'un atrabilaire » où il rapproche Béranger de Molière, « auteur favori du *Siècle* [le journal de ce nom] », et ses réserves sur le *Tartuffe* dans *Mon cœur mis à nu*.   **4.** Forain qui fait disparaître des objets, prestidigitateur.

ces splendeurs, je vis un pauvre saltimbanque[1], voûté, caduc, décrépit, une ruine d'homme, adossé contre un des poteaux de sa cahute, une cahute plus misérable que celle du sauvage le plus abruti, et dont deux bouts de chandelle, coulants et fumants, éclairaient trop bien encore la détresse.

Partout la joie, le gain, la débauche, partout la certitude du pain pour les lendemains, partout l'explosion frénétique de la vitalité. Ici la misère absolue, la misère affublée, pour comble d'horreur, de haillons comiques, où la nécessité, bien plus que l'art, avait introduit le contraste. Il ne riait pas, le misérable ! il ne pleurait pas, il ne dansait pas, il ne gesticulait pas, il ne criait pas ; il ne chantait aucune chanson, ni gai ni lamentable, il n'implorait pas. Il était muet et immobile. Il avait renoncé, il avait abdiqué. Sa destinée était faite.

Mais quel regard profond, inoubliable, il promenait sur la foule et les lumières, dont le flot mouvant s'arrêtait à quelques pas de sa répulsive misère ! Je sentis ma gorge serrée par la main terrible de l'hystérie[2], et il me sembla que mes regards étaient offusqués par ces larmes rebelles qui ne veulent pas tomber[3].

Que faire ? À quoi bon demander à l'infortuné quelle curiosité, quelle merveille il avait à montrer dans ces ténèbres puantes, derrière son rideau déchiqueté ? En vérité, je n'osais, et, dût la raison de ma timidité vous faire rire, j'avouerai que je craignais de l'humilier[4]. Enfin, je venais de me résoudre à déposer, en passant,

---

1. On pense au poète dont parle Vigny dans *Stello* (1832), victime d'un « ostracisme perpétuel » ; mais, en l'occurrence, c'est le vieux saltimbanque lui-même qui s'est condamné à l'exil. **2.** Dans *Fusées*, « Hygiène » (23 janvier 1862), Baudelaire note : « J'ai cultivé mon hystérie avec jouissance et terreur. » L'hystérie était censée se manifester par une sorte de boule remontant du ventre à la gorge et étouffant le malade. **3.** Il faut comprendre que ce sont les propres larmes de Baudelaire qui ne forment pas encore des pleurs et qui brouillent son regard. **4.** Baudelaire apprécie donc l'attitude détachée du vieux saltimbanque, bien différente de celle d'un pauvre qui demanderait la charité.

quelque argent sur une de ses planches, espérant qu'il devinerait mon intention, quand un grand reflux de peuple, causé par je ne sais quel trouble, m'entraîna loin de lui.

Et, m'en retournant, obsédé par cette vision, je cherchai à analyser ma soudaine douleur, et je me dis : Je viens de voir l'image du vieil homme de lettres qui a survécu à la génération dont il fut le brillant amuseur ; du vieux poète sans amis, sans famille, sans enfants, dégradé par sa misère et par l'ingratitude publique, et dans la baraque de qui le monde oublieux ne veut plus entrer[1] !

1. *In extremis*, la moralité est tirée de cette scène qui devient symbolique (voir aussi « Le chien et le flacon » et « Le mauvais vitrier », p. 77 et 78). Banville avait déjà procédé à un tel rapprochement dans ses *Pauvres Saltimbanques* (1853) : « Car, s'il vous plaît, qu'est-ce que le saltimbanque, sinon un artiste indépendant et libre qui fait des prodiges pour gagner son pain quotidien, qui chante au soleil et danse sous les étoiles sans l'espoir d'arriver à aucune académie ? » Mallarmé traitera la même situation dans son poème en prose « La déclaration foraine » (août 1887) où, occupant avec son amie Méry Laurent la baraque vide d'un forain, il y déclame, auprès de la femme ainsi montrée, un sonnet sur sa chevelure.

XV

Le gâteau

Je voyageais. Le paysage au milieu duquel j'étais placé était d'une grandeur et d'une noblesse irrésistibles[1]. Il en passa sans doute en ce moment quelque chose dans mon âme. Mes pensées voltigeaient avec une légèreté égale à celle de l'atmosphère ; les passions vulgaires, telles que la haine et l'amour profane, m'apparaissaient maintenant aussi éloignées que les nuées qui défilaient au fond des abîmes sous mes pieds ; mon âme me semblait aussi vaste et aussi pure que la coupole du ciel[2] dont j'étais enveloppé ; le souvenir des choses terrestres n'arrivait à mon cœur qu'affaibli et diminué, comme le son de la clochette des bestiaux imperceptibles qui paissaient loin, bien loin, sur le versant d'une autre montagne. Sur le petit lac immobile, noir de son immense profondeur, passait quelquefois l'ombre d'un nuage, comme le reflet du manteau d'un géant aérien volant à travers le ciel[3]. Et je me souviens que cette sensation solennelle et rare, causée par un

---

1. Ce paysage de montagnes est inhabituel chez Baudelaire. On retrouve ici l'exaltation des préromantiques (Rousseau, Sénancour) et des romantiques devant la nature. Il est possible que Baudelaire se serve d'un souvenir d'adolescence, quand il voyagea dans les Pyrénées en septembre 1838. **2.** Même expression que dans « Chacun sa Chimère » (p. 74) où, cependant, la coupole était qualifiée de « spleenétique ». **3.** Probable reprise de quelques vers d'un poème de jeunesse (OC, I, p. 200) : « Et lorsque par hasard une nuée errante / Assombrit dans son vol le lac silencieux, / On croirait voir la robe ou l'ombre transparente / D'un esprit qui voyage et passe dans les cieux. »

grand mouvement parfaitement silencieux, me remplissait d'une joie mêlée de peur. Bref, je me sentais, grâce
à l'enthousiasmante beauté dont j'étais environné, en
parfaite paix avec moi-même et avec l'univers ; je crois
même que, dans ma parfaite béatitude et dans mon
total oubli de tout le mal terrestre, j'en étais venu à ne
plus trouver si ridicules les journaux qui prétendent
que l'homme est né bon[1] ; – quand la matière incurable
renouvelant ses exigences, je songeai à réparer la
fatigue et à soulager l'appétit causés par une si longue
ascension. Je tirai de ma poche un gros morceau de
pain, une tasse de cuir et un flacon d'un certain élixir
que les pharmaciens vendaient dans ce temps-là aux
touristes pour le mêler dans l'occasion avec de l'eau
de neige.

Je découpais tranquillement mon pain, quand un
bruit très léger me fit lever les yeux. Devant moi se
tenait un petit être déguenillé, noir, ébouriffé, dont les
yeux creux, farouches et comme suppliants, dévoraient
le morceau de pain[2]. Et je l'entendis soupirer, d'une
voix basse et rauque, le mot : *gâteau !* Je ne pus m'empêcher de rire en entendant l'appellation dont il voulait
bien honorer mon pain presque blanc, et j'en coupai
pour lui une belle tranche que je lui offris. Lentement
il se rapprocha, ne quittant pas des yeux l'objet de sa
convoitise ; puis, happant le morceau avec sa main, se
recula vivement, comme s'il eût craint que mon offre
ne fût pas sincère ou que je m'en repentisse déjà.

Mais au même instant il fut culbuté par un autre
petit sauvage, sorti je ne sais d'où, et si parfaitement
semblable au premier qu'on aurait pu le prendre pour

---

1. Les journaux humanitaires de l'époque, surtout après la révolution de février 1848. Cet homme « né bon » est évidemment celui
du Rousseau du *Discours sur l'origine de l'inégalité*, auquel la
pensée de Baudelaire s'oppose violemment. À cet idéalisme, la
« matière » évoquée ensuite offre le démenti de ses contradictions
et de ses luttes.   **2.** Baudelaire joue sur l'expression « dévorer
quelque chose des yeux ».

son frère jumeau [1]. Ensemble ils roulèrent sur le sol, se disputant la précieuse proie, aucun n'en voulant sans doute sacrifier la moitié pour son frère. Le premier, exaspéré, empoigna le second par les cheveux ; celui-ci lui saisit l'oreille avec les dents, et en cracha un petit morceau sanglant avec un superbe juron patois. Le légitime propriétaire du gâteau essaya d'enfoncer ses petites griffes dans les yeux de l'usurpateur ; à son tour celui-ci appliqua toutes ses forces à étrangler son adversaire d'une main, pendant que de l'autre il tâchait de glisser dans sa poche le prix du combat. Mais, ravivé par le désespoir, le vaincu se redressa et fit rouler le vainqueur par terre d'un coup de tête dans l'estomac [2]. À quoi bon décrire une lutte hideuse qui dura en vérité plus longtemps que leurs forces enfantines ne semblaient le promettre ? Le gâteau voyageait de main en main et changeait de poche à chaque instant ; mais hélas ! il changeait aussi de volume ; et lorsque enfin, exténués, haletants, sanglants, ils s'arrêtèrent par impossibilité de continuer, il n'y avait plus, à vrai dire, aucun sujet de bataille ; le morceau de pain avait disparu, et il était éparpillé en miettes semblables aux grains de sable auxquels il était mêlé.

Ce spectacle m'avait embrumé le paysage, et la joie calme où s'ébaudissait [3] mon âme, avant d'avoir vu ces petits hommes [4], avait totalement disparu ; j'en restai triste assez longtemps, me répétant sans cesse : « Il y a donc un pays superbe, où le pain s'appelle du *gâteau*, friandise si rare qu'elle suffit pour engendrer une guerre parfaitement fratricide ! »

---

1. Implicitement, la scène renvoie au premier affrontement de Caïn et Abel. Le dernier mot du poème est « fratricide ». **2.** La lutte est aussi féroce que celle de « Duellum » (FM, p. 83) : « [...] Mais les dents, les ongles acérés, / Vengent bientôt l'épée et la dague traîtresse. » **3.** Verbe déjà utilisé dans « Le vieux saltimbanque », qui précède. **4.** Le comportement des enfants annonce celui des hommes qu'ils vont devenir.

XVI

L'horloge

Les Chinois voient l'heure dans l'œil des chats[1].

Un jour un missionnaire, se promenant dans la banlieue de Nankin, s'aperçut qu'il avait oublié sa montre, et demanda à un petit garçon quelle heure il était.

Le gamin du Céleste-Empire hésita d'abord ; puis, se ravisant, il répondit : « Je vais vous le dire. » Peu d'instants après, il reparut, tenant dans ses bras un fort gros chat, et le regardant, comme on dit, dans le blanc des yeux, il affirma sans hésiter : « Il n'est pas encore tout à fait midi. » Ce qui était vrai[2].

Pour moi, si je me penche vers la belle Féline[3], la si bien nommée, qui est à la fois l'honneur de son sexe, l'orgueil de mon cœur et le parfum de mon esprit, que

---

1. Anecdote relevée dans *L'Empire chinois* (1854) du père Évariste Huc.   **2.** La version du *Présent* (1857) portait cette note accrochée à « vrai » : « En supposant une mémoire parfaite ou au moins très exercée, il n'est pas difficile de comprendre comment on peut deviner l'heure dans l'œil d'un animal dont la pupille est très sensible à la lumière. »   **3.** Dans *Le Présent*, Baudelaire avait écrit : « quand je prends dans mes bras mon bon chat, mon cher chat », et dans la *Revue fantaisiste* (1861) : « quand je prends dans mes bras ce chat extraordinaire ». Le prénom, qui apparaît dans les versions suivantes, est en relation directe avec le monde des chats, mais désigne, à coup sûr, une femme. Un exemplaire des *Fleurs du Mal* de 1861 porte, autographe, la dédicace « Hommage à ma très chère Féline ». Voir aussi les carnets de Baudelaire. Une lettre de Baudelaire adressée le 22 septembre 1862 à A. Houssaye (C, II, p. 262) nous apprend que ce dernier avait proposé, au lieu de Féline, le prénom « Nyssia », héroïne du *Roi Candaule*, une nouvelle de Théophile Gautier.

ce soit la nuit, que ce soit le jour, dans la pleine lumière ou dans l'ombre opaque, au fond de ses yeux adorables je vois toujours l'heure distinctement, toujours la même, une heure vaste, solennelle, grande comme l'espace, sans division de minutes ni de secondes, – une heure immobile qui n'est pas marquée sur les horloges, et cependant légère comme un soupir, rapide comme un coup d'œil.

Et si quelque importun venait me déranger pendant que mon regard repose sur ce délicieux cadran, si quelque Génie malhonnête et intolérant, quelque Démon[1] du contretemps venait me dire : « Que regardes-tu là avec tant de soin ? Que cherches-tu dans les yeux de cet être ? Y vois-tu l'heure, mortel prodigue et fainéant ? » je répondrais sans hésiter : « Oui, je vois l'heure ; il est l'Éternité[2] ! »

N'est-ce pas, madame, que voici un madrigal[3] vraiment méritoire, et aussi emphatique que vous-même ? En vérité, j'ai eu tant de plaisir à broder cette prétentieuse galanterie que je ne vous demanderai rien en échange.

---

1. Ces Génies et Démons interviennent souvent dans le monde du *Spleen de Paris* (comme dans celui des *Histoires extraordinaires* de Poe). On pense également aux différents génies des contes orientaux.   2. De même, l'Éternité régnait dans la première partie de « La chambre double » (p. 70). – À cet endroit s'achevait le poème dans les publications du *Présent* et de la *Revue fantaisiste*.   3. Petit poème ou discours galant et spirituel. Par ce dernier alinéa, Baudelaire relativise son texte et semble vouloir le discréditer. Il le fait d'autant plus que, dans cette version définitive, il s'adresse non plus à un animal, mais à une femme.

XVII

Un hémisphère dans une chevelure[1]

poème exotique

Laisse-moi respirer longtemps, longtemps, l'odeur de tes cheveux, y plonger tout mon visage, comme un homme altéré dans l'eau d'une source, et les agiter avec ma main, comme un mouchoir odorant, pour secouer des souvenirs dans l'air.

Si tu pouvais savoir tout ce que je vois ! tout ce que je sens ! tout ce que j'entends dans tes cheveux ! Mon âme voyage sur le parfum comme l'âme des autres hommes sur la musique.

Tes cheveux contiennent tout un rêve, plein de voilures et de mâtures ; ils contiennent de grandes mers dont les moussons[2] me portent vers de charmants climats, où l'espace est plus bleu et plus profond, où l'atmosphère est parfumée par les fruits, par les feuilles et par la peau humaine.

Dans l'océan de ta chevelure, j'entrevois un port fourmillant de chants mélancoliques, d'hommes vigoureux de toutes nations et de navires de toutes formes,

---

1. Comparer avec « La chevelure » en vers, poème publié pour la première fois dans la *Revue française* du 20 mai 1859 et repris dans la section « Spleen et Idéal » des FM (1861), pièce XXIII. Pour une comparaison des deux poèmes, voir, de Barbara Johnson, *Défigurations du langage poétique*, Flammarion, 1979, p. 31-55. **2.** Les moussons, vents périodiques d'Asie, évoquent les Indes pour lesquelles Baudelaire s'était embarqué en juin 1841, à destination de Calcutta, mais qu'il n'a jamais vues.

découpant leurs architectures fines et compliquées sur un ciel immense où se prélasse l'éternelle chaleur.

Dans les caresses de ta chevelure, je retrouve les langueurs des longues heures passées sur un divan, dans la chambre d'un beau navire [1], bercées par le roulis imperceptible du port, entre les pots de fleurs et les gargoulettes [2] rafraîchissantes.

Dans l'ardent foyer de ta chevelure, je respire l'odeur du tabac mêlé à l'opium et au sucre ; dans la nuit de ta chevelure, je vois resplendir l'infini de l'azur tropical ; sur les rivages duvetés de ta chevelure je m'enivre des odeurs combinées du goudron, du musc et de l'huile de coco.

Laisse-moi mordre longtemps tes tresses lourdes et noires. Quand je mordille tes cheveux élastiques et rebelles [3], il me semble que je mange des souvenirs [4].

---

1. « Le beau navire » est aussi le titre d'un poème des *Fleurs du Mal* (FM, p. 100).   2. Vase poreux où l'eau se rafraîchit par évaporation.   3. La première version (*Le Présent*, août 1857) portait « tes cheveux solides et crépus ». Dans « Un fantôme » (II) (FM, p. 86), Baudelaire évoque des « cheveux élastiques et lourds ».   4. Cette dernière expression a attiré les sarcasmes du critique Pierre Véron dans *Le Journal amusant* du 11 octobre 1862, rubrique « Causeries » : « J'entends d'ici M. Baudelaire dire au restaurant : – Garçon ! priez donc le chef de ne pas laisser tous les soirs des souvenirs dans la soupe !... » Avec plus de sérieux, Barbara Johnson note dans ses *Défigurations du langage poétique* (p. 53) : « La figure "mange des souvenirs" devient donc la figure de la facticité de la figure poétique "boire le vin du souvenir" [dans le poème en vers] qu'elle littéralise et métonymise. »

XVIII

L'invitation au voyage[1]

Il est un pays superbe, un pays de Cocagne[2], dit-on, que je rêve de visiter avec une vieille amie. Pays singulier, noyé dans les brumes de notre Nord, et qu'on pourrait appeler l'Orient de l'Occident, la Chine de l'Europe, tant la chaude et capricieuse fantaisie s'y est donné carrière, tant elle l'a patiemment et opiniâtrement illustré de ses savantes et délicates végétations[3].

Un vrai pays de Cocagne, où tout est beau, riche, tranquille, honnête ; où le luxe a plaisir à se mirer dans l'ordre ; où la vie est grasse et douce à respirer ; d'où le désordre, la turbulence et l'imprévu sont exclus ; où le bonheur est marié au silence ; où la cuisine[4] elle-même est poétique, grasse et excitante à la fois ; où tout vous ressemble, mon cher ange.

Tu connais cette maladie fiévreuse qui s'empare de nous dans les froides misères, cette nostalgie du pays qu'on ignore, cette angoisse de la curiosité[5] ? Il est

---

1. Voir « L'invitation au voyage » en vers, première publication dans la *Revue des Deux Mondes* du 1er juin 1855. Pièce LIII des *Fleurs du Mal* (1861). Pour la comparaison des deux poèmes, voir Barbara Johnson, p. 103-160. **2.** Un pays fertile où tout abonde. On comprend par la suite qu'il s'agit de la Hollande, déjà considérée comme lieu idyllique par Diderot (*Voyage en Hollande*), Bernardin de Saint-Pierre, Gautier, Nerval, etc. **3.** Baudelaire pense aux tulipes importées d'Orient au XVIIe siècle. **4.** La mention de la cuisine en tant que « poétique » a provoqué significativement, soit le reproche, soit l'assentiment des lecteurs – « conflit de codes », comme dit B. Johnson dans *Défigurations du langage poétique*. **5.** La réminiscence de la *Chanson de Mignon* que l'on trouve dans les fameuses *Années d'apprentissage de Wilhelm Meis-*

une contrée qui te ressemble, où tout est beau, riche, tranquille et honnête, où la fantaisie a bâti et décoré une Chine occidentale, où la vie est douce à respirer, où le bonheur est marié au silence. C'est là qu'il faut aller vivre, c'est là qu'il faut aller mourir !

Oui, c'est là qu'il faut aller respirer, rêver et allonger les heures par l'infini des sensations. Un musicien a écrit l'*Invitation à la valse*[1] ; quel est celui qui composera l'*Invitation au voyage*, qu'on puisse offrir à la femme aimée, à la sœur d'élection ? Oui, c'est dans cette atmosphère qu'il ferait bon vivre, – là-bas, où les heures plus lentes contiennent plus de pensées, où les horloges sonnent le bonheur avec une plus profonde et plus significative solennité.

Sur des panneaux luisants, ou sur des cuirs dorés et d'une richesse sombre, vivent discrètement des peintures béates, calmes et profondes, comme les âmes des artistes qui les créèrent. Les soleils couchants, qui colorent si richement la salle à manger ou le salon, sont tamisés par de belles étoffes ou par ces hautes fenêtres ouvragées que le plomb divise en nombreux compartiments[2]. Les meubles sont vastes, curieux, bizarres[3],

---

ter (III, 1) de Goethe est perceptible ici. On pouvait lire au début de cet alinéa dans les deux premières versions, celle du *Présent* (PR) et celle de la *Revue fantaisiste* (RF) : « Ah ! si j'étais ta Mignon, ta Mignon (PR) Ah ! si tu étais le poète, et si j'étais ta Mignon, (RF) aimée et protégée, toujours tendre, toujours soumise, mais toujours rêveuse et désireuse, je te dirais à toi, mon poète et mon ami : Tu connais cette maladie qui s'empare de notre esprit dans les plus dures misères, cet amour du pays qu'on ignore, cette nostalgie de la curiosité ? (PR et RF) » Dans ces deux versions, il est net que l'interlocutrice est une femme, point de vue que Baudelaire s'est appliqué à modifier par la suite.
1. Rondo de Weber repris dans son opéra *Freischütz* et transcrit pour l'orchestre par Berlioz.   **2.** Cette ambiance calque celle des peintres flamands et hollandais. Balzac avait déjà essayé de la rendre dans son roman *La Recherche de l'absolu* (1834) qui se situe à Douai.   **3.** Cette description des meubles prolonge (ou annonce) celle que l'on trouve au troisième alinéa de « La chambre double » (p. 68). Dans la fameuse lettre à sa mère du 6 mai 1861, Baudelaire

armés de serrures et de secrets[1] comme des âmes raffi-
nées. Les miroirs, les métaux, les étoiles, l'orfèvrerie et
la faïence y jouent pour les yeux une symphonie muette
et mystérieuse ; et de toutes choses, de tous les coins, des
fissures des tiroirs et des plis des étoffes s'échappe un
parfum singulier, un *revenez-y*, de Sumatra[2], qui est
comme l'âme de l'appartement.

Un vrai pays de Cocagne, te dis-je, où tout est riche,
propre et luisant, comme une belle conscience, comme
une magnifique batterie de cuisine, comme une splendide orfèvrerie, comme une bijouterie bariolée ! Les
trésors du monde y affluent, comme dans la maison
d'un homme laborieux et qui a bien mérité du monde
entier. Pays singulier, supérieur aux autres, comme
l'Art l'est à la Nature ! où celle-ci est réformée par le
rêve, où elle est corrigée, embellie, refondue.

Qu'ils cherchent, qu'ils cherchent encore, qu'ils
reculent sans cesse les limites de leur bonheur, ces
alchimistes de l'horticulture ! Qu'ils proposent des prix
de soixante et de cent mille florins[3] pour qui résoudra
leurs ambitieux problèmes ! Moi, j'ai trouvé ma *tulipe
noire* et mon *dahlia bleu*[4] !

écrit : « Je me suis épris uniquement du plaisir, d'une excitation
perpétuelle ; les voyages, les beaux meubles, les tableaux, les filles,
etc. » (C, II, p. 153).   **1.** Ce sont, à proprement parler, des secrétaires contenant un tiroir
spécial et dérobé pour mettre des papiers privés.   **2.** À l'époque,
Sumatra était une colonie hollandaise. Le *revenez-y*, attesté en tant
que substantif, signifie un élément qui donne envie de retourner vers
le passé.   **3.** Monnaie hollandaise.   **4.** Éloge de l'artifice, qui
s'exprime par la tulipomanie, dont avaient témoigné déjà La Bruyère
(*Caractères*, « De la mode »), Balzac (*La Recherche de l'absolu*) et
Aloysius Bertrand dans son *Gaspard de la Nuit* (« Le marchand de
tulipes »). *La Tulipe noire* est un roman publié par Alexandre Dumas
en 1850 ; *Le Dahlia bleu*, une chanson de Pierre Dupont dans ses
Chants et chansons (1851) préfacés par Baudelaire. Voir surtout dans
le roman *Honorine* (1843) de Balzac : « Vous apprendrez tous les
secrets de culture que je veux cacher, car je cherche le dahlia bleu, la
rose bleue, je suis fou de fleurs bleues. Le bleu n'est-il pas la couleur
favorite des belles âmes ? »

Fleur incomparable, tulipe retrouvée, allégorique dahlia, c'est là, n'est-ce pas, dans ce beau pays si calme et si rêveur, qu'il faudrait aller vivre et fleurir ? Ne serais-tu pas encadrée dans ton analogie, et ne pourrais-tu pas te mirer, pour parler comme les mystiques, dans ta propre *correspondance*[1] ?

Des rêves ! toujours des rêves ! et plus l'âme est ambitieuse et délicate, plus les rêves l'éloignent du possible. Chaque homme porte en lui sa dose d'opium naturel[2], incessamment sécrétée et renouvelée, et, de la naissance à la mort, combien comptons-nous d'heures remplies par la jouissance positive, par l'action réussie et décidée ? Vivrons-nous jamais, passerons-nous jamais dans ce tableau qu'a peint mon esprit, ce tableau qui te ressemble ?

Ces trésors, ces meubles, ce luxe, cet ordre, ces parfums, ces fleurs miraculeuses, c'est toi. C'est encore toi, ces grands fleuves et ces canaux tranquilles. Ces énormes navires qu'ils charrient, tout chargés de richesses, et d'où montent les chants monotones de la manœuvre, ce sont mes pensées qui dorment ou qui roulent sur ton sein. Tu les conduis doucement vers la mer qui est l'Infini[3], tout en réfléchissant les profondeurs du ciel dans la limpidité de ta belle âme ; – et quand, fatigués par la houle et gorgés des produits de l'Orient, ils rentrent au port natal, ce sont encore mes pensées enrichies qui reviennent de l'Infini vers toi.

---

1. L'analogie de Charles Fourier et les correspondances de Swedenborg sont des références constantes pour Baudelaire. Voir notamment dans FM (p. 55) le sonnet « Correspondances » et, dans ses *Réflexions sur quelques-uns de mes contemporains*, sa notice sur Victor Hugo. **2.** L'opium « naturel », bien différent de l'opium en tant que drogue que condamne Baudelaire dans ses *Paradis artificiels*, c'est, en somme, l'imagination et le pouvoir de rêver. **3.** Ce rapport à l'Infini provoqué par la mer se lit aussi dans « Le *Confiteor* de l'artiste ». Voir d'Antoine Compagnon « Les deux infinis », troisième chapitre de son *Baudelaire et l'innombrable*, Presses de l'Université de Paris-Sorbonne, 2003.

XIX

Le joujou du pauvre [1]

Je veux donner l'idée d'un divertissement innocent.
Il y a si peu d'amusements qui ne soient pas coupables ! Quand vous sortirez le matin avec l'intention
décidée de flâner sur les grandes routes, remplissez vos
poches de petites inventions à un sol [2], – telles que le
polichinelle plat mû par un seul fil, les forgerons qui
battent l'enclume, le cavalier et son cheval, dont la
queue est un sifflet, – et le long des cabarets, au pied
des arbres, faites-en hommage aux enfants inconnus et
pauvres que vous rencontrerez. Vous verrez leurs yeux
s'agrandir démesurément. D'abord ils n'oseront pas
prendre ; ils douteront de leur bonheur ; puis leurs
mains agripperont vivement le cadeau, et ils s'enfuiront comme font les chats [3] qui vont manger loin de
vous le morceau que vous leur avez donné, ayant
appris à se défier de l'homme.

Sur une route, derrière la grille d'un vaste jardin, au
bout duquel apparaissait la blancheur d'un joli château
frappé par le soleil, se tenait un enfant beau et frais,
habillé de ces vêtements de campagne si pleins de
coquetterie.

---

1. Voir dans le Dossier, p. 226, le passage de la *Morale du
joujou* qui a inspiré ce poème, première publication dans *Le Monde
littéraire*, 17 avril 1853.   **2.** On dirait de nos jours « des inventions d'un sou ».   **3.** La comparaison de l'enfant avec l'animal
est souvent faite par Baudelaire, tantôt sans ironie, comme c'est le
cas ici, tantôt au détriment de l'enfant considéré comme moins
affectueux qu'un animal (« Les veuves », p. 96).

Le luxe, l'insouciance et le spectacle habituel de la richesse, rendent ces enfants-là si jolis qu'on les croirait faits d'une autre pâte [1] que les enfants de la médiocrité ou de la pauvreté.

À côté de lui, gisait sur l'herbe un joujou splendide, aussi frais que son maître, verni, doré, vêtu d'une robe pourpre, et couvert de plumets et de verroteries. Mais l'enfant ne s'occupait pas de son joujou préféré, et voici ce qu'il regardait :

De l'autre côté de la grille, sur la route, entre les chardons et les orties, il y avait un autre enfant, sale, chétif, fuligineux [2], un de ces marmots-parias dont un œil impartial découvrirait la beauté, si comme l'œil du connaisseur devine une peinture idéale sous un vernis de carrossier [3], il le nettoyait de la répugnante patine de la misère.

À travers ces barreaux symboliques séparant deux mondes, la grande route et le château, l'enfant pauvre montrait à l'enfant riche son propre joujou, que celui-ci examinait avidement comme un objet rare et inconnu. Or, ce joujou, que le petit souillon agaçait, agitait et secouait dans une boîte grillée [4], c'était un rat vivant ! Les parents, par économie sans doute, avaient tiré le joujou de la vie elle-même.

Et les deux enfants se riaient l'un à l'autre fraternellement, avec des dents d'une *égale* blancheur [5].

---

1. D'une autre matière, comme s'il s'agissait d'une figurine en terre cuite ou en porcelaine.   **2.** Couleur de suie. Voir, plus loin, « la patine de la misère ». Dans « La corde », Manet « débarbouille » l'enfant, son modèle, d'une telle patine.   **3.** Vernis grossier, comme ceux que l'on utilisait pour les parois des carrosses. **4.** Grillagée. Il y a donc un double interdit mis en place : la grille du château et le grillage de la cage.   **5.** Barbara Johnson pense, à juste titre, que la blancheur de ces dents renvoie à une comparaison faite auparavant (« comme font les chats »). Ce qui rapproche ces enfants est leur cruauté devant le rat captif.

XX

Les dons des fées

C'était grande assemblée des Fées[1], pour procéder à la répartition des dons parmi tous les nouveau-nés, arrivés à la vie depuis vingt-quatre heures.

Toutes ces antiques et capricieuses Sœurs du Destin, toutes ces Mères bizarres de la joie et de la douleur[2] étaient fort diverses : les unes avaient l'air sombre et rechigné, les autres, un air folâtre et malin ; les unes, jeunes, qui avaient toujours été jeunes ; les autres, vieilles, qui avaient toujours été vieilles.

Tous les pères qui ont foi dans les Fées étaient venus, chacun apportant son nouveau-né dans ses bras.

Les Dons, les Facultés, les bons Hasards, les Circonstances invincibles, étaient accumulés à côté du tribunal, comme les prix sur l'estrade, dans une distribution de prix. Ce qu'il y avait ici de particulier, c'est que les Dons n'étaient pas la récompense d'un effort, mais tout au contraire une grâce accordée à celui qui n'avait pas encore vécu, une grâce pouvant déterminer sa destinée et devenir aussi bien la source de son malheur que de son bonheur.

Les pauvres Fées étaient très affairées, car la foule des solliciteurs était grande, et le monde intermé-

---

1. Ce sont donc des fées marraines qui président au destin (*fatum*) de ceux qui naissent alors. **2.** Les Mères renvoient vraisemblablement à celles du *Second Faust* de Goethe, comme aussi bien aux Mères de Tristesse dont parle De Quincey dans ses *Rêveries d'un mangeur d'opium*.

diaire[1], placé entre l'homme et Dieu, est soumis
comme nous à la terrible loi du Temps et de son infinie
postérité, les Jours, les Heures, les Minutes, les
Secondes.

En vérité, elles étaient aussi ahuries que des
ministres un jour d'audience, ou des employés du
Mont-de-Piété quand une fête nationale autorise les
dégagements gratuits[2]. Je crois même qu'elles regar-
daient de temps à autre l'aiguille de l'horloge avec
autant d'impatience que des juges humains qui, sié-
geant depuis le matin, ne peuvent s'empêcher de rêver
au dîner, à la famille et à leurs chères pantoufles. Si
dans la justice surnaturelle, il y a un peu de précipita-
tion et de hasard, ne nous étonnons pas qu'il en soit de
même quelquefois dans la justice humaine. Nous
serions nous-mêmes, en ce cas, des juges injustes.

Aussi furent commises ce jour-là quelques bourdes[3]
qu'on pourrait considérer comme bizarres, si la pru-
dence, plutôt que le caprice, était le caractère distinctif,
éternel des Fées.

Ainsi la puissance d'attirer magnétiquement la fortune fut adjugée à l'héritier unique d'une famille très
riche, qui, n'étant doué d'aucun sens de charité, non
plus que d'aucune convoitise pour les biens les plus
visibles de la vie, devait se trouver plus tard prodigieusement embarrassé de ses millions.

Ainsi furent donnés l'amour du Beau et la Puissance
poétique au fils d'un sombre gueux, carrier[4] de son
état, qui ne pouvait, en aucune façon, aider les facultés
ni soulager les besoins de sa déplorable progéniture.

J'ai oublié de vous dire que la distribution, en ces
cas solennels, est sans appel, et qu'aucun don ne peut
être refusé.

---

1. D'après Hésiode, Platon et Ronsard, le monde intermédiaire
est celui qu'occupent les « Daimonés ».   2. On pouvait, ces
jours-là, retirer des objets déposés au Mont-de-Piété, sans doute
pour s'en parer exceptionnellement pendant cette journée.
3. Erreurs. Le mot est plutôt trivial.   4. Tailleur de pierre.

Toutes les Fées se levaient, croyant leur corvée accomplie : car il ne restait plus aucun cadeau, aucune largesse à jeter à tout ce fretin humain, quand un brave homme, un pauvre petit commerçant, je crois, se leva, et empoignant par sa robe de vapeurs multicolore la Fée qui était le plus à sa portée, s'écria :

« Eh ! madame ! vous nous oubliez ! il y a encore mon petit ! Je ne veux pas être venu pour rien. »

La Fée pouvait être embarrassée ; car il ne restait plus *rien*. Cependant elle se souvint à temps d'une loi bien connue, quoique rarement appliquée, dans le monde surnaturel, habité par ces déités impalpables, amies de l'homme, et souvent contraintes de s'adapter à ses passions, telles que les Fées, les Gnomes, les Salamandres, les Sylphides, les Sylphes, les Nixes, les Ondins et les Ondines[1], – je veux parler de la loi qui concède aux Fées, dans un cas semblable à celui-ci, c'est-à-dire le cas d'épuisement des lots, la faculté d'en donner encore un, supplémentaire et exceptionnel, pourvu toutefois qu'elle ait l'imagination suffisante pour le lui créer immédiatement.

Donc la bonne Fée répondit, avec un aplomb digne de son rang : « Je donne à ton fils... je lui donne... le *Don de plaire*[2] ! »

« Mais plaire comment ? plaire... ? plaire pourquoi ? » demanda opiniâtrement le petit boutiquier, qui

---

1. Cette énumération comporte des créatures imaginaires liées aux quatre éléments : les gnomes à la terre, les salamandres au feu, les sylphes et sylphides à l'air, les ondins et ondines à l'eau (les nixes de tradition allemande sont également des divinités aquatiques). Montfaucon de Villars, dans son livre *Le Comte de Gabalis* fort connu au XVIIIe siècle et pratiqué plus tard par Aloysius Bertrand, les avait décrites avec soin et quelque peu d'ironie. Baudelaire avait emprunté ce livre à Poulet-Malassis, voir lettre à ce dernier du 27 août 1861 (C, II, p. 187). 2. À celui-là Baudelaire opposera volontiers « le plaisir aristocratique de déplaire » (voir *Fusées*, f° 18 et sa notice sur Pétrus Borel prévue pour l'anthologie des *Poètes français* de Crépet, où il écrit : « Quel méchant esprit se pencha sur son berceau et lui dit : *Je te défends de plaire* ? »).

était sans doute un de ces raisonneurs si communs, incapable de s'élever jusqu'à la logique de l'Absurde.

« Parce que ! parce que ! » répliqua la Fée courroucée, en lui tournant le dos ; et rejoignant le cortège de ses compagnes, elle leur disait : « Comment trouvez-vous ce petit Français[1] vaniteux, qui veut tout comprendre, et qui ayant obtenu pour son fils le meilleur des lots, ose encore interroger et discuter l'indiscutable ? »

---

1. Précision d'importance, puisqu'elle tend à rabaisser aux yeux de Baudelaire ses compatriotes, qu'il avait déjà moqués pour leur peu d'esprit dans « Un plaisant » (p. 66).

XXI

Les tentations

ou Éros, Plutus et la Gloire

Deux superbes Satans et une Diablesse non moins extraordinaire ont, la nuit dernière, monté l'escalier mystérieux par où l'Enfer donne assaut à la faiblesse de l'homme qui dort, et communique en secret avec lui. Et ils sont venus se poser glorieusement devant moi, debout comme sur une estrade. Une splendeur sulfureuse[1] émanait de ces trois personnages, qui se détachaient ainsi du fond opaque de la nuit. Ils avaient l'air si fier et si plein de domination que je les pris d'abord tous les trois pour de vrais Dieux.

Le visage du premier Satan était d'un sexe ambigu, et il avait aussi, dans les lignes de son corps, la mollesse des anciens Bacchus[2]. Ses beaux yeux languissants, d'une couleur ténébreuse et indécise, ressemblaient à des violettes chargées encore des lourds pleurs de l'orage, et ses lèvres entrouvertes à des cas-

---

1. Le soufre, en effet, caractérise Satan. Voir *Le Diable amoureux* de Cazotte, où le diable se manifeste ainsi. Le troisième enfant des « Vocations » est pareillement environné d'une « auréole sulfureuse » (p. 161).   2. Cette description fait penser au personnage de l'hermaphrodite. Dans « L'hermaphrodite » de Banville, poème repris dans *Les Exilés* de 1867, mais daté de mars 1858, on peut lire : « Et des pleurs font briller ses yeux de violette. » Les « anciens Bacchus » désignent ici des statues antiques représentant Bacchus.

solettes [1] chaudes d'où s'exhalait la bonne odeur d'une parfumerie ; et à chaque fois qu'il soupirait, des insectes musqués [2] s'illuminaient, en voletant, aux ardeurs de son souffle.

Autour de sa tunique de pourpre était roulé, en manière de ceinture, un serpent chatoyant qui, la tête relevée, tournait langoureusement vers lui ses yeux de braise. À cette ceinture vivante étaient suspendus, alternant avec des fioles pleines de liqueurs sinistres, de brillants couteaux et des instruments de chirurgie [3]. Dans sa main droite il tenait une autre fiole dont le contenu était d'un rouge lumineux, et qui portait pour étiquette ces mots bizarres : « Buvez ; ceci est mon sang [4], un parfait cordial » ; dans la gauche, un violon [5] qui lui servait sans doute à chanter ses plaisirs et ses douleurs, et à répandre la contagion de sa folie dans les nuits de sabbat.

À ses chevilles délicates traînaient quelques anneaux

---

1. En Orient, les cassolettes sont des sortes de vases où l'on fait brûler des parfums.   **2.** Ces insectes rappellent des phalènes, mais font également penser aux mouches cantharides, dont l'effet aphrodisiaque est bien connu.   **3.** Cet attirail imprévu, d'apparence hétéroclite, est – nous dira Baudelaire par la suite   symbolique, sans que l'on puisse nettement déterminer ce qu'il suggère. On pense, en l'occurrence, à ce vers de « Sonnet d'automne » (FM, p. 115) appliqué à la femme : « Je connais les engins de son vieil arsenal. » On évoque également les instruments de chirurgie que montre « Mademoiselle Bistouri » et le f° 3 de *Fusées* : « Je crois que j'ai déjà écrit dans mes notes que l'amour ressemblait à une torture ou à une opération chirurgicale. » Voir surtout dans le *Salon de 1859* : « Si j'étais invité à représenter l'Amour, il me semble que je le peindrais sous la forme [...] d'un démon aux yeux cernés par la débauche et l'insomnie, traînant, comme un spectre ou un galérien, des chaînes bruyantes à ses chevilles, et secouant d'une main une fiole de poison, de l'autre le poignard sanglant du crime. »   **4.** Le « ceci est mon sang » parodie la parole de Jésus lors de la Cène instituant le sacrement de l'eucharistie. – Un « cordial » est un remède qui revigore le cœur.   **5.** Sous l'influence d'Hoffmann et de certains de ses contes fantastiques, le violon était considéré comme un instrument satanique, comme si ses cordes étaient en relation directe avec les nerfs de celui qui en joue.

d'une chaîne d'or rompue, et quand la gêne qui en résultait le forçait à baisser les yeux vers la terre, il contemplait vaniteusement les ongles de ses pieds, brillants et polis comme des pierres bien travaillées.

Il me regarda avec ses yeux inconsolablement navrés, d'où s'écoulait une insidieuse ivresse, et il me dit d'une voix chantante : « Si tu veux, si tu veux, je te ferai le seigneur des âmes, et tu seras le maître de la matière vivante [1], plus encore que le sculpteur peut l'être de l'argile ; et tu connaîtras le plaisir, sans cesse renaissant, de sortir de toi-même pour t'oublier dans autrui, et d'attirer les autres âmes jusqu'à les confondre avec la tienne. »

Et je lui répondis : « Grand merci ! je n'ai que faire de cette pacotille d'êtres qui, sans doute, ne valent pas mieux que mon pauvre moi. Bien que j'aie quelque honte à me souvenir, je ne veux rien oublier, et quand même je ne connaîtrais pas, vieux monstre [2], ta mystérieuse coutellerie, tes fioles équivoques, les chaînes dont tes pieds sont empêtrés sont des symboles qui expliquent assez clairement les inconvénients de ton amitié. Garde tes présents. »

Le second Satan n'avait ni cet air à la fois tragique et souriant, ni ces belles manières insinuantes, ni cette beauté délicate et parfumée. C'était un homme vaste, à gros visage sans yeux [3], dont la lourde bedaine [4] surplombait les cuisses, et dont toute la peau était dorée et illustrée, comme d'un tatouage, d'une foule de petites figures mouvantes représentant les formes nombreuses de la misère universelle. Il y avait de petits hommes

---

1. Ces paroles sont celles du Satan « maître du monde » de l'Évangile et de son équivalent dans le *Faust* de Goethe.   2. Entendre ici non pas des mots descriptifs, mais des termes de mépris. La même expression se lit dans « Le monstre » (poème des *Épaves*, FM, p. 227) : « Vraiment oui ! vieux monstre, je t'aime ! »   3. Plutus, dieu de la richesse chez les Latins, n'a pas d'yeux, comme dans ses représentations traditionnelles, alors que les pauvres de Baudelaire touchent particulièrement par l'expression de leur regard.   4. Le mot est de tonalité triviale.

efflanqués qui se suspendaient volontairement à un clou. Il y avait de petits gnomes difformes, maigres, dont les yeux suppliants réclamaient l'aumône mieux encore que leurs mains tremblantes ; et puis de vieilles mères portant des avortons accrochés à leurs mamelles exténuées. Et il y en avait encore bien d'autres.

Le gros Satan tapait avec son poing sur son immense ventre, d'où sortait alors un long et retentissant cliquetis de métal, qui se terminait en un vague gémissement fait de nombreuses voix humaines. Et il riait, en montrant impudemment ses dents gâtées, d'un énorme rire imbécile, comme certains hommes de tous les pays quand ils ont trop bien dîné.

Et celui-là me dit : « Je puis te donner ce qui obtient tout, ce qui vaut tout, ce qui remplace tout ! » Et il tapa sur son ventre monstrueux, dont l'écho sonore fit le commentaire de sa grossière parole.

Je me détournai avec dégoût, et je répondis : « Je n'ai besoin, pour ma jouissance, de la misère de personne, et je ne veux pas d'une richesse attristée, comme un papier de tenture, de tous les malheurs représentés sur ta peau. »

Quant à la Diablesse, je mentirais si je n'avouais pas qu'à première vue je lui trouvai un bizarre charme. Pour définir ce charme, je ne saurais le comparer à rien de mieux qu'à celui des très belles femmes sur le retour[1], qui cependant ne vieillissent plus, et dont la beauté garde la magie pénétrante des ruines. Elle avait l'air à la fois impérieux et dégingandé[2], et ses yeux, quoique battus, contenaient une force fascinatrice. Ce qui me frappa le plus, ce fut le mystère de sa voix,

---

1. C'est une image de la femme qu'aime à montrer Baudelaire et que l'on voit aussi dans « Un cheval de race » (p. 182). **2.** Qui n'a pas une contenance assurée (dictionnaire Bescherelle). **3.** Voir le poème « Contralto » de Gautier (*Émaux et Camées*, 1852) consacré en partie à l'hermaphrodite. Le contralto correspond à la voix de femme la plus grave (souvent interprétée par des castrats).

dans laquelle je retrouvais le souvenir des *contralti* [3] les plus délicieux et aussi un peu de l'enrouement des gosiers lavés par l'eau-de-vie.

« Veux-tu connaître ma puissance ? » dit la fausse déesse avec sa voix charmante et paradoxale. « Écoute ! »

Et elle emboucha alors une gigantesque trompette [1], enrubannée, comme un mirliton, des titres de tous les journaux de l'univers, et à travers cette trompette elle cria mon nom, qui roula ainsi à travers l'espace avec le bruit de cent mille tonnerres, et me revint répercuté par l'écho de la plus lointaine planète.

« Diable ! » fis-je, à moitié subjugué, « ceci est sérieux ! » Mais en examinant plus attentivement la séduisante virago, il me sembla vaguement que je la reconnaissais pour l'avoir vue trinquant avec quelques drôles de ma connaissance, et le son rauque du cuivre apporta à mes oreilles je ne sais quel souvenir d'une trompette prostituée.

Aussi je répondis, avec tout mon dédain : « Va-t'en ! Je ne suis pas fait pour épouser la maîtresse de certains que je ne veux pas nommer. »

Certes, d'une si courageuse abnégation j'avais le droit d'être fier. Mais malheureusement je me réveillai, et toute ma force m'abandonna. « En vérité, me dis-je, il fallait que je fusse bien lourdement assoupi pour montrer de tels scrupules. Ah ! s'ils pouvaient revenir pendant que je suis éveillé, je ne ferais pas tant le délicat ! »

Et je les invoquai à haute voix, les suppliant de me pardonner, leur offrant de me déshonorer aussi souvent qu'il le faudrait pour mériter leurs faveurs [2] ; mais je les avais sans doute fortement offensés, car ils ne sont jamais revenus.

---

1. Il est facile de comprendre que Baudelaire montre ainsi l'allégorie traditionnelle de la Renommée (la *Fama* latine).   **2.** Ce regret final apparaît aussi dans « Le joueur généreux » (p. 152).

XXII

Le crépuscule du soir[1]

Le jour tombe. Un grand apaisement se fait dans les pauvres esprits fatigués du labeur de la journée, et leurs pensées prennent maintenant les couleurs tendres et indécises du crépuscule.

Cependant, du haut de la montagne, arrive à mon balcon, à travers les nuées transparentes du soir, un grand hurlement, composé d'une foule de cris discordants, que l'espace transforme en une lugubre harmonie, comme celle de la marée qui monte ou d'une tempête qui s'éveille.

Quels sont les infortunés que le soir ne calme pas, et qui prennent, comme les hiboux, la venue de la nuit pour un signal de sabbat ? Cette sinistre ululation nous arrive du noir hospice[2], perché sur la montagne, et, le soir, en fumant et en contemplant le repos de l'immense vallée, hérissée de maisons dont chaque fenêtre dit : « C'est ici la paix maintenant ! c'est ici la joie de la famille ! » je puis, quand le vent souffle[3] de là-haut,

---

1. Voir dans le Dossier, p. 225, le premier état de ce poème tel qu'il a été publié en 1855 dans l'*Hommage à Denecourt.* 2. L'épreuve de *La Presse* (1862) sans corrections porte « du noir hospice des Antiquailles, et le soir [...] ». On dit plutôt l'hospice de l'Antiquaille. 3. L'épreuve de *La Presse* (1862) sans corrections porte « quand le vent souffle de Fourvières [*sic*], bercer ma pensée étonnée à ce redoutable écho de l'Enfer ». Les deux variantes introduites dans la version de 1862 (après les publications de 1855, 1857 et 1861) tendent à situer la scène dans le Lyon qu'habita Baudelaire de 1832 à janvier 1836, de sa onzième à sa quinzième année. Comme les premières versions, celle du *Figaro*, la dernière, ne portera pas ces précisions locales.

bercer ma pensée étonnée à cette imitation des harmonies de l'enfer.

Le crépuscule excite les fous. – Je me souviens que j'ai eu deux amis[1] que le crépuscule rendait tout malades. L'un méconnaissait alors tous les rapports d'amitié et de politesse, et maltraitait, comme un sauvage, le premier venu. Je l'ai vu jeter à la tête d'un maître d'hôtel un excellent poulet, dans lequel il croyait voir je ne sais quel insultant hiéroglyphe[2]. Le soir, précurseur des voluptés profondes, lui gâtait les choses les plus succulentes.

L'autre, un ambitieux blessé, devenait, à mesure que le jour baissait, plus aigre, plus sombre, plus taquin. Indulgent et sociable encore pendant la journée, il était impitoyable le soir, et ce n'était pas seulement sur autrui, mais aussi sur lui-même, que s'exerçait rageusement sa manie crépusculeuse[3].

Le premier est mort fou, incapable de reconnaître sa femme et son enfant ; le second porte en lui l'inquiétude d'un malaise perpétuel, et fût-il gratifié de tous les honneurs que peuvent conférer les républiques et les princes, je crois que le crépuscule allumerait encore en lui la brûlante envie de distinctions imaginaires. La nuit, qui mettait ses ténèbres dans leur esprit, fait la lumière dans le mien ; et bien qu'il ne soit pas rare de voir la même cause engendrer deux effets contraires, j'en suis toujours comme intrigué et alarmé.

Ô nuit ! ô rafraîchissantes ténèbres[4] ! vous êtes pour

---

1. Les personnes décrites n'ont pu être identifiées. **2.** Cette hallucination hiéroglyphique rappelle certains détails donnés dans l'*Aurélia* de Nerval. **3.** Comprendre la « folie » (« manie ») engendrée par le crépuscule. Si « crépusculin » est attesté dans les dictionnaires, « crépusculeux », en revanche, ne s'y trouve pas. Baudelaire l'a cependant maintenu dans toutes ses publications (elle ne figure pas dans la première de 1855), peut-être pour parodier le langage médical. **4.** Semblable expression se lit dans « La fin de la journée » (FM, p. 185) dont elle forme le dernier vers.

moi le signal d'une fête intérieure, vous êtes la délivrance d'une angoisse ! Dans la solitude des plaines,
dans les labyrinthes pierreux [1] d'une capitale, scintillement des étoiles, explosion des lanternes, vous êtes le
feu d'artifice de la déesse Liberté [2] !

Crépuscule, comme vous êtes doux et tendre ! Les
lueurs roses qui traînent encore à l'horizon comme
l'agonie du jour sous l'oppression victorieuse de sa
nuit [3], les feux des candélabres qui font des taches d'un
rouge opaque sur les dernières gloires du couchant, les
lourdes draperies qu'une main invisible attire des profondeurs de l'Orient, imitent tous les sentiments
compliqués qui luttent dans le cœur de l'homme, aux
heures solennelles de la vie.

On dirait encore d'une de ces robes étranges de danseuses, où une gaze transparente et sombre laisse entre-
voir les splendeurs amorties d'une jupe éclatante,
comme sous le noir présent transperce le délicieux
passé [4] ; et les étoiles vacillantes d'or et d'argent, dont
elle est semée, représentent ces feux de la fantaisie [5]
qui ne s'allument bien que sous le deuil profond de la
Nuit [6].

---

1. Voir « Un mangeur d'opium » dans *Les Paradis artificiels*
(p. 197).   2. Dans ce passage lyrique, il s'agit, assurément, de
tout autre chose que de la Liberté républicaine.   3. L'agonie est
donc bien perçue comme un combat (*agon*, en grec) entre le jour
finissant et la nuit qui le domine. Mallarmé, plus tard, offrira la
même vision conflictuelle de la fin de la journée.   4. Voir dans
« Recueillement » (FM, p. 199) de 1868 : « Vois se pencher les
défuntes Années, / Sur les balcons du ciel, en robes surannées
[...]. »   5. La fantaisie, en tant qu'elle signifie l'imagination et
qu'elle est assimilable à la poésie.   6. L'ensemble de ce dernier
alinéa artificialise le crépuscule par une métaphore d'apparat où le
monde du spectacle (les paillettes de la robe) tend à se substituer
aux éléments de l'univers (les « étoiles »).

XXIII

La solitude

Un gazetier philanthrope[1] me dit que la solitude est mauvaise pour l'homme, et, à l'appui de sa thèse, il cite, comme tous les incrédules, des paroles des Pères de l'Église.

Je sais que le Démon fréquente volontiers les lieux arides, et que l'Esprit de meurtre et de lubricité s'enflamme merveilleusement dans les solitudes[2]. Mais il serait possible que cette solitude ne fût dangereuse que pour l'âme oisive et divagante qui la peuple de ses passions et de ses chimères.

Il est certain qu'un bavard, dont le suprême plaisir consiste à parler du haut d'une chaire ou d'une tribune[3], risquerait fort de devenir fou furieux dans l'île

---

1. Jusque dans l'épreuve pour *La Presse* de 1862, Baudelaire faisait parler le second ami évoqué dans son « Crépuscule du soir » en prose (*Hommage à Denecourt*). Un gazetier est une sorte de journaliste. Baudelaire stigmatise cette fonction dans « L'imprévu » (poème des *Épaves*, FM, p. 232) : « Un gazetier fumeux, qui se croit un flambeau [...]. » La philanthropie que Baudelaire attribue au personnage ne peut que le rendre suspect à ses yeux. **2.** En tête de son poème en prose « La chambre gothique » (voir *Gaspard de la Nuit*, Le Livre de Poche, n° 16103, p. 119), Aloysius Bertrand avait placé en épigraphe : « *Nox et solitudo plenae sunt diabolo* [la nuit et la solitude sont pleines du diable] », en référence aux Pères de l'Église. **3.** Baudelaire attaque la présomption des prédicateurs et des hommes d'État qui ont besoin de l'assentiment de la foule. En revanche, il nomme plus loin le personnage de De Foe, Robinson sur son île, déjà mentionné dans *Les Paradis artificiels* (p. 226). Dans la version de 1855 (voir Dossier, p. 225), il montrait tous les bienfaits de la solitude pour celui-ci.

de Robinson. Je n'exige pas de mon gazetier les courageuses vertus de Crusoé, mais je demande qu'il ne décrète pas d'accusation[1] les amoureux de la solitude et du mystère.

Il y a dans nos races jacassières[2] des individus qui accepteraient avec moins de répugnance le supplice suprême, s'il leur était permis de faire du haut de l'échafaud une copieuse harangue, sans craindre que les tambours de Santerre[3] ne leur coupassent intempestivement la parole.

Je ne les plains pas, parce que je devine que leurs effusions oratoires leur procurent des voluptés égales à celles que d'autres tirent du silence et du recueillement ; mais je les méprise.

Je désire surtout que mon maudit gazetier me laisse m'amuser à ma guise. « Vous n'éprouvez donc jamais, – me dit-il, avec un ton de nez très apostolique[4], – le besoin de partager vos jouissances ? » Voyez-vous le subtil envieux ! Il sait que je dédaigne les siennes, et il vient s'insinuer dans les miennes, le hideux trouble-fête !

« Ce grand malheur de ne pouvoir être seul[5] !... » dit

---

1. Faire tomber sous le coup d'une accusation. **2.** Ce mot, particulièrement expressif (comparer avec « tracassier » ou « cancanier »), qui vient de « jacasser » : parler comme une pie, et signifie « bavard à l'extrême », semble un néologisme. **3.** Claude Santerre, brasseur du faubourg Saint-Antoine, s'était rendu célèbre pendant la Révolution, par ses actes iniques. Quand Louis XVI, du haut de l'échafaud, voulut parler au peuple, Santerre fit couvrir sa voix par un roulement de tambours. **4.** Le ton nasal, plein de componction, avec lequel s'expriment les prêtres. **5.** Baudelaire redonne la citation, signée « La Bruyère » et placée en épigraphe par Poe à « L'homme des foules » (qu'il avait traduit dans *Le Pays* du 27 janvier 1855). Le texte exact des *Caractères* (« De l'homme », 1688) donne : « Tout notre mal vient de ne pouvoir être seuls : de là le jeu, le luxe, la dissipation, le vin, les femmes, l'ignorance, la médisance, l'envie, l'oubli de soi-même et de Dieu. » La dernière publication de « La solitude » (*Nouvelle Revue de Paris*, 25 décembre 1864) porte, accrochée à « La Bruyère », cette note : « Auteur français, très méprisé en Belgique. » Dans *Le*

quelque part La Bruyère, comme pour faire honte à tous ceux qui courent s'oublier dans la foule, craignant sans doute de ne pouvoir se supporter eux-mêmes.

« Presque tous nos malheurs nous viennent de n'avoir pas su rester dans notre chambre [1] », dit un autre sage, Pascal, je crois, rappelant [2] ainsi dans la cellule du recueillement tous ces affolés qui cherchent le bonheur dans le mouvement et dans une prostitution que je pourrais appeler *fraternitaire* [3], si je voulais parler la belle langue de mon siècle.

Peintre de la vie moderne, Baudelaire qualifie La Bruyère de « pur moraliste pittoresque ».

1. Pascal, *Pensées* (« Sur le divertissement ») : « tout le malheur des hommes vient d'une seule chose, qui est de ne savoir demeurer en repos dans une chambre. »   **2.** Faisant revenir.   **3.** Le mot, construit à partir de « fraternité », est attesté, mais considéré comme peu usité. Dans une lettre anonyme publiée dans *Le Figaro* du 14 avril 1864 à propos de l'anniversaire de Shakespeare, Baudelaire écrira : « Ce XIXe siècle, où nous avons le fatigant bonheur de vivre, et où chacun est, à ce qu'il paraît, privé du droit naturel de *choisir ses frères* [...]. » Cette prostitution *fraternitaire* s'oppose à la « sainte prostitution » des « Foules ».

XXIV

Les projets[1]

Il se disait, en se promenant dans un grand parc solitaire : « Comme elle serait belle dans un costume de cour, compliqué et fastueux, descendant, à travers l'atmosphère d'un beau soir, les degrés de marbre d'un palais, en face des grandes pelouses et des bassins[2] ! Car elle a naturellement l'air d'une princesse. »

En passant plus tard dans une rue, il s'arrêta devant une boutique de gravures[3], et, trouvant dans un carton une estampe représentant un paysage tropical, il se dit : « Non ! ce n'est pas dans un palais que je voudrais posséder sa chère vie. Nous n'y serions pas *chez nous*. D'ailleurs ces murs criblés d'or ne laisseraient pas une place pour accrocher son image ; dans ces solennelles galeries, il n'y a pas un coin pour l'intimité. Décidément, c'est *là* qu'il faudrait demeurer pour cultiver le rêve de ma vie. »

Et[4], tout en analysant des yeux les détails de la gravure, il continuait mentalement : « Au bord de la mer,

---

1. Voir dans le Dossier, p. 228, la première version de ce poème tel qu'il fut publié dans *Le Présent* du 24 août 1857.   2. Tableau XVIIe ou XVIIIe siècle, que l'on imagine coloré par un Watteau.   3. Il paraît opportun de voir là le Baudelaire amateur d'estampes dès sa jeunesse.   4. Cet alinéa redistribue les éléments d'un type de rêve exotique cher à Baudelaire et que l'on peut lire aussi bien dans le poème suivant, « La belle Dorothée », que dans « À une Malabaraise » (*Les Épaves*, p. 234) et « Bien loin d'ici (FM, p. 204) où se retrouvent le mot « case », l'évocation de la mer, des parfums, des oiseaux et des palmes.

une belle case en bois, enveloppée de tous ces arbres bizarres et luisants dont j'ai oublié les noms....., dans l'atmosphère, une odeur enivrante, indéfinissable....., dans la case un puissant parfum de rose et de musc...., plus loin, derrière notre petit domaine, des bouts de mâts balancés par la houle....., autour de nous, au-delà de la chambre éclairée d'une lumière rose tamisée par les stores, décorée de nattes fraîches et de fleurs capiteuses, avec de rares sièges d'un rococo portugais[1], d'un bois lourd et ténébreux (où elle reposerait si calme, si bien éventée[2], fumant le tabac légèrement opiacé !), au-delà de la varangue[3], le tapage des oiseaux ivres de lumière, et le jacassement des petites négresses....., et, la nuit, pour servir d'accompagnement à mes songes, le chant plaintif des arbres à musique, des mélancoliques filaos[4] ! Oui, en vérité, c'est bien *là* le décor que je cherchais. Qu'ai-je à faire de palais ? »

Et plus loin, comme il suivait une grande avenue, il aperçut une auberge proprette, où d'une fenêtre égayée par des rideaux d'indienne bariolée se penchaient deux têtes rieuses. Et tout de suite : « Il faut, – se dit-il, – que ma pensée soit une grande vagabonde pour aller chercher si loin ce qui est si près de moi. Le plaisir et le bonheur sont dans la première auberge venue, dans l'auberge du hasard, si féconde en voluptés. Un grand feu, des faïences voyantes, un souper passable, un vin

---

1. Style d'architecture et d'ameublement, tel qu'il s'est développé dans certaines colonies portugaises et sous l'influence des arts indiens ou d'Extrême-Orient.   **2.** On retrouve dans le poème suivant, « La belle Dorothée », l'image de la femme « éventée » et fumant.   **3.** Terme qui équivaut à *véranda*.   **4.** Conifère exotique qui pousse dans les îles de l'océan Indien. Plus tard, dans son recueil *Les Lèvres closes* (1867), Léon Dierx, né dans l'île de la Réunion, écrira un poème, « Les filaos », dédié à Théodore de Banville et resté célèbre depuis. C'était à l'île Bourbon (ancien nom de la Réunion) que Baudelaire avait mis un terme au voyage par lequel ses parents lui avaient fait quitter l'Europe, en juin 1841.

rude, et un lit très large avec des draps un peu âpres, mais frais ; quoi de mieux ? »

Et en rentrant seul chez lui, à cette heure où les conseils de la Sagesse ne sont plus étouffés par les bourdonnements de la vie extérieure, il se dit : « J'ai eu aujourd'hui, en rêve, trois domiciles où j'ai trouvé un égal plaisir. Pourquoi contraindre mon corps à changer de place, puisque mon âme voyage si lestement ? Et à quoi bon exécuter des projets, puisque le projet est en lui-même une jouissance suffisante ? »

XXV

La belle Dorothée[1]

Le soleil accable la ville de sa lumière droite et terrible[2] ; le sable est éblouissant et la mer miroite. Le monde stupéfié[3] s'affaisse lâchement et fait la sieste, une sieste qui est une espèce de mort savoureuse où le dormeur, à demi éveillé, goûte les voluptés de son anéantissement.

Cependant Dorothée, forte et fière comme le soleil, s'avance dans la rue déserte, seule vivante à cette heure sous l'immense azur, et faisant sur la lumière une tache éclatante et noire.

Elle s'avance, balançant mollement son torse si mince sur ses hanches si larges. Sa robe de soie collante, d'un ton clair et rose, tranche vivement sur les ténèbres de sa peau et moule exactement sa taille longue, son dos creux et sa gorge pointue[4].

Son ombrelle[5], tamisant la lumière, projette sur son

---

1. Voir « À une Malabaraise », l'un des plus anciens poèmes de Baudelaire, publié, signé « Pierre de Fayis », dans *L'Artiste* du 13 décembre 1846 et repris dans *Les Épaves*, pièce XX, puis dans FM (édition posthume de 1869, pièce XCII). Voir également « Bien loin d'ici » (poème où apparaît le prénom de Dorothée), première publication dans la *Revue nouvelle* du 1er mars 1864 et repris dans FM, pièce XCIX (p. 204).   **2.** Le soleil est donc au zénith.   **3.** Engourdi. « Le propre de l'opium est de stupéfier tous ceux qui en prennent », note le dictionnaire Bescherelle. **4.** Le directeur de la *Revue nationale et étrangère* a imposé à Baudelaire une formulation plus décente : « moule exactement les formes de son corps ».   **5.** L'édition posthume (1869) donne ensuite le qualificatif « rouge », addition de Baudelaire ou des éditeurs pour justifier le « fard sanglant » de la ligne suivante ?

visage sombre le fard sanglant de ses reflets. Le poids de son énorme chevelure presque bleue [1] tire en arrière sa tête délicate et lui donne un air triomphant et paresseux. De lourdes pendeloques gazouillent [2] secrètement à ses mignonnes oreilles.

De temps en temps, la brise de mer soulève par le coin sa jupe flottante et montre sa jambe luisante et superbe ; et son pied, pareil aux pieds des déesses de marbre que l'Europe enferme dans ses musées, imprime fidèlement sa forme sur le sable fin. Car Dorothée est si prodigieusement coquette, que le plaisir d'être admirée l'emporte chez elle sur l'orgueil de l'affranchie [3], et, bien qu'elle soit libre, elle marche sans souliers.

Elle s'avance ainsi harmonieusement, heureuse de vivre et souriant d'un blanc sourire [4], comme si elle apercevait au loin dans l'espace un miroir reflétant sa démarche et sa beauté.

À l'heure où les chiens eux-mêmes gémissent de douleur sous le soleil qui les mord, quel puissant motif fait donc aller ainsi la paresseuse Dorothée, belle et froide comme le bronze [5] ?

Pourquoi a-t-elle quitté sa petite case si coquettement arrangée, dont les fleurs et les nattes font à si peu de frais un parfait boudoir ; où elle prend tant de plaisir à se peigner, à fumer, à se faire éventer [6], ou à se regar-

---

1. Cette note de couleur foncée se lisait déjà dans « La chevelure » (FM, p. 73) : « Cheveux bleus, pavillon de ténèbres tendues. »   2. Baudelaire utilise audacieusement ce verbe réservé à des êtres animés. Dans *Le Peintre de la vie moderne* (chap. X), à propos d'une femme, il parle du « métal et du minéral qui serpentent autour de ses bras et de son cou [...] ou qui jasent doucement à ses oreilles. »   3. Dorothée, ancienne esclave, a donc reçu de son maître sa liberté.   4. Le sourire est blanc, car il découvre l'ivoire des dents.   5. La froideur apparente de la jeune femme en fait une image implacable de la beauté.   6. Voir le poème précédent et la note 2, p. 130.

der dans le miroir de ses grands éventails de plumes [1], pendant que la mer, qui bat la plage à cent pas de là, fait à ses rêveries indécises un puissant et monotone accompagnement, et que la marmite de fer, où cuit un ragoût de crabes au riz et au safran, lui envoie, du fond de la cour, ses parfums excitants ?

Peut-être a-t-elle un rendez-vous avec quelque jeune officier qui, sur des plages lointaines, a entendu parler par ses camarades, de la belle [2] Dorothée. Infailliblement, elle le priera, la simple créature, de lui décrire le bal de l'Opéra, et lui demandera si on peut y aller pieds nus, comme aux danses du dimanche, où les vieilles Cafrines [3] elles-mêmes deviennent ivres et furieuses de joie ; et puis encore si les belles dames de Paris sont toutes plus belles qu'elle.

Dorothée est admirée et choyée de tous, et elle serait parfaitement heureuse si elle n'était obligée d'entasser piastre sur piastre [4] pour racheter sa petite sœur [5] qui est si belle et [6] déjà presque mûre.

Elle réussira sans doute, cette bonne Dorothée ; car le maître de l'enfant est si avare, si avare ! trop avare pour comprendre une autre beauté que celle des écus !

---

1. On comprend mal « le miroir de ses grands éventails de plumes ». Le sens semble plus satisfaisant si l'on intervertit les deux lignes : « À se faire éventer de ses grands éventails de plumes ou à se regarder dans le miroir ». Mais Baudelaire n'a pas corrigé à cet endroit.   2. L'édition posthume porte « célèbre ».   3. Féminin de Cafre. (Voir « La pipe », FM, p. 117.) La Cafrerie correspondait à une vaste région d'Afrique qui s'étendait le long de l'océan Indien, depuis le Zambèze jusqu'aux établissements portugais de Lagoa.   4. Monnaie en usage dans maintes colonies et dans les pays d'Extrême-Orient.   5. L'esclavage avait été aboli dans nos colonies le 27 avril 1848, mais continuait sans doute d'y être pratiqué de façon clandestine.   6. Le texte de la *Revue nationale et étrangère* (1863) porte « sa petite sœur qui est déjà si belle » et s'arrête à cet endroit. Sur l'épreuve de *la Presse*, Baudelaire a ajouté « et déjà presque mûre ». L'addition de l'édition posthume : « qui a bien onze ans, et qui est déjà presque mûre, et si belle » semble être le fait des éditeurs informés de la lettre de Baudelaire à Charpentier du 20 juin 1863 (C, II, p. 307).

XXVI

*haussman
reconstruire
paris*

Les yeux des pauvres

Ah ! vous voulez savoir pourquoi je vous hais aujourd'hui. Il vous sera sans doute moins facile de le comprendre qu'à moi de vous l'expliquer ; car vous êtes, je crois, le plus bel exemple d'imperméabilité[1] féminine qui se puisse rencontrer.

Nous avions passé ensemble une longue journée qui m'avait paru courte. Nous nous étions bien promis que toutes nos pensées nous seraient communes à l'un et à l'autre, et que nos deux âmes désormais n'en feraient plus qu'une ; – un rêve qui n'a rien d'original, après tout, si ce n'est que, rêvé par tous les hommes, il n'a été réalisé par aucun.

Le soir, un peu fatiguée, vous voulûtes vous asseoir devant un café neuf qui formait le coin d'un boulevard neuf, encore tout plein de gravois[2] et montrant déjà glorieusement ses splendeurs inachevées. Le café étincelait. Le gaz lui-même y déployait toute l'ardeur d'un début[3], et éclairait de toutes ses forces les murs aveuglants de blancheur, les nappes éblouissantes des miroirs, les ors des baguettes et des corniches, les pages aux joues rebondies traînés par les chiens en laisse, les dames riant au faucon perché sur leur poing[4],

---

1. Le mot est étrange et presque incongru, alors qu'on attendait « insensibilité ».   **2.** Ancien mot pour « gravats ». Amas de graviers, de débris de murs.   **3.** Baudelaire signifie par là l'inauguration du café.   **4.** Plutôt qu'à des personnages réels, il faut penser aux fastes d'une ornementation intérieure en fresques et en stucs, faisant état de luxe et de préciosité.

les nymphes et les déesses portant sur leur tête des fruits, des pâtés et du gibier, les Hébés et les Ganymèdes[1] présentant à bras tendu la petite amphore à bavaroises[2] ou l'obélisque bicolore des glaces panachées ; toute l'histoire et toute la mythologie mises au service de la goinfrerie.

Droit devant nous, sur la chaussée, était planté un brave homme d'une quarantaine d'années, au visage fatigué, à la barbe grisonnante, tenant d'une main un petit garçon et portant sur l'autre bras un petit être trop faible pour marcher. Il remplissait l'office de bonne et faisait prendre à ses enfants l'air du soir. Tous en guenilles. Ces trois visages étaient extraordinairement sérieux, et ces six yeux contemplaient fixement le café nouveau avec une admiration égale, mais nuancée diversement par l'âge.

Les yeux du père disaient : « Que c'est beau ! que c'est beau ! on dirait que tout l'or du pauvre monde est venu se porter sur ces murs[3]. » – Les yeux du petit garçon : « Que c'est beau ! que c'est beau ! mais c'est une maison où peuvent seuls entrer les gens qui ne sont pas comme nous. » – Quant aux yeux du plus petit, ils étaient trop fascinés pour exprimer autre chose qu'une joie stupide et profonde.

Les chansonniers[4] disent que le plaisir rend l'âme

---

1. Hébé, déesse de la Jeunesse, servait l'ambroisie aux dieux du Panthéon gréco-latin. Ganymède, favori de Jupiter, était aussi leur échanson.   **2.** La bavaroise est constituée d'une infusion de thé à laquelle on a mêlé un jaune d'œuf, du lait et du kirsch.   **3.** La version de *La Vie parisienne* porte à cet endroit : « se poser sur les murs », leçon qui paraît préférable à la version plus tardive de *La Revue de Paris*.   **4.** Ces chansonniers sont vraisemblablement ceux du Caveau, disciples de Béranger. Baudelaire dans la correction des épreuves de *La Presse* de 1862 et dans la publication de *La Vie parisienne* (2 juillet 1864) précise : « C'est Paul de Kock, je crois, qui a le plus popularisé cette idée, que [...]. » Paul de Kock (1794-1871) était l'auteur de romans de mœurs moralisants et grivois, qui jouissaient du plus grand succès. Le plus connu d'entre eux est *La Laitière de Montfermeil* (1827).

bonne et amollit le cœur. La chanson avait raison ce soir-là, relativement à moi. Non seulement j'étais attendri par cette famille d'yeux, mais je me sentais un peu honteux de nos verres et de nos carafes, plus grands que notre soif. Je tournais mes regards vers les vôtres, cher amour, pour y lire *ma*[1] pensée ; je plongeais dans vos yeux si beaux et si bizarrement doux, dans vos yeux verts, habités par le Caprice et inspirés par la Lune[2], quand vous me dites : « Ces gens-là me sont insupportables avec leurs yeux ouverts comme des portes cochères ! Ne pourriez-vous pas prier le maître du café de les éloigner d'ici ? »

Tant il est difficile de s'entendre, mon cher ange, et tant la pensée est incommunicable[3], même entre gens qui s'aiment !

malaise morale

mise en abyme : trame narrative

---

1. L'accord préalable entre les deux amants aurait laissé supposer qu'ils n'avaient qu'une seule et même pensée, d'où le possessif au singulier souligné ici.   **2.** Voir « Les bienfaits de la lune » où la femme a pareillement le regard vert (p. 178).   **3.** Baudelaire au chapitre X du *Peintre de la vie moderne* définit ainsi la femme : « Cet être terrible et incommunicable comme Dieu. »

XXVII

Une mort héroïque

Fancioulle[1] était un admirable bouffon, et presque un des amis du Prince. Mais pour les personnes vouées par état au comique, les choses sérieuses ont de fatales attractions[2], et bien qu'il puisse paraître bizarre que les idées de patrie et de liberté s'emparent despotiquement du cerveau d'un histrion, un jour Fancioulle entra dans une conspiration formée par quelques gentilshommes mécontents.

Il existe partout des hommes de bien pour dénoncer au pouvoir ces individus d'humeur atrabilaire[3] qui veulent déposer les princes et opérer, sans la consulter, le déménagement d'une société. Les seigneurs en question furent arrêtés, ainsi que Fancioulle, et voués à une mort certaine.

Je croirais volontiers que le Prince[4] fut presque fâché de trouver son comédien favori parmi les rebelles. Le Prince n'était ni meilleur ni pire qu'un autre ; mais une excessive sensibilité le rendait, en

---

1. En italien, « fanciullo » signifie « petit garçon ».   **2.** Le mot, plus rare en ce sens et plus intense, équivaut au terme « attraits ».   **3.** L'ironie de cette phrase porte plus spécialement sur « hommes de bien » (remplacé par « traîtres » dans *L'Artiste*, 1864) ; car l'on n'est pas forcé d'accepter le despotisme. Et que valent des « hommes de bien » qui dénoncent un tyrannicide ? **4.** La figure du Prince fait penser à de nombreuses histoires de conjuration (*Lorenzaccio* de Musset, par exemple). Le Prince (apparié au Génie) est aussi l'une des principales figures de « Conte », l'une des plus notoires *Illuminations* de Rimbaud.

beaucoup de cas, plus cruel et plus despote que tous ses pareils. Amoureux passionné des beaux-arts, excellent connaisseur d'ailleurs, il était vraiment insatiable de voluptés. Assez indifférent relativement aux hommes et à la morale, véritable artiste lui-même, il ne connaissait d'ennemi dangereux que l'Ennui[1], et les efforts bizarres qu'il faisait pour fuir ou pour vaincre ce tyran du monde lui auraient certainement attiré, de la part d'un historien sévère[2], l'épithète de « monstre », s'il avait été permis, dans ses domaines, d'écrire quoi que ce fût qui ne tendît pas uniquement au plaisir, ou à l'étonnement, qui est une des formes les plus délicates du plaisir. Le grand malheur de ce Prince fut qu'il n'eut jamais un théâtre assez vaste pour son génie[3]. Il y a de jeunes Nérons qui étouffent dans des limites trop étroites, et dont les siècles à venir ignoreront toujours le nom et la bonne volonté. L'imprévoyante Providence avait donné à celui-ci des facultés plus grandes que ses États.

Tout d'un coup le bruit courut que le souverain voulait faire grâce à tous les conjurés ; et l'origine de ce bruit fut l'annonce d'un grand spectacle où Fancioulle devait jouer l'un de ses principaux et de ses meilleurs rôles, et auquel assisteraient mêmc, disait-on, les gentilshommes condamnés ; signe évident, ajoutaient les

---

1. L'Ennui, « tyran » absolu, supérieur à tout despote historique, est l'ennemi, comme pour Baudelaire. On évoque dans ce contexte, la phrase de Pascal : « Un roi sans divertissement est un homme plein de misères » (*Pensées*, Le Livre de Poche, n° 16069, p. 127). Voir aussi dans le « Spleen » : « Je suis comme le roi d'un pays pluvieux » (FM, p. 123) les deux vers : « Du bouffon favori la grotesque ballade / Ne distrait plus le front de ce cruel malade. » **2.** On ne peut que songer à différents empereurs romains, dont la vie fut contée par Tacite, « historien sévère », ou Suétone : Néron, jaloux du jeune poète Lucain, auteur de *La Pharsale*, et qui, au moment de mourir, prononça le fameux « *Qualis artifex pereo !* [Quel artiste meurt avec moi !] », et, pis encore, Caligula, déjà mis en scène par Alexandre Dumas en 1837. **3.** Les capacités de son esprit.

esprits superficiels, des tendances généreuses du Prince offensé.

De la part d'un homme aussi naturellement et volontairement excentrique, tout était possible, même la vertu, même la clémence[1], surtout s'il avait pu espérer y trouver des plaisirs inattendus. Mais pour ceux qui, comme moi, avaient pu pénétrer plus avant dans les profondeurs de cette âme curieuse et malade, il était infiniment plus probable que le Prince voulait juger de la valeur des talents scéniques d'un homme condamné à mort ; voulait profiter de l'occasion pour faire une expérience physiologique d'un intérêt *capital*[2], et vérifier jusqu'à quel point les facultés habituelles d'un artiste pouvaient être altérées ou modifiées par la situation extraordinaire où il se trouvait ; au-delà, existait-il dans son âme une intention plus ou moins arrêtée de clémence ? c'est un point qui n'a jamais pu être éclairci.

Enfin, le grand jour arrivé, cette petite cour déploya toutes ses pompes, et il serait difficile de concevoir, à moins de l'avoir vu, tout ce que la classe privilégiée d'un petit État, à ressources restreintes, peut montrer de splendeurs pour une vraie solennité. Celle-là était doublement vraie, d'abord par la magie du luxe étalé, ensuite par l'intérêt moral et mystérieux qui y était attaché.

Le sieur Fancioulle excellait surtout dans les rôles muets ou peu chargés de paroles, qui sont souvent les principaux dans ces drames féeriques[3] dont l'objet est

---

1. La clémence des souverains est toujours invoquée en pareil cas. Voir *Cinna, ou la Clémence d'Auguste* de Corneille.   2. Le mot prend toute sa force par la suite, puisqu'il y va de la tête (*caput*) des acteurs.   3. Ces drames féeriques comportaient autant de mime que de paroles. On connaît bien, par exemple, celui de *La Belle aux cheveux d'or* des frères Cogniard (août 1847) où Baudelaire avait pu admirer une première fois Marie Daubrun. Champfleury avait rénové la pantomime. Certains critiques (S. Murphy) ont pensé, à propos de Fancioulle, au grand mime des Funambules, Jean-Gaspard Deburau.

de représenter symboliquement le mystère de la vie. Il
entra en scène légèrement et avec une aisance parfaite,
ce qui contribua à fortifier, dans le noble public, l'idée
de douceur et de pardon.

Quand on dit d'un comédien : « Voilà un bon comédien », on se sert d'une formule qui implique que, sous
le personnage, se laisse encore deviner le comédien,
c'est-à-dire l'art, l'effort, la volonté [1]. Or, si un comédien
arrivait à être, relativement au personnage qu'il est
chargé d'exprimer, ce que les meilleures statues de l'an-
tiquité, miraculeusement animées, vivantes [2], mar-
chantes, voyantes, seraient relativement à l'idée
générale et confuse de beauté, ce serait là, sans doute, un
cas singulier et tout à fait imprévu. Fancioulle fut, ce
soir-là, une parfaite idéalisation, qu'il était impossible
de ne pas supposer vivante, possible, réelle. Ce bouffon
allait, venait, riait, pleurait, se convulsait, avec une
indestructible auréole [3] autour de la tête, auréole invisible pour tous, mais visible pour moi, et où se mêlaient,
dans un étrange amalgame, les rayons de l'Art et la
gloire du Martyre. Fancioulle introduisait, par je ne sais
quelle grâce spéciale, le divin et le surnaturel, jusque
dans les plus extravagantes bouffonneries. Ma plume
tremble, et des larmes d'une émotion toujours présente
me montent aux yeux, pendant que je cherche à vous
décrire cette inoubliable soirée [4]. Fancioulle me prou-
vait, d'une manière péremptoire, irréfutable, que

---

1. C'est évidemment le « Paradoxe du comédien » de Diderot,
imprimé pour la première fois en 1830, que Baudelaire signifie
ainsi.   2. Comprendre « si, par miracle, elles étaient brusquement pourvues d'une âme et d'une vie ».   3. Cette invisible
auréole est bien celle qui couronne l'artiste et le sacrifié, confondus
ici dans un même être. Le « je » (Baudelaire), qui est le seul à la
voir, témoigne d'une véritable communion des saints entre artistes.
« Bénédiction » (FM, p. 53) montrait aussi le « beau diadème » et
la « couronne mystique » du poète (celle qu'il perd et ne ramasse
pas dans « Perte d'auréole », p. 198).   4. Le narrateur s'implique
dans ce passage d'une façon presque caricaturale en feignant le
style romanesque.

l'ivresse de l'Art est plus apte que toute autre à voiler les
terreurs du gouffre [1] ; que le génie peut jouer la comédie
au bord de la tombe, avec une joie qui l'empêche de voir
la tombe, perdu, comme il est, dans un paradis excluant
toute idée de tombe et de destruction.

Tout ce public, si blasé et frivole qu'il pût être, subit
bientôt la toute-puissante domination de l'artiste. Personne ne rêva [2] plus de mort, de deuil, ni de supplices.
Chacun s'abandonna, sans inquiétude, aux voluptés mul-
tipliées que donne la vue d'un chef-d'œuvre d'art vivant.
Les explosions de la joie et de l'admiration ébranlèrent à
plusieurs reprises les voûtes de l'édifice avec l'énergie
d'un tonnerre continu. Le Prince lui-même, enivré, mêla
ses applaudissements à ceux de sa cour.

Cependant, pour un œil clairvoyant, son ivresse, à
lui, n'était pas sans mélange. Se sentait-il vaincu dans
son pouvoir de despote ? humilié dans son art de terri-
fier les cœurs et d'engourdir les esprits ? frustré de ses
espérances et bafoué dans ses prévisions ? De telles
suppositions non exactement justifiées, mais non absolument injustifiables, traversèrent mon esprit pendant
que je contemplais le visage du Prince, sur lequel une
pâleur nouvelle s'ajoutait sans cesse à sa pâleur habituelle, comme la neige s'ajoute à la neige. Ses lèvres
se resserraient de plus en plus, et ses yeux s'éclairaient
d'un feu intérieur semblable à celui de la jalousie et de
la rancune, même pendant qu'il applaudissait ostensi-
blement les talents de son vieil ami, l'étrange bouffon,
qui bouffonnait [3] si bien la mort. À un certain moment,
je vis Son Altesse se pencher vers un petit page, placé

---

1. La sensation du gouffre fait cependant partie de l'art, « non
seulement du gouffre du sommeil, mais des gouffres de l'action,
du souvenir, du désir, du regret, du remords, du beau, du nombre,
etc. » (*Fusées*, XVI).   **2.** Au sens non pas de « désirer », mais
d'« imaginer ».   **3.** L'emploi de ce verbe avec un complément
d'objet est inusité, bien que l'on comprenne aisément qu'il s'agit
de se moquer de la mort et d'avoir devant elle une attitude de
bouffon.

derrière elle, et lui parler à l'oreille. La physionomie
espiègle du joli enfant s'illumina d'un sourire ; et puis
il quitta vivement la loge princière comme pour s'ac-
quitter d'une commission urgente.

Quelques minutes plus tard un coup de sifflet[1] aigu,
prolongé, interrompit Fancioulle dans un de ses meilleurs moments, et déchira à la fois les oreilles et les
cœurs. Et de l'endroit de la salle d'où avait jailli cette
désapprobation inattendue un enfant se précipitait dans
un corridor avec des rires étouffés.

Fancioulle, secoué, réveillé dans son rêve, ferma
d'abord les yeux, puis les rouvrit presque aussitôt,
démesurément agrandis, ouvrit ensuite la bouche
comme pour respirer convulsivement, chancela un peu
en avant, un peu en arrière, et puis tomba roide mort
sur les planches.

Le sifflet, rapide comme un glaive[2], avait-il réellement frustré le bourreau ? Le Prince avait-il lui-même
deviné toute l'homicide efficacité de sa ruse ? Il est
permis d'en douter. Regretta-t-il son cher et inimitable
Fancioulle ? Il est doux et légitime de le croire.

Les gentilshommes coupables avaient joui pour la
dernière fois du spectacle de la comédie. Dans la même
nuit ils furent effacés de la vie[3].

Depuis lors, plusieurs mimes, justement appréciés
dans différents pays, sont venus jouer devant la cour
de*** ; mais aucun d'eux n'a pu rappeler les merveilleux talents de Fancioulle, ni s'élever jusqu'à la même
faveur[4].

---

1. À juste titre, J. A. Hiddleston (*Baudelaire and « Le Spleen
de Paris »*, Clarendon Press, Oxford, 1987) a comparé le sifflet
interrompant le jeu de Fancioulle et l'illusion théâtrale, au coup
frappé à la porte de « La chambre double » (p. 70).   **2.** L'étrangeté de la comparaison s'explique immédiatement après, quand est
mentionné le bourreau.   **3.** Euphémisme qui prend valeur de sarcasme.   **4.** Ce mot de la fin est littéralement transfiguré par l'humour noir. Il n'en aurait que plus de force si dans « élever » l'image
du supplice par pendaison était perceptible.

XXVIII

La fausse monnaie

Comme nous nous éloignions du bureau de tabac, mon ami fit un soigneux triage de sa monnaie ; dans la poche gauche de son gilet, il glissa de petites pièces d'or ; dans la droite, de petites pièces d'argent ; dans la poche gauche de sa culotte, une masse de gros sols, et enfin, dans la droite, une pièce d'argent de deux francs qu'il avait particulièrement examinée [1].

« Singulière et minutieuse répartition ! » me dis-je en moi-même.

Nous fîmes la rencontre d'un pauvre qui nous tendit sa casquette en tremblant. — Je ne connais rien de plus inquiétant que l'éloquence muette de ces yeux suppliants, qui contiennent à la fois, pour l'homme sensible qui sait y lire, tant d'humilité, tant de reproches. Il trouve quelque chose, approchant cette profondeur de sentiment compliqué, dans les yeux larmoyants des chiens qu'on fouette.

L'offrande de mon ami fut beaucoup plus considérable que la mienne, et je lui dis : « Vous avez raison ; après le plaisir d'être étonné, il n'en est pas de plus grand que celui de causer une surprise. » — « C'était la pièce fausse », me répondit-il tranquillement, comme pour se justifier de sa prodigalité.

Mais dans mon misérable cerveau, toujours occupé

---

1. L'individu se transforme en un vrai tiroir-caisse et son intention semble être de réserver à ces quatre catégories de pièces un usage particulier pour chacune.

à chercher midi à quatorze heures (de quelle fatigante faculté la nature m'a fait cadeau[1] !) entra soudainement cette idée qu'une pareille conduite, de la part de mon ami, n'était excusable que par le désir de créer un événement dans la vie de ce pauvre diable, peut-être même de connaître les conséquences diverses, funestes ou autres, que peut engendrer une pièce fausse dans la main d'un mendiant. Ne pouvait-elle pas se multiplier en pièces vraies ? ne pouvait-elle pas aussi le conduire en prison ? Un cabaretier, un boulanger, par exemple, allait peut-être le faire arrêter comme faux monnayeur ou comme propagateur de fausse monnaie. Tout aussi bien la pièce fausse serait peut-être, pour un pauvre petit spéculateur, le germe d'une richesse de quelques jours. Et ainsi ma fantaisie allait son train, prêtant des ailes à l'esprit de mon ami et tirant toutes les déductions possibles de toutes les hypothèses possibles.

Mais celui-ci rompit brusquement ma rêverie en reprenant mes propres paroles[2] : « Oui, vous avez raison ; il n'est pas de plaisir plus doux que de surprendre un homme en lui donnant plus qu'il n'espère[3]. »

Je le regardai dans le blanc des yeux, et je fus épouvanté de voir que ses yeux brillaient d'une incontestable candeur. Je vis alors clairement qu'il avait voulu faire à la fois la charité et une bonne affaire ; gagner quarante sols et le cœur de Dieu ; emporter le paradis

---

1. Cette précision fait de Baudelaire un esprit spéculatif semblable à certains personnages de Poe et, momentanément, au Dupin de « La lettre volée ». **2.** Dans la version de *L'Artiste* et dans celle de la *Revue du XIXᵉ siècle* (1866), « paroles » est suivi de « presque aussi fidèlement que l'imbécile Pandore répondant au légendaire brigadier » (allusion à la fameuse chanson de Gustave Nadaud). **3.** L'ami reprend mot pour mot la phrase du narrateur. Mais le qualificatif « doux » remplaçant « grand », donne un tout autre sens au plaisir recherché. Le terme a quelque relent ecclésiastique, qui n'est pas loin de la tartuferie.

économiquement ; enfin, attraper gratis[1] un brevet d'homme charitable. Je lui aurais presque pardonné le désir de la criminelle jouissance dont je le supposais tout à l'heure capable ; j'aurais trouvé curieux, singulier, qu'il s'amusât à compromettre les pauvres ; mais je ne lui pardonnerai jamais l'ineptie de son calcul. On n'est jamais excusable d'être méchant, mais il y a quelque mérite à savoir qu'on l'est et le plus irréparable des vices est de faire le mal par bêtise[2].

---

1. « Économiquement » et « gratis », car la pièce fausse ne vaut rien. Mais transmise sans contestation, elle rentre dans le circuit de l'échange.   **2.** Baudelaire excuse le crime (le délit), la bizarrerie. En revanche, il refuse la compromission et l'hypocrisie des fades satisfactions. C'est sur ces mots : « la conscience dans le Mal ! », que se termine « L'irrémédiable » (FM, p. 130).

XXIX

Le Joueur généreux

Hier, à travers la foule du boulevard, je me suis sentis frôlé par un Être mystérieux que j'avais toujours désiré connaître, et que je reconnus tout de suite, quoique je ne l'eusse jamais vu. Il y avait sans doute chez lui, relativement à moi, un désir analogue, car il me fit, en passant, un clignement d'œil significatif[1] auquel je me hâtai d'obéir. Je le suivis attentivement, et bientôt je descendis derrière lui dans une demeure souterraine[2], éblouissante, où éclatait un luxe dont aucune des habitations supérieures de Paris ne pourrait fournir un exemple approchant[3]. Il me parut singulier que j'eusse pu passer si souvent à côté de ce prestigieux repaire, sans en deviner l'entrée. Là régnait une atmosphère exquise, quoique capiteuse, qui faisait oublier presque instantanément toutes les fastidieuses horreurs de la vie ; on y respirait une béatitude sombre, analogue à celle que durent éprouver les mangeurs de lotus[4], quand, débarquant dans une île enchantée,

---

1. On peut lire dans la Bible (Ecclésiaste) : « Qui cligne de l'œil machine le mal. »   2. Cette précision situe clairement le conte dans un monde fantastique. Les « habitations supérieures » nommées ensuite désignent les bâtiments visibles à la surface de la rue. 3. Les deux versions des textes publiés en revue portent « approximatif ». Les éditeurs des *Œuvres complètes* de 1869 ont donc eu raison de corriger en « approchant », et nous avons adopté leur modification.   4. Autrement dit, les Lotophages, peuple légendaire nommé dans l'*Odyssée* (IX) d'Homère. Il semblerait toutefois que Baudelaire se soit surtout inspiré d'un poème de Tennyson, *The Lotus-Eaters* (recueilli dans les *Poems*, 1842), qu'il a mis éga-

éclairée des lueurs d'une éternelle après-midi, ils senti-
rent naître en eux, aux sons assoupissants des mélo-
dieuses cascades, le désir de ne jamais revoir leurs
pénates, leurs femmes, leurs enfants, et de ne jamais
remonter sur les hautes lames de la mer.

Il y avait là des visages étranges d'hommes et de
femmes, marqués d'une beauté fatale [1], qu'il me semblait avoir vus déjà à des époques et dans des pays
dont il m'était impossible de me souvenir exactement,
et qui m'inspiraient plutôt une sympathie fraternelle
que cette crainte qui naît ordinairement à l'aspect de
l'inconnu. Si je voulais essayer de définir d'une
manière quelconque l'expression singulière de leurs
regards, je dirais que jamais je ne vis d'yeux brillant
plus énergiquement de l'horreur de l'ennui et du désir
immortel de se sentir vivre.

Mon hôte et moi, nous étions déjà, en nous asseyant,
de vieux et parfaits amis. Nous mangeâmes, nous bûmes
outre mesure de toutes sortes de vins extraordinaires, et,
chose non moins extraordinaire, il me semblait, après
plusieurs heures, que je n'étais pas plus ivre que lui.
Cependant, le jeu, ce plaisir surhumain, avait coupé à
divers intervalles nos fréquentes libations, et je dois dire
que j'avais joué et perdu mon âme, en partie liée [2], avec
une insouciance et une légèreté héroïques. L'âme est une
chose si impalpable, si souvent inutile, et quelquefois si

---

lement à contribution dans « Le voyage » : « *They sat them down
upon the yellow sand / [...] / And sweet it was to dream of Father-
Land, / Of child, and wife [...] but evermore / Most weary seem'd
the sea, weary the oar / [...] / Then someone said, "We will return
no more"* » (Ils s'assirent sur le sable jaune [...] Doux leur était de
rêver à leur Patrie, à leur enfant, à leur femme [...] mais fastidieuse
leur semblait la mer, fastidieuse la rame [...] alors l'un d'eux dit
« Nous ne reviendrons plus »).
1. La beauté de ces êtres et leurs ennuis correspondent à l'image
que l'on donne de Satan et des autres anges rebelles, eux aussi
proies d'un spleen éternel.   **2.** Jouer avec la condition que l'enjeu appartiendra à celui qui aura gagné le plus grand nombre de
parties sur un nombre déterminé.

gênante, que je n'éprouvai, quant à cette perte, qu'un peu moins d'émotion que si j'avais égaré, dans une promenade, ma carte de visite.

Nous fumâmes longuement quelques cigares dont la saveur et le parfum incomparables donnaient à l'âme la nostalgie de pays et de bonheurs inconnus, et, enivré de toutes ces délices, j'osai, dans un accès de familiarité qui ne parut pas lui déplaire, m'écrier, en m'emparant d'une coupe pleine jusqu'au bord : « À votre immortelle santé, vieux Bouc [1] ! »

Nous causâmes aussi de l'univers, de sa création et de sa future destruction ; de la grande idée du siècle, c'est-à-dire du progrès et de la perfectibilité [2], et, en général, de toutes les formes de l'infatuation humaine. Sur ce sujet-là, Son Altesse ne tarissait pas en plaisanteries légères et irréfutables, et elle s'exprimait avec une suavité de diction et une tranquillité dans la drôlerie que je n'ai trouvées dans aucun des plus célèbres causeurs de l'humanité. Elle m'expliqua l'absurdité des différentes philosophies qui avaient jusqu'à présent pris possession du cerveau humain, et daigna même me faire confidence de quelques principes fondamentaux dont il ne me convient pas de partager les bénéfices et la propriété avec qui que ce soit. Elle ne se plaignit en aucune façon de la mauvaise réputation dont elle jouit dans toutes les parties du monde, m'assura qu'elle était, elle-même, la personne la plus intéressée à la destruction de la *superstition* [3], et m'avoua

---

1. Appellation très familière, en effet ! Selon les démonologues, Satan, lors des sabbats, se manifeste sous la forme d'un bouc gigantesque.   **2.** Autant de termes contre lesquels Baudelaire s'insurge, au nom d'une vision pessimiste et non progressive de l'humanité. D'autres avant lui s'étaient moqués de la perfectibilité, Nodier notamment, dans son *Hurlubleu, grand manifafa d'Hurlubière ou la perfectibilité, histoire progressive* et *Léviathan le Long.* Voir aussi son essai *De la perfectibilité humaine* dans la *Revue de Paris,* novembre 1830.   **3.** La superstition, soulignée ici, veut dire en ce cas toute croyance en quelque divinité supérieure, donc toute religion.

qu'elle n'avait eu peur, relativement à son propre pouvoir, qu'une seule fois, c'était le jour où elle avait entendu un prédicateur, plus subtil que ses confrères, s'écrier en chaire : « Mes chers frères, n'oubliez jamais, quand vous entendrez vanter le progrès des lumières[1], que la plus belle des ruses du Diable est de vous persuader qu'il n'existe pas ! »

Le souvenir de ce célèbre orateur nous conduisit naturellement vers le sujet des académies[2], et mon étrange convive m'affirma qu'il ne dédaignait pas, en beaucoup de cas, d'inspirer la plume, la parole et la conscience des pédagogues, et qu'il assistait presque toujours en personne, quoique invisible, à toutes les séances académiques.

Encouragé par tant de bontés, je lui demandai des nouvelles de Dieu, et s'il l'avait vu récemment. Il me répondit, avec une insouciance nuancée[3] d'une cer-

---

1. Baudelaire s'est presque toujours prononcé vivement contre le siècle des Lumières, rejoignant ainsi l'exécration de la plupart des romantiques envers Voltaire, et les penseurs de la Révolution, auxquels il préfère Joseph de Maistre. La négation de Dieu est ce que le Diable souhaite le plus. De là, le subtil argument du prédicateur (peut-être le père jésuite Gustave Xavier de La Croix de Ravignan, prédicateur à Notre-Dame à partir de 1837). Dans l'un des projets de préface pour *Les Fleurs du Mal*, Baudelaire a écrit : « Tout le monde le sert et personne n'y croit. Sublime subtilité du Diable. » Voir aussi une lettre de Baudelaire à Victor de Laprade, datée du 23 décembre 1861 : « Existe-t-il, pourrait-on dire, quelqu'un de plus catholique que le Diable ? » (C, II, p. 198.) Gide dans son *Journal des « Faux-Monnayeurs »* note à la date du 2 janvier 1921, en toute connaissance du poème de Baudelaire qu'il admirait : « Plus on le nie, plus on lui donne de réalité. Le diable s'affirme dans notre négation. »   **2.** Le sujet proposé par les académies de Paris ou de province pour en faire une dissertation morale. On se souviendra du *Discours sur les sciences et les arts* de Rousseau qui reçut, en 1750, le prix de l'Académie de Dijon. **3.** Le texte le plus récent (*Revue du xixe siècle*) porte « menacée [coquille évidente] d'une tristesse ; mais il parla en hébreu ». Le reste du paragraphe a été supprimé, Baudelaire reprenant à « Il est douteux ». À juste titre, Claude Pichois attire l'attention sur une réplique du Méphisto de Goethe (« Prologue dans le Ciel ») :

taine tristesse : « Nous nous saluons, quand nous nous rencontrons, mais comme deux vieux gentilshommes, en qui une politesse innée ne saurait éteindre tout à fait le souvenir d'anciennes rancunes. »

Il est douteux que Son Altesse ait jamais donné une si longue audience à un simple mortel, et je craignais d'abuser. Enfin, comme l'aube frissonnante blanchissait les vitres [1], ce célèbre personnage, chanté par tant de poètes, et servi par tant de philosophes qui travaillent à sa gloire sans le savoir, me dit : « Je veux que vous gardiez de moi un bon souvenir, et vous prouver que Moi, dont on dit tant de mal, je suis quelquefois *bon diable* [2], pour me servir d'une de vos locutions vulgaires. Afin de compenser la perte irrémédiable que vous avez faite de votre âme, je vous donne l'enjeu que vous auriez gagné si le sort avait été pour vous, c'est-à-dire la possibilité de soulager et de vaincre, pendant toute votre vie, cette bizarre affection de l'Ennui, qui est la source de toutes vos maladies et de tous vos misérables progrès. Jamais un désir ne sera formé par vous, que je ne vous aide à le réaliser ; vous régnerez sur vos vulgaires semblables ; vous serez fourni de flatteries et même d'adorations ; l'argent, l'or, les diamants, les palais féeriques, viendront vous chercher, et vous prieront de les accepter, sans que vous ayez fait un effort pour les gagner ; vous changerez de patrie et de contrée aussi souvent que votre fantaisie vous l'ordonnera ; vous vous soûlerez de voluptés, sans las-

---

« J'aime à visiter de temps en temps le vieux Seigneur, et me garde de rompre avec lui. C'est fort bien de la part d'un aussi grand personnage, de parler lui-même au diable avec tant de bonhomie » (trad. de Nerval).

1. Un effet de poésie lyrique est introduit à dessein dans le propos prosaïque et prend ainsi, par contiguïté, valeur ironique. 2. Un « bon diable », dans le langage populaire, signifie un individu de bonnes relations humaines et incapable de méchanceté. Sur le mot « diable », Aloysius Bertrand dans les pages liminaires de son *Gaspard de la Nuit* avait joué pareillement, en utilisant l'expression « pauvre diable ».

situde, dans des pays charmants[1] où il fait toujours chaud et où les femmes sentent aussi bon que les fleurs, – et cætera, et cætera... », ajouta-t-il en se levant et en me congédiant avec un bon sourire.

Si ce n'eût été la crainte de m'humilier devant une aussi grande assemblée, je serais volontiers tombé aux pieds de ce Joueur généreux, pour le remercier de son inouïe munificence. Mais peu à peu, après que je l'eus quitté, l'incurable défiance rentra dans mon sein ; je n'osais plus croire à un si prodigieux bonheur, et, en me couchant, faisant encore ma prière par un reste d'habitude imbécile, je répétais dans un demi-sommeil : « Mon Dieu ! Seigneur mon Dieu ! faites que le Diable me tienne sa parole[2] ! »

---

1. Ces « pays charmants », lieu commun de la poésie baudelairienne, sont ceux qu'évoquent certains alinéas des « Projets » et de « La belle Dorothée » (p. 129 et 132).   **2.** La prière, grave dans « À une heure du matin » et « Mademoiselle Bistouri » (p. 85 et 204), prend ici une valeur paradoxale, puisque le narrateur s'adresse à Dieu pour que le Diable se conduise envers lui avec probité. Le texte de 1866 porte « un reste de bonne habitude ». Dans le même ordre d'idées, voir *Mon cœur mis à nu* (f° 78, éd. Guyaux) : « Il y a peut-être des usuriers et des assassins qui disent à Dieu : Seigneur, faites que ma prochaine opération réussisse ! »

XXX

La corde

À Édouard Manet.

« Les illusions, – me disait mon ami[1], – sont aussi innombrables peut-être que les rapports des hommes entre eux, ou des hommes avec les choses. Et quand l'illusion disparaît, c'est-à-dire quand nous voyons l'être ou le fait, tel qu'il existe en dehors de nous, nous éprouvons un bizarre sentiment, compliqué moitié de regret pour le fantôme disparu, moitié de surprise agréable devant la nouveauté, devant le fait réel. S'il existe un phénomène évident, trivial, toujours semblable, et d'une nature à laquelle il soit impossible de

---

1. Baudelaire a bien connu Édouard Manet (1832-1883). Ils se sont rencontrés pour la première fois en 1859 et resteront liés jusqu'à la mort de Baudelaire. Manet a fait un tableau de Jeanne Duval : *La Maîtresse de Baudelaire* (Budapest) et, entre 1862 et 1869, cinq portraits du poète (planches gravées). Une correspondance existe entre eux. Baudelaire en ces années tient encore Manet pour un « réaliste » dans la manière de Courbet (voir sa lettre du 11 mai 1865 : « *vous n'êtes que le premier dans la décrépitude de votre art* » (C, II, p. 197). L'événement que relate « La corde » a bien eu lieu (voir Éric Darragon, *Manet*, Fayard, 1989, p. 44-47), et les premiers biographes du peintre l'ont rappelé, en utilisant parfois le texte de Baudelaire (voir Antonin Proust, *Édouard Manet : souvenirs* dans la *Revue blanche* du 15 février 1897, et Moreau-Nélaton, *Manet, graveur et lithographe*, éd. du Peintre-graveur illustré, 1906).

se tromper, c'est l'amour maternel ; il est aussi difficile de supposer une mère sans amour maternel qu'une lumière sans chaleur ; n'est-il donc pas parfaitement légitime d'attribuer à l'amour maternel toutes les actions et les paroles d'une mère, relatives à son enfant ? Et cependant, écoutez cette petite histoire, où j'ai été singulièrement mystifié par l'illusion la plus naturelle.

« Ma profession de peintre [1] me pousse à regarder attentivement les visages, les physionomies, qui s'offrent dans ma route, et vous savez [2] quelle jouissance nous tirons de cette faculté qui rend à nos yeux la vie plus vivante et plus significative que pour les autres hommes. Dans le quartier reculé que j'habite, et où de vastes espaces gazonnés séparent encore les bâtiments [3], j'observai souvent un enfant dont la physionomie ardente et espiègle, plus que toutes les autres, me séduisit tout d'abord. Il a posé plus d'une fois pour moi, et je l'ai transformé tantôt en petit bohémien, tantôt en ange, tantôt en amour mythologique. Je lui ai fait porter le violon du vagabond, la Couronne d'Épines et les Clous de la Passion, et la Torche d'Éros [4]. Je pris enfin à toute la drôlerie de ce gamin un plaisir si vif que je priai un jour ses parents, de pauvres gens, de vouloir bien me le céder, promettant de bien l'habiller, de lui donner quelque argent, et de ne pas lui imposer

---

1. Le propos est donc mis dans la bouche de Manet s'adressant à Baudelaire.   2. Ces paroles du peintre établissent spécifiquement une connivence avec le poète.   3. Très vraisemblablement à cette époque-là, soit un an avant la mort de son modèle survenue en juillet 1859, Manet avait installé son atelier au 58, rue de la Victoire, atelier qu'il quittera après le suicide de l'enfant (Antonin Proust dans son *Manet* indique le n° 38 ; la carte de l'artiste portait le n° 52).   4. Baudelaire, par la parole de Manet, tend à généraliser la présence de l'enfant dans la peinture de ce dernier, même si Alexandre n'a pas posé pour *Le Vieux Musicien*, pour *Le Christ aux anges*, pour *Les Gitanes*, pour *Le Gamin au chien* ou *L'Enfant à l'épée*. En revanche, il fut le modèle avéré de *L'Enfant aux cerises* (fondation Gulbenkian de Lisbonne ; voir p. 218).

d'autre peine que de nettoyer mes pinceaux et de faire mes commissions. Cet enfant, débarbouillé, devint charmant[1], et la vie qu'il menait chez moi lui semblait un paradis, comparativement à celle qu'il aurait subie dans le taudis paternel. Seulement, je dois dire que ce petit bonhomme m'étonna quelquefois par des crises singulières de tristesse précoce, et qu'il manifesta bientôt un goût immodéré pour le sucre et les liqueurs ; si bien qu'un jour où je constatai que, malgré mes nombreux avertissements, il avait encore commis un nouveau larcin de ce genre, je le menaçai de le renvoyer à ses parents. Puis je sortis, et mes affaires me retinrent assez longtemps hors de chez moi.

« Quels ne furent pas mon horreur et mon étonnement quand, rentrant à la maison, le premier objet qui frappa mes regards fut mon petit bonhomme, l'espiègle compagnon de ma vie[2], pendu au panneau de cette armoire[3] ! Ses pieds touchaient presque le plancher ; une chaise, qu'il avait sans doute repoussée du pied, était renversée à côté de lui ; sa tête était penchée convulsivement sur une épaule ; son visage, boursouflé ; et ses yeux, tout grands ouverts avec une fixité effrayante, me causèrent d'abord l'illusion de la vie. Le dépendre n'était pas une besogne aussi facile que vous le pouvez croire. Il était déjà fort raide, et j'avais une répugnance inexplicable à le faire brusquement

---

1. Cette précision coïncide avec celle de l'enfant pauvre dans « Le joujou du pauvre », qui serait beau si on le nettoyait de la « répugnante patine de la misère » (p. 113). **2.** Comparer avec « l'indigne compagnon de ma triste vie » pour désigner le chien dans « Le chien et le flacon » (p. 77). **3.** Le démonstratif suppose un geste qui accompagne la parole et prend l'interlocuteur à témoin. Sur la circonstance et son effet, Philippe Bonnefis note à juste titre : « Pendant de *L'Enfant aux cerises*, le petit pendu est une allégorie de la peinture. C'est le portrait, par exemple, qui donne à l'amateur naïf *l'illusion de la vie* [...]. Et puis il y a le clou, la corde, qui sont les instruments de l'accrochage : au clou de la cimaise, on suspend un tableau à l'aide d'une corde » (*Mesures de l'ombre*, Presses universitaires de Lille, 1987, p. 131).

tomber sur le sol. Il fallait le soutenir tout entier avec un bras, et, avec la main de l'autre bras, couper la corde. Mais cela fait, tout n'était pas fini ; le petit monstre [1] s'était servi d'une ficelle fort mince qui était entrée profondément dans les chairs, et il fallait maintenant, avec de minces ciseaux, chercher la corde entre les deux bourrelets de l'enflure, pour lui dégager le cou.

« J'ai négligé de vous dire que j'avais vivement appelé au secours ; mais tous mes voisins avaient refusé de me venir en aide, fidèles en cela aux habitudes de l'homme civilisé, qui ne veut jamais, je ne sais pourquoi, se mêler des affaires d'un pendu. Enfin vint un médecin, qui déclara que l'enfant était mort depuis plusieurs heures. Quand, plus tard, nous eûmes à le déshabiller pour l'ensevelissement, la rigidité cadavérique était telle, que désespérant de fléchir les membres, nous dûmes lacérer et couper les vêtements pour les lui enlever.

« Le commissaire, à qui, naturellement, je dus déclarer l'accident, me regarda de travers, et me dit : "Voilà qui est louche !" mû sans doute par un désir invétéré et une habitude d'état [2] de faire peur, à tout hasard, aux innocents comme aux coupables.

« Restait une tâche suprême à accomplir, dont la seule pensée me causait une angoisse terrible. Il fallait avertir les parents. Mes pieds refusaient de m'y conduire. Enfin j'eus ce courage. Mais, à mon grand étonnement, la mère fut impassible ; pas une larme ne suinta du coin de son œil. J'attribuai cette étrangeté à l'horreur même qu'elle devait éprouver, et je me souvins de la sentence connue : "Les douleurs les plus terribles sont les douleurs muettes." Quant au père, il se contenta de dire d'un air moitié abruti, moitié

---

1. L'expression, familière ici, est quelque peu déplacée, étant donné la gravité de la situation. **2.** Par sa fonction (son « état »), le commissaire a l'habitude de se comporter ainsi.

rêveur : "Après tout, cela vaut peut-être mieux ainsi ; il aurait toujours mal fini !"

« Cependant le corps était étendu sur mon divan, et, assisté d'une servante, je m'occupais des derniers préparatifs, quand la mère entra dans mon atelier. Elle voulait, disait-elle, voir le cadavre de son fils. Je ne pouvais pas, en vérité, l'empêcher de s'enivrer de son malheur, et lui refuser cette suprême et sombre consolation. Ensuite elle me pria de lui montrer l'endroit où son petit s'était pendu. "Oh ! non ! madame, – lui répondis-je, – cela vous ferait mal." Et comme involontairement mes yeux se tournaient vers la funèbre armoire, je m'aperçus, avec un dégoût mêlé d'horreur et de colère, que le clou était resté fiché dans la paroi, avec un long bout de corde qui traînait encore. Je m'élançai vivement pour arracher ces derniers vestiges du malheur, et comme j'allais les lancer au-dehors par la fenêtre ouverte, la pauvre femme saisit mon bras, et me dit d'une voix irrésistible : "Oh ! monsieur ! laissez-moi cela ! je vous en prie ! je vous en supplie !" Son désespoir l'avait, sans doute, me parut-il, tellement affolée, qu'elle s'éprenait de tendresse maintenant pour ce qui avait servi d'instrument à la mort de son fils, et le voulait garder comme une horrible et chère relique. – Et elle s'empara du clou et de la ficelle.

« Enfin ! enfin ! tout était accompli [1]. Il ne me restait plus qu'à me remettre au travail, plus vivement encore que d'habitude, pour chasser peu à peu ce petit cadavre qui hantait les replis de mon cerveau, et dont le fantôme me fatiguait de ses grands yeux fixes [2]. Mais le lendemain, je reçus un paquet de lettres : les unes, des locataires de ma maison, quelques autres des maisons

---

1. Cette formule boucle les deux paragraphes précédents, dont le premier commençait par « Restait une tâche suprême à accomplir ». Elle résonne aussi comme le « *consumatum est* » concluant la mort du Christ dans les Évangiles.   **2.** Cette remarque introduit un élément fantastique dans l'anecdote qui la fait ressembler momentanément à un conte de Poe.

voisines ; l'une, du premier étage ; l'autre, du second ;
l'autre, du troisième, et ainsi de suite, les unes en style
demi-plaisant, comme cherchant à déguiser sous un
apparent badinage la sincérité de la demande ; les
autres, lourdement effrontées et sans orthographe, mais
toutes tendant au même but, c'est-à-dire à obtenir de
moi un morceau de la funeste et béatifique corde [1].
Parmi les signataires, il y avait, je dois le dire, plus
de femmes que d'hommes ; mais tous, croyez-le bien,
n'appartenaient pas à la classe infime et vulgaire. J'ai
gardé ces lettres.

« Et alors, soudainement, une lueur se fit dans mon
cerveau, et je compris pourquoi la mère tenait tant à
m'arracher la ficelle et par quel commerce elle entendait se consoler [2]. »

---

1. Terrible et cynique oxymore : la corde de pendu porte bonheur !   2. Le texte de *L'Artiste* contient cet alinéa supplémentaire : « Parbleu ! – répondis-je à mon ami – un mètre de corde de
pendu, à cent francs le décimètre, l'un dans l'autre, chacun payant
selon ses moyens, cela fait mille francs, un réel, un efficace soula-
gement pour cette pauvre mère ! » Rappelons que la version de
L'Artiste, la dernière en date, ne porte pas de dédicace, ce qui
justifie peut-être cette réplique finale d'un sarcasme qui, au demeurant, paraît quelque peu inutile.

XXXI

Les vocations

Dans un beau jardin où les rayons d'un soleil autom-
nal semblaient s'attarder à plaisir[1], sous un ciel déjà
verdâtre, où des nuages d'or flottaient comme des
continents en voyage, quatre beaux enfants, quatre garçons, las de jouer sans doute, causaient entre eux.

L'un disait : « Hier on m'a mené au théâtre. Dans
des palais grands et tristes, au fond desquels on voit la
mer et le ciel[2], des hommes et des femmes, sérieux et
tristes aussi, mais bien plus beaux et bien mieux
habillés que ceux que nous voyons partout, parlent
avec une voix chantante. Ils se menacent, ils supplient,
ils se désolent, et ils appuient souvent leur main sur un
poignard enfoncé dans leur ceinture. Ah ! c'est bien
beau ! Les femmes sont bien plus belles et bien plus
grandes que celles qui viennent nous voir à la maison,
et, quoique avec leurs grands yeux creux et leurs joues
enflammées[3] elles aient l'air terrible, on ne peut pas
s'empêcher de les aimer. On a peur, on a envie de

---

1. Ce soleil couchant vaut peut-être symboliquement pour montrer les derniers feux d'une civilisation. « Le dandysme est un soleil
couchant ; comme l'astre qui décline, il est superbe, sans chaleur
et plein de mélancolie », écrit Baudelaire dans *Le Peintre de la vie
moderne* (chap. X). 2. Ce sont les décors des tragédies classiques que l'enfant décrit en les organisant d'abord comme les éléments d'une devinette et en les dotant ainsi d'une véritable
étrangeté. On pense à cette note de *Mon cœur mis à nu* (f° 71) :
« Étant enfant, je voulais être tantôt pape, mais pape militaire, tantôt comédien. » 3. Les yeux creux et les joues enflammées renvoient aux effets produits par le fard des actrices.

pleurer, et cependant l'on est content [1]... Et puis, ce qui est plus singulier, cela donne envie d'être habillé de même, de dire et de faire les mêmes choses, et de parler avec la même voix... »

L'un des quatre enfants, qui depuis quelques secondes n'écoutait plus le discours de son camarade, et observait avec une fixité étonnante je ne sais quel point du ciel, dit tout à coup : « Regardez, regardez là-bas... ! *Le* voyez-vous ? Il est assis sur ce petit nuage isolé, ce petit nuage couleur de feu, qui marche doucement. *Lui* [2] aussi, on dirait qu'*il* nous regarde. »

« Mais qui donc ? » demandèrent les autres.

« Dieu ! » répondit-il avec un accent parfait de conviction. « Ah ! il est déjà bien loin ; tout à l'heure vous ne pourrez plus le voir. Sans doute, il voyage, pour visiter tous les pays. Tenez, il va passer derrière cette rangée d'arbres qui est presque à l'horizon... et maintenant il descend derrière le clocher... Ah ! on ne le voit plus ! » Et l'enfant resta longtemps tourné du même côté, fixant sur la ligne qui sépare la terre du ciel [3] des yeux où brillait une inexprimable expression d'extase et de regret.

« Est-il bête, celui-là, avec son bon Dieu, que lui seul peut apercevoir ! » dit alors le troisième, dont toute la petite personne était marquée d'une vivacité et d'une vitalité singulières. « Moi, je vais vous raconter comment il m'est arrivé quelque chose qui ne vous est jamais arrivé, et qui est un peu plus intéressant que votre théâtre et vos nuages. – Il y a quelques jours, mes parents m'ont emmené en voyage avec eux, et, comme dans l'auberge où nous nous sommes arrêtés, il n'y avait pas assez de lits pour nous tous, il a été décidé que je dormi-

---

1. L'enfant traduit ainsi, de façon naïve, le principe d'identification sur lequel repose la dramaturgie classique. 2. La spécification par l'italique et la majuscule à l'initiale de ces simples pronoms annonce la divinité en question. 3. Longue périphrase à la place du mot « horizon » qui apparaissait un peu plus haut. Voir également « Chacun sa Chimère » (p. 74).

rais dans le même lit que ma bonne. » – Il attira ses camarades plus près de lui, et parla d'une voix plus basse. – « Ça fait un singulier effet, allez, de n'être pas couché seul, et d'être dans un lit avec sa bonne, dans les ténèbres. Comme je ne dormais pas, je me suis amusé pendant qu'elle dormait, à passer ma main sur ses bras, sur son cou et sur ses épaules. Elle a les bras et le cou bien plus gros que toutes les autres femmes, et la peau en est si douce, si douce qu'on dirait du papier à lettre ou du papier de soie. J'y avais tant de plaisir que j'aurais longtemps continué, si je n'avais pas eu peur, peur de la réveiller d'abord, et puis encore peur de je ne sais quoi. Ensuite j'ai fourré ma tête dans ses cheveux qui pendaient dans son dos, épais comme une crinière, et ils sentaient aussi bon, je vous assure, que les fleurs du jardin, à cette heure-ci. Essayez, quand vous pourrez, d'en faire autant que moi, et vous verrez[1] ! »

Le jeune auteur de cette prodigieuse révélation avait, en faisant son récit, les yeux écarquillés par une sorte de stupéfaction de ce qu'il éprouvait encore, et les rayons du soleil couchant, en glissant à travers les boucles rousses de sa chevelure ébouriffée, y allumaient comme une auréole sulfureuse[2] de passion. Il était facile de deviner que celui-là ne perdrait pas sa vie à chercher la Divinité dans les nuées, et qu'il la trouverait fréquemment ailleurs.

Enfin le quatrième dit : « Vous savez que je ne m'amuse guère à la maison ; on ne me mène jamais au spectacle ; mon tuteur est trop avare[3] ; Dieu ne s'oc-

---

1. Ce nouvel enfant a décrit les charmes de ce que Baudelaire appelle le *mundus muliebris* [la parure des femmes], constitué de parfums, d'une abondante chevelure et même d'un gigantisme qui fait de la femme une sorte de mère (voir *Les Paradis artificiels*, p. 241).　　**2.** L'auréole, qui d'habitude couronne les saints, entoure ici la tête de l'enfant d'une aura inquiétante, celle du soufre de Satan.　　**3.** Ce quatrième enfant est significativement dépourvu de parents (comme « l'étranger », p. 62). Comme Baudelaire, il se consume d'ennui et rêve d'un ailleurs inaccessible (voir « Les projets » et surtout « *Any where out of the world* », p. 129 et 205).

cupe pas de moi et de mon ennui, et je n'ai pas une
belle bonne pour me dorloter. Il m'a toujours [1] semblé
que mon plaisir serait d'aller toujours droit devant moi,
sans savoir où, sans que personne s'en inquiète, et de
voir toujours des pays nouveaux. Je ne suis jamais bien
nulle part, et il me semble toujours que je serais mieux
ailleurs que là où je suis. Eh bien ! j'ai vu, à la dernière
foire du village voisin, trois hommes qui vivent comme
je voudrais vivre. Vous n'y avez pas fait attention,
vous autres. Ils étaient grands, presque noirs et très
fiers, quoique en guenilles, avec l'air de n'avoir besoin
de personne. Leurs grands yeux sombres sont devenus
tout à fait brillants pendant qu'ils faisaient de la musique ; une musique si surprenante qu'elle donne envie
tantôt de danser, tantôt de pleurer, ou de faire les deux
à la fois, et qu'on deviendrait comme fou, si on les
écoutait trop longtemps. L'un, en traînant son archet
sur son violon, semblait raconter un chagrin, et l'autre,
en faisant sautiller son petit marteau sur les cordes d'un
petit piano suspendu à son cou par une courroie [2], avait
l'air de se moquer de la plainte de son voisin, tandis
que le troisième choquait, de temps à autre, ses cym-
bales avec une violence extraordinaire. Ils étaient si
contents d'eux-mêmes, qu'ils ont continué à jouer leur
musique de sauvages, même après que la foule s'est
dispersée. Enfin ils ont ramassé leurs sous, ont chargé
leur bagage sur leur dos, et sont partis. Moi, voulant
savoir où ils demeuraient, je les ai suivis de loin, jus-

---

1. Ou Baudelaire ou les éditeurs de l'édition posthume (1869)
ont corrigé ce « toujours » en « souvent » pour éviter la répétition
avec le « toujours » que l'on peut lire quelques mots plus loin.
Nous avons choisi cependant de le conserver.   **2.** Baudelaire
décrit un *czimbalum*, sorte de xylophone à cordes frappées très
populaire en Hongrie où il figure dans les orchestres tsiganes.
L'histoire avait déjà été contée dans une étude de Liszt, « Des
bohémiens et de leur musique en Hongrie » (Bourdilliat, 1859).
Voir aussi *Mon cœur mis à nu* (f° 68) : « Glorifier le vagabondage
et ce qu'on peut appeler le Bohémianisme, culte de la sensation
multipliée s'exprimant par la musique. En référence à Liszt. »

qu'au bord de la forêt, où j'ai compris seulement alors, qu'ils ne demeuraient nulle part.

Alors l'un a dit : « Faut-il déployer la tente ? »

« Ma foi ! non ! » a répondu l'autre, « il fait une si belle nuit ! »

Le troisième disait, en comptant la recette : « Ces gens-là ne sentent pas la musique, et leurs femmes dansent comme des ours. Heureusement, avant un mois nous serons en Autriche, où nous trouverons un peuple plus aimable. »

« Nous ferions peut-être mieux d'aller vers l'Espagne, car voici la saison qui s'avance ; fuyons avant les pluies et ne mouillons que notre gosier », a dit un des deux autres.

« J'ai tout retenu, comme vous voyez. Ensuite ils ont bu chacun une tasse d'eau-de-vie et se sont endormis, le front tourné vers les étoiles. J'avais eu d'abord envie de les prier de m'emmener avec eux et de m'apprendre à jouer de leurs instruments ; mais je n'ai pas osé ; sans doute parce qu'il est toujours très difficile de se décider à n'importe quoi, et aussi parce que j'avais peur d'être rattrapé avant d'être hors de France. »

L'air peu intéressé des trois autres camarades me donna à penser que ce petit était déjà un *incompris* [1]. Je le regardais attentivement ; il y avait dans son œil et dans son front ce je ne sais quoi de précocement fatal [2] qui éloigne généralement la sympathie, et qui, je ne sais pourquoi, excitait la mienne, au point que j'eus un instant l'idée bizarre que je pouvais avoir un frère à moi-même inconnu.

Le soleil était couché. La nuit solennelle avait pris

---

1. Dans *Les Paradis artificiels* (p. 136), Baudelaire évoque celui que « l'école romantique nommait *l'homme incompris* » et que « les familles et la masse bourgeoise flétrissent généralement de l'épithète d'*original* » ; et il lui attribue un « tempérament moitié nerveux, moitié bilieux ».   2. C'est presque une vision romantique du génie, une physionomie qui fait penser à Byron, par exemple.

place. Les enfants se séparèrent, chacun allant, à son insu, selon les circonstances et les hasards, mûrir sa destinée, scandaliser ses proches, et graviter vers la gloire ou vers le déshonneur[1].

---

1. La destinée de Baudelaire se perçoit dans ces quelques mots, presque descriptifs de l'effet produit par ses *Fleurs du Mal.*

XXXII

Le thyrse

À Franz Liszt[1].

Qu'est-ce qu'un thyrse[2]? Selon le sens moral et poétique, c'est un emblème sacerdotal dans la main des prêtres ou prêtresses célébrant la divinité dont ils sont les interprètes et les serviteurs. Mais physiquement, ce n'est qu'un bâton[3], un pur bâton, perche à houblon, tuteur de vigne, sec, dur et droit. Autour de ce bâton, dans des méandres capricieux, se jouent et folâtrent des tiges et des fleurs, celles-ci sinueuses et fuyardes,

1. La relation entre Baudelaire et Liszt s'est établie lorsque Baudelaire a composé son étude sur le *Tannhäuser* de Wagner, publiée d'abord en revue, puis sous forme de plaquette chez Dentu en 1861. À cette occasion, il avait lu le *« Lohengrin » et « Tannhäuser » de Richard Wagner* écrit par Liszt en 1851. Liszt devait également figurer dans le livre sur les *Dandies* qu'il projetait de faire en 1863. **2.** Le dictionnaire Bescherelle donne comme définition du thyrse : « javelot environné de pampre et de lierre que portaient les bacchantes et qui servait de sceptre à Bacchus » ; « la lance enguirlandée de lierre », dit Euripide, le tragique grec. Le choix du thyrse s'explique d'autant mieux que Baudelaire, traducteur de De Quincey, en avait déjà rencontré le symbole, sous la forme du caducée, non pas dans les *Confessions d'un mangeur d'opium* proprement dites, où il le réintégrera (voir *Les Paradis artificiels*, Le Livre de Poche, p. 161 et p. 264), mais dans les *Suspiria de Profundis* (publiés dans le *Blackwood's Edinburgh Magazine* en 1845). **3.** Cette précision tend à rabaisser l'emblème pour ne considérer que la réalité physique de la chose désignée. La référence à la perche à houblon est toutefois inattendue, mais s'explique ensuite par les pays que Liszt a parcourus, notamment la Belgique.

celles-là penchées comme des cloches ou des coupes renversées. Et une gloire étonnante[1] jaillit de cette complexité de lignes et de couleurs, tendres ou éclatantes. Ne dirait-on pas que la ligne courbe et la spirale font leur cour à la ligne droite et dansent autour dans une muette adoration ? Ne dirait-on pas que toutes ces corolles délicates, tous ces calices, explosions de senteurs et de couleurs, exécutent un mystique fandango[2] autour du bâton hiératique[3] ? Et quel est, cependant, le mortel imprudent qui osera décider si les fleurs et les pampres ont été faits pour le bâton, ou si le bâton n'est que le prétexte pour montrer la beauté des pampres et des fleurs ?

— Le thyrse est la représentation de votre étonnante dualité, maître puissant et vénéré, cher Bacchant[4] de la Beauté mystérieuse et passionnée. Jamais nymphe exaspérée par l'invincible Bacchus ne secoua son thyrse sur les têtes de ses compagnes affolées avec autant d'énergie et de caprice que vous agitez votre génie sur les cœurs de vos frères.

— Le bâton, c'est votre volonté droite, ferme et inébranlable ; les fleurs, c'est la promenade de votre fantaisie autour de votre volonté ; c'est l'élément féminin exécutant autour du mâle ses prestigieuses pirouettes[5]. Ligne droite et ligne arabesque, intention et expression, roideur de la volonté, sinuosités du verbe, unité du but, variété des moyens, amalgame tout-puis-

---

1. La gloire, en ce cas, est à prendre au sens iconographique du terme, c'est-à-dire une sorte d'éclat particulier qui entoure les têtes des personnages sacrés. **2.** Danse espagnole. **3.** Le hiératisme du bâton évoque la rigidité, mais, avant tout, par l'étymologie du mot, le caractère sacerdotal. **4.** C'est évidemment Liszt qu'il faut deviner ici, considéré comme appartenant au cortège enivré de la beauté. **5.** On retrouve dans ce passage, et presque à l'amorce d'une théorie, l'*androgynéité* dont Baudelaire parle dans ses *Paradis artificiels* (« Un mangeur d'opium », VII) et sans laquelle « le génie le plus âpre et le plus viril reste, relativement à la perfection dans l'art, un être incomplet ».

sant et indivisible du génie, quel analyste[1] aura le détestable courage de vous diviser et de vous séparer ?

Cher Liszt, à travers les brumes, par-delà les fleuves, par-dessus les villes où les pianos chantent votre gloire, où l'imprimerie traduit votre sagesse[2], en quelque lieu que vous soyez, dans les splendeurs de la Ville Éternelle[3] ou dans les brumes des pays rêveurs que console Gambrinus[4], improvisant des chants de délectation ou d'ineffable douleur, ou confiant au papier vos méditations abstruses, chantre de la Volupté et de l'Angoisse éternelles[5], philosophe, poète et artiste, je vous salue en l'immortalité !

---

1. Cette critique de l'analyse, qu'il apprécie par ailleurs quand elle est le fait d'un Poe, s'adresse surtout aux esprits positivistes incapables de penser l'union des contraires. **2.** On a vu dans « Les vocations » (p. 162, n. 2) une référence à l'un des livres de Liszt. Liszt était également l'auteur d'un *« Lohengrin » et « Tann-häuser »* (1851). **3.** Rome. **4.** On écrit indifféremment à l'époque « Cambrinus » ou « Gambrinus », cette dernière graphie étant la seule admise aujourd'hui. Gambrinus est un personnage des contes flamands que l'on place à l'origine de la fabrication de la bière. **5.** Ces deux sensations extrêmes se trouvent pareillement mêlées chez Baudelaire.

XXXIII

Enivrez-vous

Il faut être toujours ivre. Tout est là. C'est l'unique question. Pour ne pas sentir l'horrible fardeau du Temps[1] qui brise vos épaules et vous penche vers la terre, il faut vous enivrer sans trêve.

Mais de quoi ? De vin[2], de poésie ou de vertu[3], à votre guise. Mais enivrez-vous.

Et si quelquefois, sur les marches d'un palais, sur l'herbe verte d'un fossé, dans la solitude morne de votre chambre[4], vous vous réveillez, l'ivresse déjà diminuée ou disparue, demandez au vent, à la vague, à

---

1. Le Temps est comme une Chimère (voir p. 73) ou comme une pierre de Sisyphe. 2. L'ivresse venant du vin a été analysée en termes chaleureux par Baudelaire dans « Du vin et du hachisch » (*Le Messager de l'Assemblée*, 7, 8 mars 1851) et dans une section des *Fleurs du Mal* (cinq poèmes) ayant pour titre « Le vin ». 3. Peut-être Baudelaire pense-t-il à Robespierre (qu'il cite parfois), à Saint-Just ou encore à l'écrivain Alphonse Rabbe qui a donné à une section, « Philosophie du désespoir », de son livre posthume *Album d'un pessimiste* (1836) un titre en sous-chapitre « Croyance à la vertu ». On lit aussi dans « Pensée d'album » de Baudelaire lui-même (OC, II, p. 37) : « Si l'idée de la Vertu et de l'Amour universel n'est pas mêlée à tous nos plaisirs, tous nos plaisirs deviendront tortures et remords. » L'un des exemples d'enivrement par la vertu est donné dans *Les Paradis artificiels* (Le Livre de Poche, p. 147) par Rousseau : « L'enthousiasme avec lequel il admirait la vertu [...]. Jean-Jacques s'était enivré sans hachisch. » 4. Si l'on considère l'énumération précédente, les herbes du fossé seraient le lieu où revient à la conscience l'homme ivre, et la chambre, l'endroit où le poète se réveille de ses fantaisies (voir « La chambre double », p. 70).

l'étoile, à l'oiseau, à l'horloge[1], à tout ce qui fuit, à tout ce qui gémit, à tout ce qui roule, à tout ce qui chante, à tout ce qui parle, demandez quelle heure il est ; et le vent, la vague, l'étoile, l'oiseau, l'horloge vous répondront : « Il est l'heure de s'enivrer ! Pour n'être pas les esclaves martyrisés du Temps, enivrez-vous ; enivrez-vous sans cesse ! De vin, de poésie ou de vertu, à votre guise. »

---

1. C'est une série plutôt hugolienne que baudelairienne (excepté l'horloge) que Baudelaire déroule pour nous. Voir dans *Les Feuilles d'automne* de Hugo (1831) les huitième et onzième strophes du poème « Pan » : « Enivrez-vous de tout ! enivrez-vous, poètes, / [...] / Des eaux, de l'air, des prés [...]. »

XXXIV

Déjà !

Cent fois déjà le soleil avait jailli, radieux ou attristé, de cette cuve immense de la mer dont les bords ne se laissent qu'à peine apercevoir ; cent fois il s'était replongé, étincelant ou morose, dans son immense bain du soir. Depuis nombre de jours, nous[1] pouvions contempler l'autre côté du firmament, et déchiffrer l'alphabet céleste des antipodes[2]. Et chacun des passagers gémissait et grognait. On eût dit que l'approche de la terre exaspérait leur souffrance. « Quand donc », disaient-ils, « cesserons-nous de dormir un sommeil[3] secoué par la lame, troublé par un vent qui ronfle plus haut que nous ? Quand pourrons-nous manger de la viande qui ne soit pas salée comme l'élément infâme qui nous porte[4] ? Quand pourrons-nous digérer dans un fauteuil immobile ? »

Il y en avait qui pensaient à leur foyer, qui regret-

---

1. Ce « nous » place le « je » dans un groupe de voyageurs (voir le mot « passagers »). La situation fait penser à celle que Baudelaire a pu connaître lors du voyage qui, en 1841, le mena jusqu'à l'île Maurice et à l'île Bourbon (actuellement la Réunion). 2. Celui que découvrent le ciel tropical de l'autre hémisphère et son dessin de constellations. 3. Construction pléonastique bien attestée par l'usage. Voir dans le « Moïse » de Vigny (*Poèmes antiques et modernes*) : « Laissez-moi m'endormir du sommeil de la terre » et surtout de Baudelaire lui-même « Et qui dort son sommeil sous une humble pelouse » (FM, p. 154). 4. Phrase qui, à partir de « pourrons-nous », n'apparaît pas dans l'édition de 1869. La répétition de construction d'une ligne sur l'autre expliquerait cette omission.

taient leurs femmes infidèles et maussades et leur progéniture criarde. Tous étaient si affolés par l'image de
la terre absente, qu'ils auraient, je crois, mangé de
l'herbe avec plus d'enthousiasme que les bêtes.

Enfin un rivage fut signalé, et nous vîmes, en approchant, que c'était une terre magnifique, éblouissante. Il
semblait que les musiques de la vie s'en détachaient
en un vague murmure, et que de ces côtes, riches en
verdures de toute sorte, s'exhalait, jusqu'à plusieurs
lieues, une délicieuse odeur de fleurs et de fruits.

Aussitôt chacun fut joyeux, chacun abdiqua[1] sa
mauvaise humeur. Toutes les querelles furent oubliées,
tous les torts réciproques pardonnés ; les duels conve-
nus furent rayés de la mémoire, et les rancunes s'envo-
lèrent comme des fumées.

Moi seul j'étais triste, inconcevablement triste. Semblable à un prêtre à qui on arracherait sa divinité, je ne
pouvais, sans une navrante amertume, me détacher de
cette mer si monstrueusement séduisante, de cette mer
si infiniment variée dans son effrayante simplicité, et
qui semble contenir en elle et représenter par ses jeux,
ses allures, ses colères et ses sourires les humeurs, les
agonies et les extases de toutes les âmes qui ont vécu,
qui vivent et qui vivront[2] !

En disant adieu à cette incomparable beauté, je me
sentais abattu jusqu'à la mort ; et c'est pourquoi, quand
chacun de mes compagnons dit : « Enfin ! » je ne pus
crier que : « *Déjà*[3] ! »

Cependant c'était la terre, la terre avec ses bruits,
ses passions, ses commodités, ses fêtes ; c'était une
terre riche et magnifique, pleine de promesses, qui

---

1. Au sens de « renoncer à », qui n'est plus d'usage aujourd'hui.
2. Pour Baudelaire la mer représente l'infini ; voir « L'homme et
la mer » (FM, p. 64) : « Homme libre, toujours tu chériras la mer !
/ La mer est ton miroir ; tu contemples ton âme / Dans le déroule-
ment infini de sa lame [...] » et, ici même, « Le *Confiteor* de l'artiste » (p. 64).   **3.** En écho inversé de cet adverbe de temps, on
devine le « *Nevermore* » (« Jamais plus ») du *Corbeau* de Poe.

nous envoyait un mystérieux parfum de rose et de musc [1], et d'où les musiques de la vie nous arrivaient en un amoureux murmure [2].

---

1. Ce parfum de rose et de musc se lit aussi dans « Les projets » (p. 130). 2. Dans ce dernier membre de phrase, Baudelaire reprend, comme un discret refrain, une partie du troisième alinéa : « Il semblait que les musiques de la vie s'en détachaient en un vague murmure [...]. »

XXXV

Les fenêtres

Celui qui regarde au-dehors à travers une fenêtre ouverte ne voit jamais autant de choses que celui qui regarde une fenêtre fermée[1]. Il n'est pas d'objet plus profond, plus mystérieux, plus fécond, plus ténébreux, plus éblouissant qu'une fenêtre éclairée d'une chandelle. Ce qu'on peut voir au soleil est toujours moins intéressant que ce qui se passe derrière une vitre.

Dans ce trou noir ou lumineux vit la vie, rêve la vie, souffre la vie.

Par-delà des vagues de toits, j'aperçois une femme mûre, ridée déjà, pauvre, toujours penchée sur quelque chose, et qui ne sort jamais. Avec son visage, avec son vêtement, avec son geste, avec très peu de données, j'ai refait l'histoire de cette femme, ou plutôt sa légende[2], et quelquefois je me la raconte à moi-même en pleurant.

Si c'eût été un pauvre vieux homme, j'aurais refait la sienne tout aussi aisément.

Et je me couche, fier d'avoir vécu et souffert dans d'autres que moi-même.

---

1. C'est une situation courante que l'on trouve au début du roman de Balzac *Ferragus*, où un jeune homme observe, de la rue, les fenêtres d'une maison qui s'allument. Bien des poèmes en prose de Pierre Reverdy procéderont d'une telle mise en scène, sans toutefois que le poète invente l'intimité du spectacle ainsi révélé. 2. Le projet est autant celui d'un romancier que d'un poète. Mais la légende (texte placé en bas d'un tableau, son commentaire ou son résumé) est préférée à tout réalisme trop étroit.

Peut-être me direz-vous : « Es-tu sûr que cette légende soit la vraie ? » Qu'importe ce que peut être la réalité placée hors de moi, si elle m'a aidé à vivre, à sentir que je suis et *ce que* je suis[1] ?

creating these made yp legents helps him live and feel like himself

Estce qu'il est si déprimé qu'il ne se sent rien sans regandoant les autres Pauvres gens pour. qu'il se sente mieux ?

---

1. Pour la publication de l'ensemble de ce poème, voir p. 235.

Le malheur de l'homme rend l'homme heureux (handwritten annotation)

XXXVI

Le désir de peindre

Malheureux peut-être l'homme, mais heureux l'artiste que le désir déchire[1] !

Je brûle de peindre celle qui m'est apparue si rarement et qui a fui si vite[2], comme une belle chose regrettable derrière le voyageur emporté dans la nuit[3]. Comme il y a longtemps déjà qu'elle a disparu !

Elle est belle, et plus belle ; elle est surprenante. En elle le noir abonde, et tout ce qu'elle inspire est nocturne et profond. Ses yeux sont deux antres où scintille vaguement le mystère, et son regard illumine comme l'éclair ; c'est une explosion[4] dans les ténèbres.

Je la comparerais à un soleil noir, si l'on pouvait concevoir un astre noir[5] versant la lumière et le bonheur. Mais elle fait plus volontiers penser à la lune, qui sans doute l'a marquée de sa redoutable influence ; non

---

1. Cette dernière partie de la phrase implique aussi bien l'homme que l'artiste. **2.** C'est la figure de la passante qui est ainsi évoquée (voir « À une passante », FM, p. 145). **3.** Cette image du voyageur est typiquement romantique. On la retrouve dans *Les Paradis artificiels* (Le Livre de Poche, p. 236). **4.** Baudelaire ne recule pas devant ce mot intense que l'on voit également dans « Le crépuscule du soir » (l'« explosion des lanternes », p. 125) et dans « Un plaisant » (l'« explosion du nouvel an », p. 66). **5.** Le « soleil noir » forme oxymore dans plus d'un texte romantique, le plus célèbre étant le sonnet « *El Desdichado* » des *Chimères* de Nerval, où le poète parle du « soleil noir de la Mélancolie ». Dans « La chambre double », Baudelaire voit les yeux de l'amante comme des « étoiles noires » qui commandent l'admiration (p. 69).

pas la lune blanche des idylles, qui ressemble à une froide mariée, mais la lune sinistre et enivrante, suspendue au fond d'une nuit orageuse et bousculée par les nuées qui courent ; non pas la lune paisible et discrète visitant le sommeil des hommes purs, mais la lune arrachée du ciel, vaincue et révoltée, que les sorcières thessaliennes[1] contraignent durement à danser sur l'herbe terrifiée !

Dans son petit front habitent la volonté tenace et l'amour de la proie[2]. Cependant, au bas de ce visage inquiétant, où des narines mobiles aspirent l'inconnu et l'impossible, éclate, avec une grâce inexprimable, le rire d'une grande bouche, rouge et blanche, et délicieuse, qui fait rêver au miracle d'une superbe fleur éclose dans un terrain volcanique.

Il y a des femmes qui inspirent l'envie de les vaincre et de jouir d'elles ; mais celle-ci donne le désir de mourir[3] lentement sous son regard.

---

1. La lune dont parle Baudelaire est celle que, selon la légende, les sorcières de Thessalie (région de la Grèce antique) faisaient descendre sur la terre par leurs incantations. Nodier en avait rappelé la tradition dans son *Smarra, ou les Démons de la nuit*. Voir surtout de Lucain *La Pharsale* (VI, v. 499-506), épopée que Baudelaire envisageait de traduire (annonce de ce projet dans *L'Orphéon*, revue d'Albert Glatigny, le 1er juin 1860).   2. Cette remarque transforme la femme en véritable vampire – ce que précise, plus loin, la mention de la « bouche rouge ». Sous un portrait de Jeanne Duval, sa maîtresse métisse, Baudelaire avait placé une phrase latine : « *quaerens quem devoret* [cherchant qui dévorer] » (voir Claude Pichois, *Album Baudelaire*, p. 56).   3. Le « désir de mourir » conclut le « désir de peindre ». Le poème est à mettre en corrélation avec « Le *Confiteor* de l'artiste ».

XXXVII

Les bienfaits de la lune

À Mademoiselle B.[1].

La lune, qui est le caprice même[2], regarda par la fenêtre, pendant que tu dormais dans ton berceau, et se dit : « Cette enfant me plaît ! »

Et elle descendit moelleusement son escalier de nuages, et passa sans bruit à travers les vitres. Puis elle s'étendit sur toi avec la tendresse souple d'une mère[3], et elle déposa ses couleurs sur ta face. Tes prunelles

---

1. Berthe, la dernière maîtresse de Baudelaire, intervient dans sa vie en 1863 ; elle en disparaît après 1864. Elle nous est connue par le poème en vers « Les yeux de Berthe » (d'abord écrit, selon Prarond, ami de jeunesse de Baudelaire, pour Jeanne Duval, mais publié le 1er mars 1864 dans la *Revue nouvelle* et repris dans *Les Épaves* (1866) (voir FM, p. 221). Elle est aussi l'objet d'un montage, également daté de 1864 (voir la photo du triptyque composant le bas de ce montage, p. 194). On ne sait rien de son identité, mais on possède plusieurs photos d'elle et quelques dessins de la main de Baudelaire.   2. La lune est capricieuse par son changement de forme au ciel. Voir « Les yeux des pauvres » (p. 137) : « Vos yeux verts, habités par le Caprice et inspirés par la Lune [...]. » Sur les différentes façons dont Baudelaire a traité le thème lunaire dans *Les Fleurs du Mal*, voir « Tristesses de la lune » (FM, p. 115) et « La lune offensée » (FM, p. 200).   3. Elle est aussi considérée comme une fée marraine, qui étend l'influence de ses rayons sur l'enfant.

en sont restées vertes[1], et tes joues, extraordinairement
pâles. C'est en contemplant cette visiteuse que tes yeux
se sont bizarrement agrandis ; et elle t'a si tendrement
serrée à la gorge que tu en as gardé pour toujours l'envie de pleurer.

Cependant, dans l'expansion de sa joie, la lune remplissait toute la chambre comme une atmosphère phos-
phorique[2], comme un poison lumineux ; et toute cette
lumière vivante pensait et disait :

« Tu subiras éternellement l'influence de mon baiser. Tu seras belle à ma manière. Tu aimeras ce que
j'aime et ce qui m'aime : l'eau, les nuages, le silence
et la nuit ; la mer immense et verte ; l'eau informe et
multiforme ; le lieu où tu ne seras pas ; l'amant que tu
ne connaîtras pas ; les fleurs monstrueuses ; les parfums qui font délirer ; les chats qui se pâment sur les
pianos, et qui gémissent comme les femmes, d'une
voix rauque et douce[3] !

« Et tu seras aimée de mes amants, courtisée par mes
courtisans. Tu seras la reine des hommes aux yeux
verts, dont j'ai serré aussi la gorge dans mes caresses
nocturnes ; de ceux-là qui aiment la mer, la mer
immense, tumultueuse et verte, l'eau informe et multiforme, le lieu où ils ne sont pas, la femme qu'ils ne
connaissent pas, les fleurs sinistres qui ressemblent aux
encensoirs d'une religion inconnue, les parfums qui
troublent la volonté, et les animaux sauvages et volup-
tueux qui sont les emblèmes de leur folie ! »

Et c'est pour cela, maudite chère enfant gâtée, que

---

1. Ces yeux verts apparaissent plusieurs fois dans les poèmes en
prose : « La soupe et les nuages », « Les yeux des pauvres », et
dans les poèmes en vers : « Le poison », « Chanson d'automne ».
2. Notation poétique que l'on retrouve dans différents nocturnes
romantiques.   **3.** L'intérêt de Baudelaire pour les chats s'est
exprimé dans plusieurs poèmes : « Le chat », « Les chats ». La
sensibilité des chats à la musique est attestée aussi bien par Hoffmann (*Le Chat Murr*) que par Gautier dans sa *Ménagerie intime*.

je suis maintenant couché à tes pieds [1], cherchant dans toute ta personne le reflet de la redoutable divinité, de la fatidique marraine, de la nourrice empoisonneuse de tous les *lunatiques* [2] !

---

1. Cette position rappelle la fin du poème précédent où l'homme est entièrement subjugué par la femme.   **2.** En langue anglaise, *lunatic* signifie « fou ». Nodier dans *La Fée aux miettes* (1832) avait présenté un tel « lunatique » en la personne du charpentier Michel, d'une admirable innocence.

XXXVIII

[Laquelle est la vraie ?]
L'Idéal et le Réel

J'ai connu une certaine[1] Bénédicta qui remplissait l'atmosphère d'idéal et dont les yeux répandaient le désir de la grandeur, de la beauté, de la gloire et de tout ce qui fait croire à l'immortalité[2].

Mais cette fille miraculeuse était trop belle pour vivre longtemps ; aussi est-elle morte quelques jours après que j'eus fait sa connaissance, et c'est moi-même qui l'ai enterrée, un jour que le printemps agitait son encensoir[3] jusque dans les cimetières. C'est moi qui l'ai enterrée[4], bien close dans une bière d'un bois parfumé et incorruptible comme les coffres de l'Inde.

Et comme mes yeux restaient fichés sur le lieu où était enfoui mon trésor, je vis subitement une petite

---

1. En tant qu'adjectif indéfini, « certaine » porte une nuance péjorative, alors que Bénédicta va être louée pour toutes ses qualités. Bien que latin (« celle qui est bénie », le contraire de la « maudite »), le prénom est cependant accentué.   2. Faut-il deviner en ce cas Apollonie Sabatier que Gautier appelait la Présidente et dont Baudelaire fut amoureux ? Voir « Hymne », recueilli dans les *Épaves* (FM, p. 222) et envoyé dans la lettre du 8 mai 1854 : « À l'Ange, à l'Idole immortelle, / Salut en l'Immortalité ! » (C, I, p. 276-277.) La devise de la Présidente, donnée par Gautier à partir d'un vers latin de Jean Second, était : *Vis superba formae* [la superbe puissance de la beauté]. 3. Voir « Harmonie du soir » (FM, p. 95) : « Voici venir les temps où vibrant sur sa tige / Chaque fleur s'évapore ainsi qu'un encensoir. »   4. La circonstance rappelle la nécrophilie de certains personnages des contes de Poe (*Ligeia*).

personne qui ressemblait singulièrement à la défunte, et qui, piétinant [1] sur la terre fraîche avec une violence hystérique et bizarre, disait en éclatant de rire [2] : « C'est moi, la vraie Bénédicta ! c'est moi ! une fameuse canaille ! Et pour la punition de ta folie et de ton aveuglement, tu m'aimeras telle que je suis ! »

Mais moi, furieux, j'ai répondu : « Non ! non ! non ! » Et, pour mieux accentuer mon refus, j'ai frappé si violemment la terre du pied, que ma jambe s'est enfoncée jusqu'au genou dans la sépulture récente, et que, comme un loup pris au piège, je restai attaché, pour toujours peut-être, à la fosse de l'idéal [3].

---

1. Emploi non transitif du verbe : remuer les pieds avec frénésie. La « terre fraîche » indique que la terre vient d'être remuée par la bêche.   2. *Le Boulevard*, 14 juin 1863, portait, plus discrètement : « disait, dans ce patois familier de la canaille que ma pudeur ne saurait reproduire ». L'expression « une fameuse canaille » n'intervenait pas après « C'est moi ».   3. L'idéal, significativement porté en terre, devient un piège. Dans *Le Boulevard*, on avait imprimé « la folie [probable coquille pour *fosse*] de l'idéal » ; mais le mot avait été utilisé à l'alinéa précédent. « Fosse », en revanche, laisse entendre, par calembour, une réponse au titre même : « la fausse de l'idéal », cette femme idéale qui, en fait, serait la fausse.

XXXIX

Un cheval de race[1]

Elle est bien laide. Elle est délicieuse pourtant !

Le Temps et l'Amour[2] l'ont marquée de leurs griffes et lui ont cruellement enseigné ce que chaque minute et chaque baiser emportent de jeunesse et de fraîcheur.

Elle est vraiment laide ; elle est fourmi, araignée[3], si vous voulez ; squelette même ; mais aussi elle est breuvage, magistère[4], sorcière ! En somme, elle est exquise.

Le Temps n'a pu rompre l'harmonie pétillante de sa démarche ni l'élégance indestructible de son armature[5]. L'Amour n'a pas altéré la suavité de son haleine d'enfant, et le Temps n'a rien arraché de son abondante crinière d'où s'exhale en fauves parfums toute la vita-

---

1. En 1835, dans *Le Père Goriot* (Le Livre de Poche, n° 757, p. 85), Balzac remarquait déjà : « *Cheval de pur sang, femme de race*, ces locutions commençaient à remplacer les anges du ciel, les figures ossianiques, toute l'ancienne mythologie repoussée par le dandysme. »   2. Ces entités allégorisées par la majuscule sont présentées comme des sortes de monstres dévorateurs. Le Temps *edax*, vorace, disait déjà le poète latin Horace. Voir aussi « Allégorie » (FM, p. 170) : « Les griffes de l'amour, les poisons du tripot, / Tout glisse et tout s'émousse au granit de sa peau. »   3. Plus tard, Freud verra dans l'araignée une image de la mère phallique.   4. C'est l'idée du philtre d'amour présente dans l'histoire de Tristan et Iseult, à la fois remède et poison (*pharmakon*). Le « magistère », terme alchimique, désigne un élixir capable de transmuer les métaux ordinaires en or ou en argent.   5. L'assemblage formé par le corps est conçu comme les éléments d'un navire (voir « Le beau navire », FM, p. 100). Baudelaire utilise la même expression pour tracer l'image de la Mort de sa « Danse macabre » (FM, p. 150) : « L'élégance sans nom de l'humaine armature. »

lité endiablée du Midi français : Nîmes, Aix, Arles, Avignon, Narbonne, Toulouse, villes bénies [1] du soleil, amoureuses et charmantes !

Le Temps et l'Amour l'ont vainement mordue à belles dents ; ils n'ont rien diminué du charme vague, mais éternel, de sa poitrine garçonnière [2].

Usée peut-être, mais non fatiguée, et toujours héroïque, elle fait penser à ces chevaux de grande race que l'œil du véritable amateur reconnaît, même attelés à un carrosse de louage ou à un lourd chariot.

Et puis elle est si douce et si fervente ! Elle aime comme on aime en automne [3] ; on dirait que les approches de l'hiver allument dans son cœur un feu nouveau, et la servilité de sa tendresse n'a jamais rien de fatigant.

---

1. Par ces noms de villes, Baudelaire n'hésite pas à incarner plus précisément cette femme pour la doter d'une réalité accrue. **2.** Une poitrine peu développée. Il y a en elle une forme d'androgynie qui séduisait Baudelaire. La même épithète apparaît pour caractériser certaines femmes peintes par Constantin Guys (*Le Peintre de la vie moderne*, chap. XII). **3.** L'automne ici est plutôt métaphore de l'âge, ce que précise ensuite la mention de l'hiver en tant qu'il signifie la dernière saison vécue par l'homme. Voir « Ciel brouillé » (FM, p. 98) : « Ô femme dangereuse, ô séduisants climats ! / Adorerai-je aussi ta neige et vos frimas, / Et saurai-je tirer de l'implacable hiver / Des plaisirs plus aigus que la glace et le fer ? »

XL

Le miroir

Un homme épouvantable entre et se regarde dans la glace.

« – Pourquoi vous regardez-vous au miroir, puisque vous ne pouvez vous y voir qu'avec déplaisir ? »

L'homme épouvantable me répond : « – Monsieur, d'après les immortels principes de 89[1], tous les hommes sont égaux en droits ; donc je possède le droit de me mirer ; avec plaisir ou déplaisir, cela ne regarde que ma conscience[2]. »

Au nom du bon sens, j'avais sans doute raison ; mais, au point de vue de la loi, il n'avait pas tort.

---

1. On devine que Baudelaire, « dépolitiqué », malgré son comportement durant la révolution de février 1848, fait peu de cas, désormais, de ces principes (voir, de Dolf Œhler, *Le Spleen contre l'oubli. Juin 1848. Baudelaire, Flaubert, Heine, Herzen*, Payot, 1996). Dans *Madame Bovary* (deuxième partie, chapitre premier), Flaubert montre le personnage du pharmacien Homais invoquant lui aussi les « immortels principes de 89 ».   **2.** Voir la préface de Baudelaire aux *Histoires extraordinaires* d'E. Poe (M. Lévy, 1857) : « Parmi l'énumération nombreuse des *droits de l'homme* que la sagesse du XIXe siècle recommence si souvent et si complaisamment, deux assez importants ont été oubliés, qui sont le droit de se contredire et le droit de *s'en aller*. »

XLI

Le port

Un port est un séjour charmant[1] pour une âme fatiguée des luttes de la vie. L'ampleur du ciel, l'architecture mobile des nuages[2], les colorations changeantes de la mer, le scintillement des phares sont un prisme merveilleusement propre à amuser les yeux sans les lasser. Les formes élancées des navires, au gréement compliqué, auxquels la houle imprime des oscillations harmonieuses, servent à entretenir dans l'âme le goût du rythme et de la beauté[3]. Et puis surtout il y a une sorte de plaisir mystérieux et aristocratique[4] pour celui qui n'a plus ni curiosité ni ambition, à contempler, couché dans le belvédère[5], ou accoudé sur le môle, tous ces mouvements de ceux qui partent et de ceux qui reviennent, de ceux qui ont encore la force de vouloir, le désir de voyager ou de s'enrichir.

---

1. Cet adjectif doit s'entendre au sens fort : qui exerce un charme.   2. Les nuages sont objets de rêverie pour Baudelaire. Voir « L'étranger » (p. 62) et « La soupe et les nuages » (p. 195) où il parle des « merveilleuses constructions de l'impalpable ». 3. Le mouvement des vaisseaux entraîne toujours chez Baudelaire un bien-être et une rêverie de création. Soulignant dans *Fusées* (f° 22) le charme d'un navire en mouvement, il en admire « la régularité et la symétrie qui sont un des besoins primordiaux de l'esprit humain, au même degré que la complication et l'harmonie ».   4. Un plaisir digne du dandy, qui prend suffisamment de distances par rapport aux choses.   5. Pavillon construit au sommet d'un édifice ou sur une terrasse et qui domine le paysage.

XLII

Portraits de maîtresses

Dans un boudoir[1] d'hommes, c'est-à-dire dans un fumoir attenant à un élégant tripot, quatre hommes fumaient et buvaient. Ils n'étaient précisément ni jeunes ni vieux, ni beaux ni laids ; mais vieux ou jeunes, ils portaient cette distinction non méconnaissable des vétérans de la joie, cet indescriptible je ne sais quoi, cette tristesse froide et railleuse[2] qui dit clairement : « Nous avons fortement vécu, et nous cherchons ce que nous pourrions aimer ou estimer. »

L'un d'eux jeta la causerie sur le sujet des femmes. Il eût été plus philosophique de n'en pas parler du tout ; mais il y a des gens d'esprit qui, après boire, ne méprisent pas les conversations banales. On écoute alors celui qui parle, comme on écouterait de la musique de danse.

« Tous les hommes, – disait celui-ci, – ont eu l'âge de Chérubin[3] ; c'est l'époque où, faute de dryades[4], on embrasse, sans dégoût, le tronc des chênes. C'est le

---

1. Le mot « boudoir » a été utilisé dans « La belle Dorothée » (p. 133). Le dictionnaire Bescherelle précise qu'il s'agit d'une « sorte de cabinet orné avec élégance à l'usage particulier des dames [de là, la précision de Baudelaire] et dans lequel elles se retirent lorsqu'elles veulent être seules, ou s'entretenir avec des personnes intimes ». 2. La « tristesse froide et railleuse » caractérise les dandys. 3. Ce page de la comtesse Almaviva, dans *Le Mariage de Figaro* de Beaumarchais, symbolise les premiers émois amoureux. Rimbaud dans « Parade » (*Illuminations*) évoque « Chérubin », mais pour le différencier de jeunes prostitués. 4. Nymphes des forêts assimilables aux arbres et plus spécialement aux chênes.

premier degré de l'amour. Au second degré, on commence à choisir. Pouvoir délibérer, c'est déjà une décadence. C'est alors qu'on recherche décidément la beauté. Pour moi, messieurs, je me fais gloire d'être arrivé, depuis longtemps, à l'époque climatérique[1] du troisième degré, où la beauté elle-même ne suffit plus, si elle n'est assaisonnée par le parfum, la parure, et cætera[2]. J'avouerai même que j'aspire quelquefois, comme à un bonheur inconnu, à un certain quatrième degré, qui doit marquer le calme absolu. Mais, durant toute ma vie, excepté à l'âge de Chérubin, j'ai été plus sensible que tout autre à l'énervante sottise, à l'irritante médiocrité des femmes. Ce que j'aime surtout dans les animaux, c'est leur candeur[3]. Jugez donc combien j'ai dû souffrir par ma dernière maîtresse.

« C'était la bâtarde d'un prince. Belle, cela va sans dire ; sans cela, pourquoi l'aurais-je prise ? Mais elle gâtait cette grande qualité par une ambition malséante et difforme. C'était une femme qui voulait toujours faire l'homme[4]. "Vous n'êtes pas un homme ! Ah ! si j'étais un homme ! De nous deux, c'est moi qui suis l'homme !" Tels étaient les insupportables refrains qui sortaient de cette bouche d'où je n'aurais voulu voir s'envoler que des chansons. À propos d'un livre, d'un poème, d'un opéra pour lequel je laissais échapper mon admiration : "Vous croyez peut-être que cela est très fort ? disait-elle aussitôt ; est-ce que vous vous connaissez en force ?" et elle argumentait.

---

1. Du grec *klimax* : l'échelle. Qui relève d'une progression graduée. **2.** C'est ce que Baudelaire nomme le *mundus muliebris* [la parure des femmes] dans *Le Peintre de la vie moderne* (chap. X) et dans *Les Paradis artificiels*, et qu'il définit comme un « appareil ondoyant, scintillant et parfumé ». Voir aussi « Les vocations », p. 161, n. 1. **3.** Dans « Sonnet d'automne » (FM, p. 114), Baudelaire écrit : « Mon cœur, que tout irrite, / Excepté la candeur de l'antique animal. » **4.** À propos de Mme de Merteuil (Notes sur *Les Liaisons dangereuses*, OC, II, p. 74), Baudelaire note : « La femme qui veut toujours faire l'homme, signe de grande dépravation. »

« Un beau jour elle s'est mise à la chimie, de sorte qu'entre ma bouche et la sienne je trouvai désormais un masque de verre[1]. Avec tout cela, fort bégueule[2]. Si parfois je la bousculais par un geste un peu trop amoureux, elle se convulsait comme une sensitive[3] violée...

— Comment cela a-t-il fini ? dit l'un des trois autres. Je ne vous savais pas si patient.

— Dieu, reprit-il, mit le remède dans le mal. Un jour je trouvai cette Minerve[4], affamée de force idéale, en tête-à-tête avec mon domestique, et dans une situation qui m'obligea à me retirer discrètement pour ne pas les faire rougir. Le soir, je les congédiai tous les deux, en leur payant les arrérages[5] de leurs gages.

— Pour moi, reprit l'interrupteur, je n'ai à me plaindre que de moi-même. Le bonheur est venu habiter chez moi, et je ne l'ai pas reconnu. La destinée m'avait, en ces derniers temps, octroyé la jouissance d'une femme qui était bien la plus douce, la plus soumise et la plus dévouée des créatures, et toujours prête ! et sans enthousiasme ! "Je le veux bien, puisque cela vous est agréable." C'était sa réponse ordinaire. Vous donneriez la bastonnade à ce mur ou à ce canapé, que vous en tireriez plus de soupirs que n'en tiraient du sein de ma maîtresse les élans de l'amour le plus forcené. Après un an de vie commune, elle m'avoua qu'elle n'avait jamais connu le plaisir. Je me dégoûtai de ce duel inégal, et cette fille incomparable se maria.

---

1. Ce masque de verre servait aux chimistes pour se préserver des émanations délétères dues à leurs expériences.   **2.** « Terme injurieux qui se dit familièrement d'une femme prude avec hauteur, ou impertinente avec dédain » (dictionnaire Bescherelle). **3.** Sorte de mimosa dont les feuilles se replient au moindre contact. Voir *L'Amour fou* (1937) d'André Breton, chap. V.   **4.** Déesse de la Sagesse, l'Athéna des Grecs, sortie – dit la mythologie – tout armée du cerveau de Zeus.   **5.** Ce qui est dû d'un revenu quelconque. À dessein, Baudelaire met sur le même plan la femme aimée et le serviteur.

J'eus, plus tard, la fantaisie de la revoir, et elle me dit, en me montrant six beaux enfants : "Eh bien ! mon cher ami, l'épouse est encore aussi *vierge* [1] que l'était votre maîtresse." Rien n'était changé dans cette personne. Quelquefois je la regrette. J'aurais dû l'épouser. »

Les autres se mirent à rire, et un troisième dit à son tour :

« Messieurs, j'ai connu des jouissances que vous avez peut-être négligées. Je veux parler du comique dans l'amour et d'un comique qui n'exclut pas l'admiration. J'ai plus admiré ma dernière maîtresse que vous n'avez pu, je crois, haïr ou aimer les vôtres. Et tout le monde l'admirait autant que moi. Quand nous entrions dans un restaurant, au bout de quelques minutes, chacun oubliait de manger pour la contempler. Les garçons eux-mêmes et la dame du comptoir ressentaient cette extase contagieuse jusqu'à oublier leurs devoirs. Bref, j'ai vécu quelque temps en tête-à-tête avec un *phénomène* [2] vivant. Elle mangeait, mâchait, broyait, dévorait, engloutissait, mais avec l'air le plus léger et le plus insouciant du monde. Elle m'a tenu ainsi longtemps en extase. Elle avait une manière douce, rêveuse, anglaise [3] et romanesque de dire : "J'ai faim !" Et elle répétait ces mots jour et nuit en montrant les plus jolies dents du monde, qui vous eussent attendris et égayés à la fois. – J'aurais pu faire ma fortune en la montrant dans les foires comme *monstre polyphage*. Je la nourrissais bien, et cependant elle m'a quitté... – Pour un fournisseur aux vivres, sans doute. – Quelque chose d'approchant, une espèce d'employé dans l'intendance

---

1. C'est dire qu'elle n'a jamais éprouvé le plaisir physique.
2. Être exceptionnel, monstre que l'on montre dans les foires comme la « femme sauvage » du poème en prose contenant ces mots (p. 86), qui, elle aussi, mangeait tout ce qu'on lui donnait.
3. Pleine de retenue et relevant du *cant* anglais, cette forme de pudibonderie souvent moquée par Baudelaire.

qui, par quelque tour de bâton [1] à lui connu, fournit peut-être à cette pauvre enfant la ration de plusieurs soldats. C'est, du moins, ce que j'ai supposé.

— Moi, dit le quatrième, j'ai enduré des souffrances atroces par le contraire de ce qu'on reproche en général à l'égoïste femelle. Je vous trouve mal venus, trop fortunés mortels, à vous plaindre des imperfections de vos maîtresses ! »

Cela fut dit d'un ton fort sérieux, par un homme d'un aspect doux et posé, d'une physionomie presque cléricale, malheureusement illuminée par des yeux d'un gris clair, de ces yeux dont le regard dit : « *Je veux !* » ou : « *Il faut !* » ou bien : « *Je ne pardonne jamais !* »

« Si, nerveux comme je vous connais, vous, G..., lâches et légers comme vous êtes, vous deux, K... et J... [2], vous aviez été accouplés à une certaine femme de ma connaissance, ou vous vous seriez enfuis, ou vous seriez morts. Moi, j'ai survécu, comme vous voyez. Figurez-vous une personne incapable de commettre une erreur de sentiment ou de calcul ; figurez-vous une sérénité désolante de caractère ; un dévouement sans comédie et sans emphase ; une douceur sans faiblesse ; une énergie sans violence. L'histoire de mon amour ressemble à un interminable voyage sur une surface pure et polie comme un miroir, vertigineusement monotone, qui aurait réfléchi [3] tous mes sentiments et mes gestes avec l'exactitude ironique de ma propre conscience, de sorte que je ne pouvais pas me permettre un geste ou un sentiment déraisonnable sans apercevoir immédiatement le reproche muet de mon

---

1. Profit illicite fait secrètement dans une charge ou une commission. Cette métaphore est tirée de l'art des escamoteurs de foire faisant disparaître des objets par un tour de bâton.   **2.** Bien entendu, il serait hasardeux de vouloir identifier ces personnages. On voit apparaître de telles initiales, plus arbitraires encore, dans « Perte d'auréole » et « Mademoiselle Bistouri » (p. 199 et 202). **3.** Reflété.

inséparable spectre. L'amour m'apparaissait comme une tutelle. Que de sottises elle m'a empêché de faire, que je regrette de n'avoir pas commises ! Que de dettes payées malgré moi ! Elle me privait de tous les bénéfices que j'aurais pu tirer de ma folie[1] personnelle. Avec une froide et infranchissable règle, elle barrait tous mes caprices. Pour comble d'horreur, elle n'exigeait pas de reconnaissance, le danger passé. Combien de fois ne me suis-je pas retenu de lui sauter à la gorge, en lui criant : "Sois donc imparfaite, misérable ! afin que je puisse t'aimer sans malaise et sans colère[2] !" Pendant plusieurs années, je l'ai admirée, le cœur plein de haine. Enfin, ce n'est pas moi qui en suis mort !

— Ah ! firent les autres, elle est donc morte ?

— Oui ! cela ne pouvait continuer ainsi. L'amour était devenu pour moi un cauchemar accablant. Vaincre ou mourir, comme dit la politique, telle était l'alternative que m'imposait la destinée ! Un soir, dans un bois... au bord d'une mare..., après une mélancolique promenade, où ses yeux, à elle, réfléchissaient la douceur du ciel, et où mon cœur, à moi, était crispé comme l'enfer[3]...

— Quoi !

— Comment !

— Que voulez-vous dire ?

— C'était inévitable. J'ai trop le sentiment de l'équité pour battre, outrager ou congédier un serviteur irréprochable. Mais il fallait accorder ce sentiment avec l'horreur que cet être m'inspirait ; me débarrasser

---

1. « Folie » est à prendre, en pareil cas, au sens de « caprice ».
2. Ce « sans colère » a l'allure d'une citation. On peut penser au premier vers de « L'héautontimorouménos » (FM, p. 128) : « Je te frapperai sans colère / Et sans haine, comme un boucher. »
3. Ce qui rappelle le scénario de *L'Ivrogne* (inspiré de Pétrus Borel), à ceci près que Baudelaire plaçait la scène dans un milieu prolétarien. C'est le thème de l'ouvrier qui « en veut surtout à sa femme de sa résignation, de sa douceur, de sa patience, de sa vertu ».

de cet être sans lui manquer de respect. Que vouliez-vous que je fisse d'elle, *puisqu'elle était parfaite* ? »

Les trois autres compagnons regardèrent celui-ci, avec un regard vague et légèrement hébété, comme feignant de ne pas comprendre et comme avouant implicitement qu'ils ne se sentaient pas, quant à eux, capables d'une action aussi rigoureuse, quoique suffisamment expliquée d'ailleurs.

Ensuite on fit apporter de nouvelles bouteilles, pour tuer le Temps[1] qui a la vie si dure, et accélérer la Vie qui coule si lentement.

---

1. Baudelaire réactive ainsi l'expression populaire pour mieux s'opposer au Temps, le grand Ennemi. Seule la version du manuscrit porte une majuscule. En revanche, la version de la *Revue nationale et étrangère* et celle de l'édition de 1869 n'en portent pas. Il semble judicieux de la laisser, pour conférer au mot son habituelle valeur allégorique chez Baudelaire.

XLIII

Le galant tireur

Comme la voiture traversait le bois[1], il la fit arrêter dans le voisinage d'un tir, disant qu'il lui serait agréable de tirer quelques balles pour *tuer* le Temps[2]. Tuer ce monstre-là[3], n'est-ce pas l'occupation la plus ordinaire et la plus légitime de chacun ? – Et il offrit galamment la main à sa chère, délicieuse et exécrable femme, à cette mystérieuse femme à laquelle il doit tant de plaisirs, tant de douleurs, et peut-être aussi une grande partie de son génie[4].

Plusieurs balles frappèrent loin du but proposé ; l'une d'elles s'enfonça même dans le plafond ; et comme la charmante créature riait follement, se moquant de la maladresse de son époux, celui-ci se tourna brusquement vers elle, et lui dit : « Observez cette poupée, là-bas, à droite, qui porte le nez en l'air et qui a la mine si hautaine. Eh bien ! cher ange, *je me figure que c'est vous.* » Et il ferma les yeux et il lâcha la détente. La poupée fut nettement décapitée.

---

1. Le bois désigne un lieu public de promenade ; mais, étant donné l'époque où ce poème fut vraisemblablement écrit, il s'agit d'un bois proche de Bruxelles, et non du bois de Boulogne, comme on aurait pu le croire d'abord.   **2.** Cette expression, soulignée, relie ce texte à celui qui le précède.   **3.** Le Temps, dans « La chambre double » (p. 71), est montré comme un « hideux vieillard », et dans « L'horloge » (FM, p. 130) comme un monstre, « dieu sinistre, effrayant, impassible ».   **4.** Le génie du poète s'est formé en réaction contre la pensée et le comportement de la femme, qui représente pour lui une Muse paradoxale.

Alors s'inclinant vers sa chère, sa délicieuse, son exécrable femme [1], son inévitable et impitoyable Muse, et lui baisant respectueusement la main, il ajouta : « Ah ! mon cher ange, combien je vous remercie de mon adresse ! »

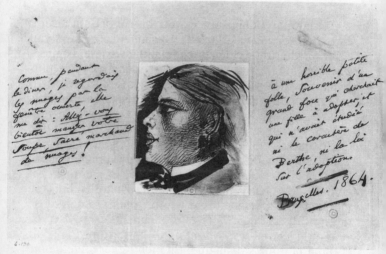

Feuille de papier bulle portant, collé sur papier blanc, un portrait à la plume de Berthe par Baudelaire et, sur sa partie gauche, la citation autographe incomplète de la fin de « La soupe et les nuages ». (Bibliothèque littéraire Jacques Doucet, cote alpha 9019.) © Bibliothèque littéraire Jacques Doucet/photo Suzanne Nagy.

---

1. Répétition qui, au-delà du procédé stylistique, signale l'intensité fatale d'une relation contradictoire.

XLIV

La soupe et les nuages

Ma petite folle bien aimée me donnait à dîner, et par la fenêtre ouverte de la salle à manger je contemplais les mouvantes architectures que Dieu fait avec les vapeurs, les merveilleuses constructions de l'impalpable[1] ; – et je me disais, à travers ma contemplation : « – Toutes ces fantasmagories sont presque aussi belles que les vastes yeux de ma bien aimée, la petite folle monstrueuse aux yeux verts[2]. »

Et tout à coup je reçus un violent coup de poing dans le dos, et j'entendis une voix rauque et charmante, une voix hystérique[3] et comme enrouée par l'eau-de-vie[4], la voix de ma chère petite bien aimée, qui disait : « Allez-vous bientôt manger votre soupe, sacré bougre de marchand de nuages[5] ! »

---

1. Ces nuages apparaissaient déjà dans « L'étranger » (p. 62), où ils étaient pareillement qualifiés de « merveilleux ».   2. La femme aux yeux verts est celle des « Yeux des pauvres » et des « Bienfaits de la lune » (p. 137 et 178).   3. Dans « Laquelle est la vraie ? » (p. 181), la fausse Bénédicta est, elle aussi, présentée comme « hystérique ».   4. Cette précision caractérisait aussi la Diablesse des « Tentations » (p. 122), dont la voix avait « un peu de l'enrouement des gosiers incessamment lavés par l'eau-de-vie ».   5. C'est une façon moqueuse de désigner le poète, qui commerce de ses rêveries. « Il joue avec le vent, cause avec le nuage », dit le poème « Bénédiction » (FM, p. 52). Le deuxième enfant des « Vocations » (p. 160) se montre aussi séduit par les nuages.

XLV

Le tir et le cimetière

— *À la vue du Cimetière. – Estaminet.*

« Singulière enseigne, se dit notre promeneur, mais bien faite pour donner soif ! À coup sûr, le maître de ce cabaret sait apprécier Horace et les poètes élèves d'Épicure [1]. Peut-être même connaît-il le raffinement profond des anciens Égyptiens, pour qui il n'y avait pas de bon festin sans squelette ou sans un emblème quelconque de la brièveté de la vie [2]. »

Et il entra, but un verre de bière en face des tombes [3], et fuma lentement un cigare. Puis la fantaisie le prit de descendre dans ce cimetière, dont l'herbe était si haute et si invitante, et où régnait un si riche soleil.

En effet, la lumière et la chaleur y faisaient rage, et

---

1. On trouve dans l'œuvre du grand poète latin Horace, disciple du philosophe Épicure au sens le plus profond du terme, maints passages où la préoccupation de la mort apparaît au milieu des fêtes : *Odes*, I, 4 ; II, 3 ; III, 39 ; *Satires*, II, 6 ; *Épîtres*, I, 4. **2.** Référence se fait ici à Montaigne (*Essais*, I, 20) qui cite Hérodote assurant qu'en Égypte, lors des banquets, on montrait « une figurine de bois dans un cercueil à chaque convive, en l'engageant à profiter de la vie avant de mourir ». **3.** Le jeu de mots implicite avec le mot « bière » désignant une caisse où l'on dépose le cadavre serait moins évident que certains ne l'ont prétendu, si n'existait à propos de ce poème une note de Baudelaire lui-même dans *La Belgique déshabillée* (voir ici même p. 237, n. 1) où il dit avoir vu une « bière à la porte d'un cabaret », le mot « bière » signifiant donc bien, en ce cas, la caisse mortuaire. Les croquemorts étaient d'ailleurs traditionnellement réputés pour être de fieffés ivrognes.

l'on eût dit que le soleil ivre se vautrait tout de son long [1] sur un tapis de fleurs magnifiques engraissées [2] par la destruction. Un immense bruissement de vie remplissait l'air – la vie des infiniment petits – coupé à intervalles réguliers par la crépitation des coups de feu d'un tir voisin, qui éclataient comme l'explosion des bouchons de champagne [3] dans le bourdonnement d'une symphonie en sourdine.

Alors, sous le soleil qui lui chauffait le cerveau et dans l'atmosphère des ardents parfums de la Mort [4], il entendit une voix chuchoter sous la tombe où il s'était assis. Et cette voix disait : « Maudites soient vos cibles et vos carabines, turbulents vivants qui vous souciez si peu des défunts et de leur divin repos ! Maudites soient vos ambitions, maudits soient vos calculs, mortels impatients, qui venez étudier l'art de tuer près du sanctuaire de la Mort ! Si vous saviez comme le prix est facile à gagner, comme le but est facile à toucher, et combien tout est néant, excepté la Mort, vous ne vous fatigueriez pas tant, laborieux vivants, et vous troubleriez moins souvent le sommeil de ceux qui, depuis longtemps, ont mis dans le but [5], dans le seul vrai but de la détestable vie ! »

---

1. Le soleil est personnifié d'une façon triviale, à l'image d'un ivrogne.   **2.** Le mot est impropre, mais intensifie l'image. Dans « Une charogne » (FM, p. 79), Baudelaire évoque aussi « les floraisons grasses ».   **3.** La métaphore redouble en échos le climat de fête voisin du lieu funèbre.   **4.** Expression raccourcie pour désigner les fleurs qui, poussant dans la terre des morts, exhalent leurs parfums.   **5.** L'expression, presque triviale, signifie « toucher la cible » et banalise ironiquement la mort. Tout différent est le but de « mystique nature » désigné dans « La mort des artistes » (FM, p. 183) et qui correspond à l'œuvre d'art elle-même.

XLVI

Perte d'auréole

« Eh ! quoi ! vous ici, mon cher ? Vous, dans un mauvais lieu ! vous, le buveur de quintessences ! vous, le mangeur d'ambroisie[1] ! En vérité, il y a là de quoi me surprendre.

— Mon cher, vous connaissez ma terreur des chevaux et des voitures. Tout à l'heure, comme je traversais le boulevard, en grande hâte, et que je sautillais dans la boue, à travers ce chaos mouvant où la mort arrive au galop de tous les côtés à la fois, mon auréole[2], dans un mouvement brusque, a glissé de ma tête dans la fange du macadam. Je n'ai pas eu le courage de la ramasser. J'ai jugé moins désagréable de perdre mes insignes que de me faire rompre les os. Et puis, me suis-je dit, à quelque chose malheur est bon. Je puis maintenant me promener incognito, faire des actions basses, et me livrer à la crapule[3], comme les simples mortels. Et me voici, tout semblable à vous, comme vous voyez !

---

1. Voir « Bénédiction » (FM, p. 52) : « L'enfant déshérité s'enivre de soleil, / Et dans tout ce qu'il boit et dans tout ce qu'il mange / Retrouve l'ambroisie et le nectar vermeil. » Voir aussi le projet d'« Épilogue » (FM, p. 244) : « Car j'ai de chaque chose extrait la quintessence. »   2. Image de la gloire, mais aussi – comme dit Jean Starobinski – « signe surnaturel de la sainteté hybride » de Baudelaire. Voir aussi l'auréole invisible du bouffon Fancioulle dans « Une mort héroïque » (p. 141).   3. La crapule désigne, en ce cas, la débauche plus que ceux qui la pratiquent.

— Vous devriez au moins faire afficher[1] cette auréole, ou la faire réclamer par le commissaire.

— Ma foi ! non. Je me trouve bien ici[2]. Vous seul, vous m'avez reconnu. D'ailleurs la dignité m'ennuie. Ensuite je pense avec joie que quelque mauvais poëte la ramassera et s'en coiffera impudemment. Faire un heureux, quelle jouissance ! et surtout un heureux qui me fera rire ! Pensez à X, ou à Z ! Hein ! comme ce sera drôle[3] ! »

---

1. Proclamer par voie d'affiche la perte de cette auréole.
2. On pense, entre autres lieux de plaisir, au *Casino* de la rue Cadet, que Baudelaire fréquentait avec le peintre Constantin Guys.
3. Baudelaire, en effet, à la fin de sa vie, n'avait que peu de sympathie pour les poètes de la nouvelle génération. « Ils me font une peur de chien », écrit-il à Troubat le 5 mars 1866 (C, II, p. 626) et, le même jour, à sa mère : « Je ne connais rien de plus compromettant que les imitateurs et je n'aime rien tant que d'être seul. Mais ce n'est pas possible ; et il paraît que *l'école Baudelaire* existe » (C, II, p. 625).

XLVII

Mademoiselle Bistouri

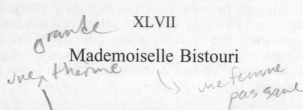

Comme j'arrivais à l'extrémité du faubourg, sous les éclairs du gaz, je sentis un bras qui se coulait doucement sous le mien, et j'entendis une voix qui me disait à l'oreille : « Vous êtes médecin, monsieur ? »

Je regardai ; c'était une grande fille, robuste, aux yeux très ouverts, légèrement fardée, les cheveux flottant au vent avec les brides de son bonnet.

« – Non ; je ne suis pas médecin. Laissez-moi passer.

— Oh ! si ! vous êtes médecin. Je le vois bien. Venez chez moi. Vous serez bien content de moi, allez !

— Sans doute, j'irai vous voir, mais plus tard, *après le médecin*, que Diable !...

Ah ! ah ! – fit-elle, toujours suspendue à mon bras, et en éclatant de rire, – vous êtes un médecin farceur, j'en ai connu plusieurs dans ce genre-là. Venez. »

J'aime passionnément le mystère, parce que j'ai toujours l'espoir de le débrouiller[1]. Je me laissai donc entraîner par cette compagne, ou plutôt par cette énigme inespérée.

J'omets la description du taudis, on peut la trouver dans plusieurs vieux poètes français bien connus. Seu-

---

1. Sa fréquentation des textes de Poe a transformé Baudelaire en amateur de mystères et d'énigmes à résoudre.

lement, détail non aperçu par Régnier[1], deux ou trois portraits de docteurs célèbres étaient suspendus aux murs.

Comme je fus dorloté ! Grand feu, vin chaud, cigares ; et en m'offrant ces bonnes choses et en allumant elle-même un cigare, la bouffonne créature me disait : « Faites comme chez vous, mon ami, mettez-vous à l'aise. Ça vous rappellera l'hôpital et le bon temps de la jeunesse. – ah çà, où donc avez-vous gagné ces cheveux blancs ? Vous n'étiez pas ainsi, il n'y a pas encore bien longtemps, quand vous étiez interne de L. Je me souviens que c'était vous qui l'assistiez dans les opérations graves. En voilà un homme qui aime couper, tailler et rogner ! C'était vous qui lui tendiez les instruments, les fils et les éponges. – Et comme, l'opération faite, il disait fièrement, en regardant sa montre : "Cinq minutes, Messieurs !" – Oh ! moi, je vais partout. Je connais bien ces messieurs. »

Quelques instants plus tard, me tutoyant, elle reprenait son antienne[2], et me disait : « Tu es médecin, n'est-ce pas, mon chat ? »

Cet inintelligible refrain me fit sauter sur mes jambes. « Non ! criai-je furieux.

— Chirurgien, alors ?

— Non ! non ! à moins que ce ne soit pour te couper la tête ! Sacré Saint Ciboire de Sainte Maquerelle[3] !

— Attends, reprit-elle, tu vas voir. »

Et elle tira d'une armoire une liasse de papiers, qui n'était autre chose que la collection des portraits des médecins illustres de ce temps, lithographiés par Mau-

---

1. Mathurin Régnier (1563-1613), auteur de *Satires*, admiré de Baudelaire. Voir la satire VI, *Le Mauvais Giste*. **2.** Formule religieuse répétée de façon lassante. **3.** Juron excessif, mêlant le sacré (le blasphème) et le prostitutionnel. Il correspond bizarrement aux paroles de l'Éros des « Tentations » (p. 119) assurant : « Buvez ; ceci est mon sang », la substitution du ciboire au calice prenant ainsi tout son sens.

rin[1], qu'on a pu voir étalée pendant plusieurs années sur le quai Voltaire.

« Tiens ! le reconnais-tu, celui-ci ?

— Oui ! c'est X. Le nom est au bas, d'ailleurs. Mais je le connais personnellement.

— Je savais bien ! Tiens ! Voilà Z. celui qui disait à son cours, en parlant de X. : "Ce monstre qui porte sur son visage la noirceur de son âme[2] !" Tout cela, parce que l'autre n'était pas de son avis dans la même affaire[3] ! Comme on riait de ça, à l'École, dans le temps ! Tu t'en souviens ? – Tiens, voici K., celui qui dénonçait au gouvernement les insurgés qu'il soignait à son hôpital. – C'était le temps des émeutes[4]. – Comment est-ce possible qu'un si bel homme ait si peu de cœur ? – Voici maintenant W., un fameux médecin anglais ; je l'ai attrapé à son voyage à Paris. Il a l'air d'une demoiselle, n'est-ce pas ? »

Et comme je touchais à un paquet ficelé, posé aussi sur le guéridon : « Attends un peu, dit-elle ; – ça, c'est les internes, et ce paquet-ci, c'est les externes. »

Et elle déploya en éventail une masse d'images photographiques, représentant des physionomies beaucoup plus jeunes.

« Quand nous nous reverrons, tu me donneras ton portrait, n'est-ce pas ?

— Mais, lui dis-je, suivant à mon tour, moi aussi, mon idée fixe, – pourquoi me crois-tu médecin ?

— C'est que tu es si gentil ! et si bon pour les femmes !

---

1. Nicolas-Eustache Maurin (1799-1850) avait fait avec Belliard *Les Célébrités contemporaines* [...] *ou portraits des personnes de notre époque* (1842) où pouvaient se voir des portraits de Broussais, Dupuytren, Larrey, Roux, etc.   **2.** L'expression, très XVIIIe, fait penser à certains passages de Sade. On trouve dans Laclos, pour décrire Mme de Merteuil défigurée par la petite vérole : « À présent son âme était sur sa figure » (lettre CLXXV, de Mme de Volanges à Mme de Rosemonde).   **3.** Cette phrase a été ajoutée sur le manuscrit.   **4.** Cette phrase a été ajoutée sur le manuscrit.

— Singulière logique ! me dis-je en moi-même.

— Oh ! je ne m'y trompe guère ; j'en ai connu un bon nombre. J'aime tant ces messieurs, que, bien que je ne sois pas malade, je vais quelquefois les voir, rien que pour les voir. Il y en a qui me disent froidement : "Vous n'êtes pas malade[1] du tout !" Mais il y en a d'autres qui me comprennent, parce que je leur fais des mines.

— Et quand ils ne te comprennent pas... ?

— Dame ! comme je les ai dérangés *inutilement*, je laisse dix francs sur la cheminée. – C'est si bon et si doux, ces hommes-là ! – J'ai découvert à la Pitié un petit interne, qui est joli comme un ange, et qui est poli ! et qui travaille, le pauvre garçon ! Ses camarades m'ont dit qu'il n'avait pas le sou, parce que ses parents sont des pauvres qui ne peuvent rien lui envoyer. Cela m'a donné confiance. Après tout, je suis assez belle femme, quoique pas trop jeune. Je lui ai dit : "Viens me voir, viens me voir souvent. Et avec moi, ne te gêne pas ; je n'ai pas besoin d'argent." Mais tu comprends que je lui ai fait entendre ça par une foule de façons ; je ne le lui ai pas dit tout crûment ; j'avais si peur de l'humilier, ce cher enfant ! – Eh bien ! croirais-tu que j'ai une drôle d'envie que je n'ose pas lui dire ? – Je voudrais qu'il vînt me voir avec sa trousse et son tablier, même avec un peu de sang dessus ! »

Elle dit cela d'un air fort candide, comme un homme sensible dirait à une comédienne qu'il aimerait : « Je veux vous voir vêtue du costume que vous portiez dans ce fameux rôle que vous avez créé[2]. »

Moi, m'obstinant, je repris : « Peux-tu te souvenir de l'époque et de l'occasion où est née en toi cette passion si particulière ? »

Difficilement je me fis comprendre ; enfin j'y par-

---

1. La maladie, en l'occurrence, renvoie aux maladies vénériennes et surtout à la syphilis. **2.** Samuel Cramer, aimant la Fanfarlo, avait avec elle dans l'intimité de pareilles exigences, et souhaitait qu'elle revêtît l'habit d'un de ses rôles. *La Fanfarlo* est l'un des premiers textes publiés par Baudelaire, en 1847.

vins. Mais alors, elle me répondit d'un air très triste, et même, autant que je peux me souvenir, en détournant les yeux : « Je ne sais pas... je ne me souviens pas. »

Quelles bizarreries ne trouve-t-on pas dans une grande ville, quand on sait se promener et regarder [1] ? La vie fourmille de monstres innocents [2]. – Seigneur, mon Dieu ! vous, le Créateur, vous, le Maître ; vous qui avez fait la Loi et la Liberté ; vous, le Souverain qui laissez faire, vous, le Juge qui pardonnez ; vous qui êtes plein de motifs et de causes, et qui avez peut-être mis dans mon esprit le goût de l'horreur pour convertir mon cœur, comme la guérison au bout d'une lame ; Seigneur, ayez pitié, ayez pitié des fous et des folles [3] ! Ô Créateur ! peut-il exister des *monstres* aux yeux de Celui-là seul qui sait pourquoi ils existent, comment ils *se sont faits* et comment ils auraient pu *ne pas se faire* [4] ?

_____

1. Le Baudelaire promeneur parisien s'affirme de nouveau dans ce passage.   2. La monstruosité est parfois proche de l'infini (voir « Femmes damnées. Delphine et Hippolyte » dans *Pièces condamnées* (FM, p. 213).   3. Le poème se conclut sur une prière (comme « À une heure du matin », p. 85) et plus spécialement sur un *Kyrié* (« ayez pitié »). Comparer avec « Femmes damnées » (pièce conservée dans *Les Fleurs du Mal*) dans les deux derniers quatrains : « Ô vierges, ô démons, ô monstres, ô martyres / [...] / Pauvres sœurs, je vous aime autant que je vous plains [...]. »   4. Cette « prière » finale a été mise en épigraphe par François Mauriac à son roman *Thérèse Desqueyroux* (1927).

XLVIII

Any where out of the world

N'importe où hors du monde

métapher

Cette vie est un hôpital où chaque malade est possédé du désir de changer de lit[1]. Celui-ci voudrait souffrir en face du poêle, et celui-là croit qu'il guérirait à côté de la fenêtre.

Il me semble que je serais toujours bien là où je ne suis pas, et cette question de déménagement en est une que je discute sans cesse avec mon âme.

« Dis-moi, mon âme[2], pauvre âme refroidie, que penserais-tu d'habiter Lisbonne[3] ? Il doit y faire chaud,

---

1. Par deux fois on trouve dans l'œuvre de Baudelaire cette expression qui provient du livre du philosophe Emerson, *The Conduct of Life*, dernier chapitre : « *Like sick men in hospitals, we change only from bed to bed, from one folly to another.* » On peut la lire aussi dans la traduction, faite par le fils de Gautier, des *Contes bizarres* d'Achim von Arnim (1856) : « En vain fuyait-il la mort et allait-il d'une ville à l'autre, comme un malade qui veut changer de vie à chaque instant. » Voir aussi les paroles du quatrième enfant des « Vocations » (p. 162) : « Je ne suis jamais bien nulle part, et il me semble toujours que je serais mieux ailleurs que là où je suis. » **2.** Dialogue de l'introspection cher à Baudelaire, mais que l'on trouve déjà dans le « Débat du cœur et du corps » de Villon. **3.** Le choix de Lisbonne, outre qu'il s'agit d'une ville méridionale, s'explique peut-être aussi par le fait que de ce port sont partis de grands navigateurs pour découvrir le monde. Mais la ville est présentée comme celle que décrit Baudelaire dans son « Rêve parisien » (FM, p. 156) : « J'avais banni de ces spectacles / Le végétal irrégulier, / Et, peintre fier de mon génie, / Je savourais dans mon tableau / L'enivrante monotonie / Du métal, du marbre et de l'eau. »

et tu t'y ragaillardirais comme un lézard. Cette ville est au bord de l'eau ; on dit qu'elle est bâtie en marbre, et que le peuple y a une telle haine du végétal, qu'il arrache tous les arbres. Voilà un paysage selon ton goût ; un paysage fait avec la lumière et le minéral, et le liquide pour les réfléchir ! »

Mon âme ne répond pas.

« Puisque tu aimes tant le repos, avec le spectacle du mouvement, veux-tu venir habiter la Hollande[1], cette terre béatifiante ? Peut-être te divertiras-tu dans cette contrée dont tu as souvent admiré l'image dans les musées. Que penserais-tu de Rotterdam, toi qui aimes les forêts de mâts, et les navires amarrés au pied des maisons ? »

Mon âme reste muette.

« Batavia[2] te sourirait peut-être davantage ? Nous y trouverions d'ailleurs l'esprit de l'Europe marié à la beauté tropicale. »

Pas un mot. – Mon âme serait-elle morte ?

« En es-tu donc venue à ce point d'engourdissement que tu ne te plaises que dans ton mal ? S'il en est ainsi, fuyons vers les pays qui sont les analogies de la Mort. – Je tiens notre affaire, pauvre âme ! Nous ferons nos malles pour Tornéo[3]. Allons plus loin encore, à l'extrême bout de la Baltique ; encore plus loin de la vie, si c'est possible ; installons-nous au pôle. Là le soleil ne frise qu'obliquement la terre, et les lentes alternatives de la lumière et de la nuit suppriment la variété et augmentent la monotonie, cette moitié du néant. Là,

---

1. La Hollande pour Baudelaire constitue une autre terre rêvée, celle de « L'invitation au voyage » (en vers et en prose) – « Béatifiante », elle apporte le bonheur. 2. Capitale de Java et des Indes néerlandaises. Aujourd'hui Djakarta. 3. Il s'agit, en fait, de l'actuelle Tornio (Torneaa), port de Finlande, sur les bords du fleuve Torne, face à la ville suédoise d'Haparanda.

nous pourrons prendre de longs bains de ténèbres[1], cependant que, pour nous divertir, les aurores boréales nous enverront de temps en temps leurs gerbes roses, comme des reflets d'un feu d'artifice de l'Enfer ! »

Enfin, mon âme fait explosion, et sagement elle me crie : « N'importe où ! n'importe où ! pourvu que ce soit hors de ce monde ! »

---

1. Les « bains de ténèbres » se lisaient déjà dans « À une heure du matin » (p. 83). On relève ensuite, à propos de l'aurore boréale, une association déjà faite par Baudelaire dans *Le Peintre de la vie moderne* (chap. XII) : « Sur un fond d'une lumière infernale ou sur un fond d'aurore boréale, rouge, orangé, sulfureux, rose (le rose révélant une idée d'extase dans la frivolité), quelquefois violet [...] sur ces fonds magiques [...] s'enlève l'image variée de la beauté interlope. »

une battre avec
un SDF

XLIX

Assommons les pauvres !

Pendant quinze jours je m'étais confiné dans ma chambre, et je m'étais entouré des livres à la mode dans ce temps-là (il y a seize ou dix-sept ans[1]) ; je veux parler des livres où il est traité de l'art de rendre les peuples heureux, sages et riches, en vingt-quatre heures. J'avais donc digéré, – avalé, veux-je dire, – toutes les élucubrations de tous ces entrepreneurs de bonheur public[2], – de ceux qui conseillent à tous les pauvres de se faire esclaves, et de ceux qui leur persuadent qu'ils sont tous des rois détrônés. – On ne trouvera pas surprenant que je fusse alors dans un état d'esprit avoisinant le vertige ou la stupidité.

Il m'avait semblé seulement que je sentais, confiné au fond de mon intellect, le germe obscur d'une idée supérieure à toutes les formules de bonne femme[3] dont j'avais récemment parcouru le dictionnaire. Mais ce n'était que l'idée d'une idée, quelque chose infiniment vague.

Et je sortis, avec une grande soif. Car le goût pas-

---

1. Ce qui renvoie vraisemblablement aux années 1848 et situe la rédaction du poème en 1864 ou 1865. **2.** Ces « entrepreneurs de bonheur public » (on appréciera l'ironie de la formule) sont évidemment les utopistes et les philanthropes de ces années-là, tout le socialisme français du temps et les suppôts de *La Presse* et du *Siècle*. Mais, plus loin, Baudelaire distingue l'utopie paternaliste et l'utopie démocratique. **3.** Paroles rabâchées sans intelligence ni efficacité.

sionné des mauvaises lectures engendre un besoin proportionnel du grand air et des rafraîchissants.

Comme j'allais entrer dans un cabaret, un mendiant me tendit son chapeau, avec un de ces regards inoubliables qui culbuteraient les trônes, si l'esprit remuait la matière, et si l'œil d'un magnétiseur[1] faisait mûrir les raisins.

En même temps, j'entendis une voix qui chuchotait à mon oreille, une voix que je reconnus bien ; c'était celle d'un bon Ange, ou d'un bon Démon, qui m'accompagne partout[2]. Puisque Socrate avait son bon Démon, pourquoi n'aurais-je pas mon bon Ange, et pourquoi n'aurais-je pas l'honneur, comme Socrate, d'obtenir mon brevet de folie, signé du subtil Lélut[3] et du bien-avisé Baillarger ?

Il existe cette différence entre le Démon de Socrate et le mien, que celui de Socrate ne se manifestait à lui que pour défendre, avertir, empêcher, et que le mien daigne conseiller, suggérer, persuader. Ce pauvre Socrate n'avait qu'un Démon prohibiteur ; le mien est un grand affirmateur, le mien est un Démon d'action, un Démon de combat.

Or, sa voix me chuchotait ceci : « Celui-là seul est l'égal d'un autre, qui le prouve, et celui-là seul est digne de la liberté, qui sait la conquérir. »

Immédiatement, je sautai sur mon mendiant. D'un

---

1. Le magnétisme sévissait alors, encouragé par les idées des penseurs paramystiques du siècle précédent (Mesmer, etc.). **2.** Ce Démon renvoie aux « Démons malicieux » mentionnés dans « Le mauvais vitrier » (p. 80).   **3.** Louis-Francisque Lélut avait très précisément parlé de ces questions dans son livre *Du Démon de Socrate : spécimen d'une application de la science psychologique à celle de l'histoire* (Trinquert, 1836), résumé dans *Des hallucinations* (2e éd., 1852) de Brierre de Boismont, médecin aliéniste proche de Baudelaire, qui l'avait connu lors des fantasias hachischines de l'hôtel Pimodan. Sur le démon de Socrate, voir aussi Montaigne (*Essais*, I). Baillarger donnait des cours à La Salpêtrière, où il exerçait, et Barbara, ami de Baudelaire, lui dédiera l'un de ses livres, *Les Détraqués* (C. Lévy, 1881).

seul coup de poing, je lui bouchai un œil, qui devint, en une seconde, gros comme une balle. Je cassai un de mes ongles à lui briser deux dents, et comme je ne me sentais pas assez fort, étant né délicat et m'étant peu exercé à la boxe, pour assommer rapidement ce vieillard, je le saisis d'une main par le collet de son habit, de l'autre, je l'empoignai à la gorge, et je me mis à lui secouer vigoureusement la tête contre un mur. Je dois avouer que j'avais préalablement inspecté les environs d'un coup d'œil, et que j'avais vérifié que dans cette banlieue déserte je me trouvais, pour un assez long temps, hors de la portée de tout agent de police.

Ayant ensuite, par un coup de pied lancé dans le dos, assez énergique pour briser les omoplates, terrassé ce sexagénaire affaibli, je me saisis d'une grosse branche d'arbre qui traînait à terre, et je le battis avec l'énergie obstinée des cuisiniers qui veulent attendrir [1] un *beefsteak*.

Tout à coup, – ô miracle ! ô jouissance du philosophe qui vérifie l'excellence de sa théorie ! – je vis cette antique carcasse se retourner, se redresser avec une énergie que je n'aurais jamais soupçonnée dans une machine [2] si singulièrement détraquée, et, avec un regard de haine qui me parut *de bon augure* [3], le malandrin décrépit se jeta sur moi, me pocha les deux yeux, me cassa quatre dents, et avec la même branche d'arbre me battit dru comme plâtre [4]. – Par mon énergique médication, je lui avais donc rendu l'orgueil et la vie.

Alors, je lui fis force signes pour lui faire

---

1. Rendre plus tendre en martelant la chair.   **2.** Se dit familièrement de l'assemblage du corps. On observe un même emploi du mot dans le poème « J'aime le souvenir de ces époques nues... » (FM, p. 56) où Baudelaire, évoquant les hommes d'autrefois, parle de « la santé de leur noble machine ».   **3.** Expression figée : « qui laisse prévoir une suite heureuse ». Elle est humoristique, car l'événement prévisible n'est autre que la sévère correction que Baudelaire va recevoir à son tour.   **4.** Frapper excessivement, comme lorsque l'on « gâche » du plâtre.

comprendre que je considérais la discussion comme finie, et me relevant avec la satisfaction d'un sophiste du Portique[1], je lui dis : « Monsieur, *vous êtes mon égal !* veuillez me faire l'honneur de partager avec moi ma bourse ; et souvenez-vous, si vous êtes réellement philanthrope, qu'il faut appliquer à tous vos confrères, quand ils vous demanderont l'aumône, la théorie que j'ai eu la *douleur* d'essayer sur votre dos. »

Il m'a bien juré qu'il avait compris ma théorie, et qu'il obéirait à mes conseils.

Qu'en dis-tu, citoyen Proudhon[2] ?

---

1. Par là, Baudelaire désigne ceux qui fréquentaient la Stoa, autrement dit le Portique d'Athènes, à savoir les stoïciens dont la règle était de « supporter » et « s'abstenir ». Dans une lettre à Sainte-Beuve du 14 juin 1858, il qualifiait du terme de stoïcien P.-J. Proudhon. – Ce qui ne l'empêchera pas d'écrire aussi : « La plume à la main, c'était un *bon bougre* ; mais il n'a pas été et n'eût jamais été, même sur le papier, un *Dandy* ! C'est ce que je ne lui pardonnerai jamais. Et c'est ce que j'exprimerai, dussé-je exciter la mauvaise humeur de toutes ces grosses bêtes, bien-pensantes, de l'*Univers* » (lettre à Sainte-Beuve, 2 janvier 1866 ; C, II, p. 563).
2. Phrase supprimée de l'édition posthume, mais qu'il convient de restituer. Proudhon était mort à Paris le 19 janvier 1865. Asselineau et Banville ont sans doute tenu à taire la pointe finale de Baudelaire.

L

Les bons chiens

À M. Joseph Stevens[1].

Je n'ai jamais rougi, même devant les jeunes écrivains de mon siècle, de mon admiration pour Buffon[2] ; mais aujourd'hui ce n'est pas l'âme de ce peintre de la nature pompeuse que j'appellerai à mon aide. Non.

Bien plus volontiers je m'adresserais à Sterne[3], et je lui dirais : « Descends du ciel, ou monte vers moi des Champs Élyséens, pour m'inspirer en faveur des bons chiens, des pauvres chiens, un chant digne de toi, sentimental farceur, farceur incomparable ; reviens à cali-

---

1. Peintre animalier (1819-1892), notamment de chiens. C'est à lui que revient le tableau décrit plus loin. Baudelaire en Belgique l'a fréquenté, ainsi que ses deux frères, Alfred et Arthur. **2.** Georges-Louis Leclerc, comte de Buffon (1707-1788). Baudelaire admirait son *Histoire naturelle*, plus pour le style que pour les sujets qu'elle traitait. Il se réfère encore à lui dans le compte rendu de *La Double Vie* d'Asselineau. **3.** Sterne est l'auteur de *Vie et opinions de Tristram Shandy* (1767), ouvrage très apprécié des romantiques. L'épisode de l'âne au macaron se trouve au septième livre (chap. XXXII). Dans son *Salon de 1859*, à propos du peintre Legros, Baudelaire avait déjà mentionné cette scène. Shandy, voyant son âne manger avec difficulté un artichaut, lui fait don d'un macaron et rétrospectivement note : « Aujourd'hui, en rapportant ce geste, le cœur me bat : car je me demande si le goût des concetti et le plaisir de voir comment un âne viendrait à bout d'un macaron n'y eurent pas plus de part qu'une bienveillante charité. »

fourchon sur ce fameux âne qui t'accompagne toujours dans la mémoire de la postérité ; et surtout que cet âne n'oublie pas de porter, délicatement suspendu entre ses lèvres, son immortel macaron ! »

Arrière la Muse académique ! Je n'ai que faire de cette vieille bégueule. J'invoque la Muse familière[1], la citadine, la vivante, pour qu'elle m'aide à chanter les bons chiens, les pauvres chiens, les chiens crottés, ceux-là que chacun écarte, comme pestiférés et pouilleux, excepté les pauvres dont ils sont les associés, et le poète qui les regarde d'un œil fraternel.

Fi du chien bellâtre, de ce fat quadrupède, danois, king-charles, carlin ou gredin[2], si enchanté de lui-même qu'il s'élance indiscrètement dans les jambes ou sur les genoux du visiteur, comme s'il était sûr de plaire, turbulent comme un enfant, sot comme une lorette[3], à moins qu'il ne soit insolent et hargneux, comme un domestique ! Fi surtout de ces serpents à quatre pattes, frissonnants et désœuvrés, qu'on nomme levrettes, et qui ne logent même pas dans leur museau pointu assez de flair pour suivre la piste d'un ami, ni dans leur tête aplatie assez d'intelligence pour jouer aux dominos !

À la niche, tous ces fatigants parasites ! Qu'ils retournent à leur niche soyeuse et capitonnée ! Je chante le chien crotté, le chien pauvre, le chien sans domicile, le chien flâneur, le chien saltimbanque, le chien dont l'instinct, comme celui du pauvre, du bohémien et de l'histrion[4], est merveilleusement aiguillonné par la nécessité,

---

1. Cette muse familière s'oppose donc à la muse lyrique, trop idéale, des *Fleurs du Mal*. **2.** Chiens fort prisés à l'époque. Le king-charles est un petit chien du groupe des épagneuls. Au XVIIIᵉ siècle, on l'appelait « gredin » ou « pyrame ». Un carlin est un petit dogue à poil ras, au museau écrasé. **3.** Au XIXᵉ siècle, la lorette désignait une jeune femme élégante et de mœurs faciles qui fréquentait plus spécialement à Paris le quartier de Notre-Dame de Lorette. **4.** Autant de caractéristiques qui rendent ces chiens proches des marginaux qu'aimait Baudelaire (l'histrion, le saltimbanque, le flâneur) et dans lesquels il voyait des équivalents de la fonction poétique.

cette si bonne mère, cette vraie patronne des intelligences !

Je chante les chiens calamiteux, soit ceux qui errent, solitaires, dans les ravines sinueuses des immenses villes, soit ceux qui ont dit à l'homme abandonné, avec des yeux clignotants et spirituels : « Prends-moi avec toi, et de nos deux misères nous ferons une espèce de bonheur ! »

« *Où vont les chiens ?* » disait autrefois Nestor Roqueplan[1] dans un immortel feuilleton qu'il a sans doute oublié, et dont moi seul, et Sainte-Beuve peut-être, nous nous souvenons encore aujourd'hui.

Où vont les chiens, dites-vous, hommes peu attentifs ? Ils vont à leurs affaires. Rendez-vous d'affaires, rendez-vous d'amour. À travers la brume, à travers la neige, à travers la crotte, sous la canicule mordante, sous la pluie ruisselante, ils vont, ils viennent, ils trottent, ils passent sous les voitures, excités par les puces, la passion, le besoin ou le devoir. Comme nous, ils se sont levés de bon matin, et ils cherchent leur vie ou courent à leurs plaisirs.

Il y en a qui couchent dans une ruine de la banlieue et qui viennent, chaque jour, à heure fixe, réclamer la sportule[2] à la porte d'une cuisine du Palais Royal ; d'autres qui accourent, par troupes, de plus de cinq lieues pour partager le repas que leur a préparé la cha-

---

1. Nestor Roqueplan (1804-1870) publiait une petite revue intitulée *Nouvelles à la main*. Mais l'expression ne désigne plus, comme au XVIIIe siècle, un journal manuscrit, mais des nouvelles imprimées sur la vie parisienne. Le passage rappelé par Baudelaire se trouvait sans doute dans *Le Constitutionnel*, où Roqueplan donnait régulièrement sa prose, mais il n'a pu y être localisé. On peut lire, en revanche, dans *Parisina* (Hetzel, 1869) : « Ce chien-là est celui qui va si vite et qui fait dire à tous ceux dont il frôle les pantalons : où vont les chiens ! il va... il va où la passion l'emporte. Tantôt c'est une chienne de qualité qui l'a remarqué et attiré par des coquetteries [...] » **2.** Panier que portaient les « clients » romains, quand ils venaient chercher la nourriture auprès de leur « patron ».

rité de certaines pucelles sexagénaires, dont le cœur inoccupé s'est donné aux bêtes, parce que les hommes imbéciles n'en veulent plus.

D'autres qui, comme des nègres marrons[1], affolés d'amour, quittent, à de certains jours, leur département, pour venir, à la ville, gambader, pendant une heure, autour d'une belle chienne, un peu négligée dans sa toilette, mais fière et reconnaissante.

Et ils sont tous très exacts, sans carnets, sans notes et sans portefeuilles.

Connaissez-vous la paresseuse Belgique, et avez-vous admiré, comme moi, tous ces chiens vigoureux[2] attelés à la charrette du boucher, de la laitière ou du boulanger, et qui témoignent, par leurs aboiements triomphants, du plaisir orgueilleux qu'ils éprouvent à rivaliser avec les chevaux ?

En voici deux qui appartiennent à un ordre encore plus civilisé. Permettez-moi de vous introduire dans la chambre du saltimbanque absent[3]. Un lit en bois peint, sans rideaux, des couvertures traînantes et souillées de punaises, deux chaises de paille, un poêle de fonte, un ou deux instruments de musique détraqués, oh ! le triste mobilier ! Mais regardez, je vous prie, ces deux personnages intelligents, habillés de vêtements à la fois éraillés[4] et somptueux, coiffés comme des troubadours ou des militaires, qui surveillent avec une attention de sorcier *l'œuvre sans nom*[5] qui mitonne sur le poêle allumé, et au centre de laquelle une longue cuiller de

---

1. Esclaves fugitifs, comme Hugo en avait présenté un dans son *Bug-Jargal*. **2.** Dans *La Belgique déshabillée*, Baudelaire note : « Beau chapitre à faire sur les vigoureux chiens, sur leur zèle et leur orgueil. On dirait qu'ils veulent humilier les chevaux. » Voir aussi les toiles de Joseph Stevens, *Métier de chien* (1852) au musée de Rouen, *Le Marchand de sable*, etc. **3.** Baudelaire décrit ici une autre toile de J. Stevens, *Intérieur de saltimbanque*, exposée au Salon de 1857. **4.** Usés jusqu'à la toile. **5.** Peut-être une traduction de « *a deed without a name* » (*Macbeth*, IV) pour désigner le contenu du chaudron que préparent les sorcières (voir J. Thélot, *Bulletin baudelairien*, déc. 1989, t. 24, n° 2, p. 61-66).

bois se dresse, plantée comme un de ces mâts aériens qui annoncent que la maçonnerie est achevée.

N'est-il pas juste que de si zélés comédiens ne se mettent pas en route sans avoir lesté leur estomac d'une soupe puissante et solide ? Et ne pardonnerez-vous pas un peu de sensualité à ces pauvres diables qui ont à affronter tout le jour l'indifférence du public et les injustices d'un directeur qui se fait la grosse part et mange à lui seul plus de soupe que quatre comédiens ?

Que de fois j'ai contemplé, riant et attendri, tous ces philosophes à quatre pattes[1], esclaves complaisants, soumis ou dévoués, que le dictionnaire républicain pourrait aussi bien qualifier d'*officieux*[2], si la république, trop occupée du *bonheur* des hommes, avait le temps de ménager l'*honneur* des chiens.

Et que de fois j'ai pensé qu'il y avait peut-être quelque part (qui sait, après tout ?) pour récompenser tant de courage, tant de patience et de labeur, un paradis spécial pour les bons chiens, les pauvres chiens, les chiens crottés et désolés ? Swedenborg affirme bien qu'il y en a un pour les Hollandais et un pour les Turcs[3].

Les Bergers de Virgile et de Théocrite attendaient, pour prix de leur chant alterné, un bon fromage, une flûte du meilleur faiseur, ou une chèvre aux mamelles

---

1. Expression pleine de sympathie pour le stoïcisme animal. Voir aussi l'âne dans « Un plaisant » (p. 66). **2.** Pendant la Révolution, ce nom servit un certain temps à désigner les domestiques. Voir dans *La Femme au collier de velours* d'A. Dumas (chap. 17) : « Monsieur, fit observer le garçon, on ne dit plus garçon, mais officieux. » **3.** Baudelaire était lecteur d'Emmanuel Swedenborg, savant et mystique suédois (1688-1772) dont il connaissait la théorie des correspondances. C'est dans *La Vraie Religion chrétienne* (t. III, trad. française de 1853) qu'il a pu lire « Des Hollandais dans le Monde spirituel » et, un peu plus loin, « Des Mahométans dans le Monde spirituel ».

gonflées[1]. Le poète qui a chanté les pauvres chiens a reçu pour récompense un beau gilet, d'une couleur à la fois riche et fanée, qui fait penser aux soleils d'automne, à la beauté des femmes mûres et aux étés de la Saint-Martin.

Aucun de ceux qui étaient présents dans la taverne de la rue Villa Hermosa n'oubliera avec quelle pétulance le peintre s'est dépouillé de son gilet en faveur du poète[2], tant il a bien compris qu'il était bon et honnête de chanter les pauvres chiens.

Tel un magnifique tyran italien du bon temps offrait au divin Arétin[3] soit une dague enrichie de pierreries, soit un manteau de cour, en échange d'un précieux sonnet ou d'un curieux poème satyrique.

Et toutes les fois que le poète endosse le gilet du peintre, il est contraint de penser aux bons chiens, aux chiens philosophes, aux étés de la Saint-Martin et à la beauté des femmes très mûres.

---

1. Dans les idylles et les bucoliques de ces deux poètes, l'un latin, l'autre grec, les bergers reçoivent pour prix de leurs concours de chants alternés les récompenses qu'énumère Baudelaire. **2.** L'anecdote est vraie et la scène se situait au *Prince of Wales*, 8, rue Villa-Hermosa, à Bruxelles, taverne où se retrouvaient certains Français, notamment les proscrits du Second Empire (voir, de Claude Pichois et Jean Ziegler, *Baudelaire*, p. 522). **3.** L'Arétin (1492-1556), auteur satirique italien, était connu pour ses ouvrages licencieux. Une traduction de ses *Œuvres choisies*, avec des notes de P.-L. Jacob et précédée de la vie abrégée de l'auteur, avait paru en 1845 chez Gosselin. En juillet 1858, dans la revue *L'Espérance* publiée à Jersey par Pierre Leroux, Baudelaire avait eu droit à cette misérable appréciation signée « Amédée Pouradier » : « M. Charles Baudelair [*sic*], l'Arétin moderne qui emploie un véritable talent à traiter des sujets infâmes. » – La graphie « satyrique » pour « satirique » est habituelle à Baudelaire.

Édouard Manet, *L'Enfant aux cerises*, 1859 ; Lisbonne, Fondation Calouste Gulbenkian.

DOSSIER

I

Listes de « poèmes à faire »

Comme nous l'avons signalé dans la Préface (p. 13), Baudelaire à la fin de l'année 1861 a envoyé à Arsène Houssaye plusieurs lettres concernant ses « petits poèmes en prose ». Dans l'une, écrite vers le 20 décembre, il donne à ceux-là le titre général de « La Lueur et la Fumée » (voir C, II, p. 197) et en annonce douze qui seraient déjà faits : « L'étranger », « Le désespoir de la vieille », « Le *Confiteor* de l'artiste », « La femme sauvage », « Éros, Plutus et la Gloire », « La belle Dorothée », « Souper avec Satan », « Un joueur généreux », « La chambre double », « La fin du monde », « Le nouveau Mithridate », « Du haut des Buttes-Chaumont ». On connaît le texte des neuf premiers (il est possible que « Souper avec Satan » et « Un joueur généreux » aient été confondus par la suite), mais on ignore le contenu des trois autres, indiqués, du reste, comme « poèmes à faire » sur des listes laissées par Baudelaire. Dans une autre lettre écrite à A. Houssaye à la Noël 1861, Baudelaire précise : « un titre comme *Le Promeneur solitaire* ou *Le Rôdeur parisien* vaudrait mieux peut-être » et annonce, à propos du « petit volume » qu'il confie à son correspondant : « J'ai dans l'idée qu'Hetzel y trouvera la matière d'un volume romantique à images » (C, II, p. 207-208).

Il existe à la Bibliothèque littéraire Jacques Doucet sous les cotes α 9021, 9023, primitivement encartées dans un exemplaire sur japon du tome IV des *Œuvres complètes* de 1869 ayant appartenu à Charles Asselineau (éditeur avec Banville du *Spleen de Paris* dans ce quatrième tome), trois listes de titres établies par Baudelaire et répertoriant des « poèmes à faire » pour *Le Spleen de Paris*.

Dans la première liste, les titres des poèmes sont énoncés et groupés sous trois rubriques : « Choses parisiennes », « Onéirocritie » (c'est-à-dire « interprétation des rêves ») et « Symboles et Moralités ». On retrouve, indiquées marginalement, ces trois dénominations, presque à l'identique (« Rêves » y remplace « Onéirocritie ») sur la deuxième liste.

La liste I comporte cinquante-quatre numéros répartis comme suit : « Choses parisiennes » (1 à 34), « Onéirocritie » (35 à 47), « Symboles et Moralités » (48 à 54, plus deux titres non numérotés).

La liste II comporte soixante-sept numéros (de 48 *bis* et *ter* à 112) où se retrouvent, avec quelques précisions, la plupart des titres de la liste I.

Une troisième liste, sans numéros, redistribue encore d'une autre façon dix-sept des titres indiqués sur les listes I et II.

Baudelaire a laissé, en outre, un certain nombre de notes en vue de poèmes en prose à faire, notamment une vision onirique, des notes très complètes pour « L'élégie des chapeaux » (voir OC, I, p. 372-373) et des indications concernant des tableaux ou des estampes (*La Cour des messageries* du peintre Louis Léopold Boilly et des gravures sur bois de l'Allemand Alfred Rethel : *La Mort comme bourreau* ; *Première Apparition du choléra à un bal masqué à Paris. 1831* ; *La Mort comme ami*) dont on retrouve les titres sur les listes mentionnées auparavant.

II

« La chanson du vitrier » d'Arsène Houssaye

Baudelaire, dans sa « lettre-préface » (p. 61), attache une importance suffisamment grande à « La chanson du vitrier » d'Arsène Houssaye (même s'il le fait avec une évidente ironie) pour qu'il paraisse judicieux de placer sous les yeux du lecteur un texte par ailleurs introuvable. « La chanson du vitrier », significativement dédiée à Hoffmann, appartient, avec « Jeanne et Madelène » et « Le rosier de la morte », à quelques poèmes en prose dits « modernes », placés dans un ensemble de poèmes en prose intitulé « La poésie primitive ». Il se trouve en tête de cette série, d'abord recueillie dans les *Poésies complètes* d'Arsène Houssaye (Charpentier, 1850), où Baudelaire, dès cette date, a pu en prendre connaissance. De ce texte philanthropique et languissant, nous donnons la majeure partie, à l'exception de quatre « couplets » particulièrement insipides où le « bon vitrier » conte sa déplorable histoire. « Le mauvais vitrier » du *Spleen de Paris* (voir p. 78) en présente, à coup sûr, la cinglante contrepartie.

LA CHANSON DU VITRIER

Dédié à Hoffmann

Oh ! vitrier !

Je descendais la rue du Bac ; j'écoutai, – moi seul au milieu de tous ces passants qui à pied ou en carrosse allaient au but, – à l'or, à l'amour, à la vanité, – j'écoutai cette chanson pleine de larmes.

Oh ! vitrier !

C'était un homme de trente-cinq ans, grand, pâle, maigre, longs cheveux, barbe rousse ; – Jésus-Christ et Paganini. – Il allait d'une porte à une autre, levant ses yeux abattus. Il était quatre heures. Le soleil couchant seul se montrait aux fenêtres. Pas une voix d'en haut ne descendait comme la manne sur celui qui était en bas. « Il faudra donc mourir de faim ! » murmura-t-il entre ses dents.

Oh ! vitrier !

« Quatre heures, poursuivit-il, et je n'ai pas encore déjeuné ! Quatre heures ! et pas un carreau de six sous depuis ce matin ! » En disant ces mots, il chancelait sur ses pauvres jambes de roseau. Son âme n'habitait plus qu'un spectre, qui, comme un dernier soupir, cria encore d'une voix éteinte :

Oh ! vitrier !

J'allai à lui. « Mon brave homme, il ne faut pas mourir de faim. » Il s'était appuyé sur le mur comme un homme ivre.

« Allons ! Allons ! » continuai-je en lui prenant le bras. Et je l'entraînai au cabaret, comme si j'en savais le chemin. Un petit enfant était au comptoir, qui cria de sa voix fraîche et gaie :

Oh ! vitrier !

Je trinquai avec lui. Mais ses dents claquèrent sur le verre, et il s'évanouit ; – oui, madame, il s'évanouit ; – ce qui lui causa un dégât de trois francs dix sous, la moitié de son capital ! car je ne pus empêcher ses carreaux de casser. Le pauvre homme revint à lui en disant encore :

Oh ! vitrier !

[...]

J'étais silencieux devant cette suprême misère ; je n'osais plus rien offrir à ce pauvre homme, quand le cabaretier lui dit : « Pourquoi donc ne vous recommandez-vous pas à quelque bureau de charité ? – Allons donc ! s'écria brusquement le vitrier, est-ce que je suis plus pauvre que les autres ? Toute la vermine de la place Maubert est logée à la même enseigne. Si nous voulions vivre à pleine gueule, comme on dit, nous mangerions le reste de Paris en quatre repas. »

Oh ! vitrier !

Il retourna à sa femme et à ses enfants, un peu moins triste que le matin, – non point parce qu'il avait rencontré la charité, mais parce que la fraternité avait trinqué avec lui. Et moi, je m'en revins avec cette musique douloureuse qui me déchire le cœur :

Oh ! vitrier !

III

Premiers états des textes

A. « Le crépuscule du soir » (p. 123) et « La solitude » (p. 126)

Nous présentons ici sous leur forme originale les deux premiers poèmes en prose de Baudelaire, tels qu'ils furent publiés, dans le collectif. *Hommage à C.-F. Denecourt. Fontainebleau. Paysages, Légendes, Souvenirs, Fantaisies* (Hachette, 1855), précédés d'une lettre de Baudelaire à Fernand Desnoyers, l'initiateur de ce volume collectif, et de deux poèmes en vers, intitulés « Le soir » et « Le matin », plus tard donnés dans *Les Fleurs du Mal* sous les titres de « Le crépuscule du soir » (FM, p. 147) et « Le crépuscule du matin » (FM, p. 158). Nous reproduisons la lettre imprimée à Desnoyers, mais ne citons pas « Le soir » et « Le matin ». Remarquons enfin que dans cette publication « Le crépuscule du soir » et « La solitude » sont disposés sous forme de versets séparés par des espaces blancs (comme les poèmes en prose d'Aloysius Bertrand).

———————

À FERNAND DESNOYERS

Mon cher Desnoyers, vous me demandez des vers pour votre petit volume, des vers sur la Nature, *n'est-ce pas ? sur les bois, les grands chênes, la verdure, les insectes, – le soleil, sans doute ? Mais vous savez bien que je suis incapable de m'attendrir sur les végétaux, et que mon âme est rebelle à cette singulière Religion nouvelle, qui aura toujours, ce me semble, pour tout être* spirituel *je ne sais quoi de* shocking. *Je ne croirai jamais que l'*âme *des Dieux habite dans les plantes, et, quand même elle y habiterait, je m'en soucierais médiocrement, et considérerais la mienne comme d'un bien plus haut prix que celle des légumes sanctifiés. J'ai même toujours pensé qu'il y avait dans la* Nature, *florissante et rajeunie, quelque chose d'affligeant, de dur, de cruel, – un je ne sais quoi qui frise l'impudence. Dans l'impossibilité de vous satisfaire complètement suivant les termes stricts du programme, je vous envoie deux morceaux poétiques, qui représentent à peu près la somme des rêveries dont je suis assailli aux heures crépusculaires. Dans le fond des bois, enfermé sous ces voûtes semblables à celles des sacristies et des cathédrales, je pense à nos étonnantes villes, et la prodigieuse musique qui roule sur les sommets me semble la traduction des lamentations humaines.*

C. B.

———————

Sont donnés ensuite « Le soir » et « Le matin ».

LE CRÉPUSCULE DU SOIR

La tombée de la nuit a toujours été pour moi le signal d'une fête intérieure et comme la délivrance d'une angoisse. Dans les bois comme dans les rues d'une grande ville, l'assombrissement du jour et le pointillement des étoiles ou des lanternes éclairent mon esprit.

Mais j'ai eu deux amis que le crépuscule rendait malades. L'un méconnaissait alors tous les rapports d'amitié et de politesse, et brutalisait sauvagement le premier venu. Je l'ai vu jeter un excellent poulet à la tête d'un maître d'hôtel. La venue du soir gâtait les meilleures choses.

L'autre, à mesure que le jour baissait, devenait plus aigre, plus sombre, plus taquin. Indulgent pendant la journée, il était impitoyable le soir ; – et ce n'était pas seulement sur autrui, mais sur lui-même que s'exerçait abondamment sa manie crépusculaire.

Le premier est mort fou, incapable de reconnaître sa maîtresse et son fils ; le second porte en lui l'inquiétude d'une insatisfaction perpétuelle. L'ombre qui fait la lumière dans mon esprit fait la nuit dans le leur. – Et, bien qu'il ne soit pas rare de voir la même cause engendrer deux effets contraires, cela m'intrigue et m'étonne toujours.

LA SOLITUDE

Il me disait aussi, – le second, – que la solitude était mauvaise pour l'homme, et il me citait, je crois, des paroles des Pères de l'Église. Il est vrai que l'esprit de meurtre et de lubricité s'enflamme merveilleusement dans les solitudes ; le démon fréquente les lieux arides.

Mais cette séduisante solitude n'est dangereuse que pour ces âmes oisives et divagantes qui ne sont pas gouvernées par une importante pensée active. Elle ne fut pas mauvaise pour Robinson Crusoé ; elle le rendit religieux, brave, industrieux ; elle le purifia, elle lui enseigna jusqu'où peut aller la force de l'individu.

N'est-ce pas La Bruyère qui a dit : « Ce grand malheur de ne pouvoir être seul ?... » Il en serait donc de la solitude comme du crépuscule ; elle est bonne et elle est mauvaise, criminelle et salutaire, incendiaire et calmante, selon qu'on en use, et selon qu'on a usé de la vie.

Quant à la jouissance, – les plus belles agapes fraternelles, les plus magnifiques réunions d'hommes électrisés par un plaisir commun n'en donneront jamais de comparable à celle qu'éprouve le Solitaire, qui, d'un coup d'œil, a embrassé et compris toute la sublimité d'un paysage. Ce coup d'œil lui a conquis une propriété individuelle inaliénable.

CHARLES BAUDELAIRE.

B. Voir « Le joujou du pauvre » (XIX), p. 112

[...] Et même, analysez cet immense mundus *enfantin, considérez le joujou barbare, le joujou primitif, où pour le fabricant le problème consistait à construire une image aussi approximative que possible avec des éléments aussi simples, aussi peu coûteux que possible : par exemple, le polichinelle plat, mû par un seul fil ; les forgerons qui battent l'enclume ; le cheval et son cavalier en trois morceaux, quatre chevilles pour les jambes, la queue du cheval formant un sifflet et quelquefois le cavalier portant une petite plume, ce qui est un grand luxe ; – c'est le joujou à cinq sous, à deux sous, à un sou. – Croyez-vous que ces images simples créent une moindre réalité dans l'esprit de l'enfant que ces merveilles du jour de l'an, qui sont plutôt un hommage de la servilité parasitique à la richesse des parents qu'un cadeau à la poésie enfantine ?*

Tel est le joujou du pauvre. Quand vous sortirez le matin avec l'intention décidée de flâner solitairement sur les grandes routes, remplissez vos poches de ces petites inventions, et le long des cabarets, au pied des arbres, faites-en hommage aux enfants inconnus et pauvres que vous rencon-

*trerez. Vous verrez leurs yeux s'agrandir démesurément.
D'abord ils n'oseront pas prendre, ils douteront de leur
bonheur ; puis leurs mains happeront avidement le cadeau,
et ils s'enfuiront comme font les chats qui vont manger loin
de vous le morceau que vous leur avez donné, ayant appris
à se défier de l'homme. C'est là certainement un grand
divertissement.*

*À propos du joujou du pauvre, j'ai vu quelque chose de
plus simple encore, mais de plus triste que le joujou à un
sou, – c'est le joujou vivant. Sur une route, derrière la grille
d'un beau jardin, au bout duquel apparaissait un joli château, se tenait un enfant beau et frais, habillé de ces vêtements de campagne pleins de coquetterie. Le luxe,
l'insouciance et le spectacle habituel de la richesse rendent
ces enfants-là si jolis qu'on ne les croirait pas faits de la
même pâte que les enfants de la médiocrité ou de la pauvreté. À côté de lui gisait sur l'herbe un joujou splendide
aussi frais que son maître, verni, doré, avec une belle robe,
et couvert de plumets et de verroterie. Mais l'enfant ne s'occupait pas de son joujou, et voici ce qu'il regardait : de
l'autre côté de la grille, sur la route, entre les chardons et
les orties, il y avait un autre enfant, sale, assez chétif, un de
ces marmots sur lesquels la morve se fraye lentement un
chemin dans la crasse et la poussière. À travers ces barreaux de fer symboliques, l'enfant pauvre montrait à l'enfant
riche son joujou, que celui-ci examinait avidement comme
un objet rare et inconnu. Or ce joujou que le petit souillon
agaçait, agitait et secouait dans une boîte grillée, était un
rat vivant ! Les parents, par économie, avaient tiré le joujou
de la vie elle-même* [1]. *[...]*

---

1. Première publication dans *Le Monde littéraire*, 17 avril 1853
– Repris dans *L'Art romantique*, publication posthume (M. Lévy,
1869).

C. Voir « Les projets » (XXIV), p. 129

LES PROJETS [1]

Comme tu serais belle, dans un costume de cour compliqué et fastueux, descendant, à travers l'atmosphère d'un beau soir, les degrés de marbre d'un palais, en face des grandes pelouses et des bassins !

Mais à quoi bon de si beaux décors ? Insensé ! j'oubliais que je hais les rois et leurs palais. – Non, ce n'est pas dans un palais que je voudrais te posséder et jouir de ton amitié. Nous n'y serions pas chez nous. *D'ailleurs, ces murs gaufrés, galonnés, insolents, éblouissants comme des militaires, ressemblent à l'âme du* Grand Roi, *qui n'avait pas de coins pour l'intimité. – Ici, pas un* rêvoir *; sur ces murs criblés d'or, je ne vois pas la place d'un seul clou pour y accrocher ton image.*

Ah ! je sais bien où je voudrais t'aimer interminablement ! – Au bord de la mer, une belle case en bois, enveloppée d'ombrages ! Dans l'atmosphère, une odeur flottante d'huile de coco, et partout un parfum indescriptible de musc ; à l'horizon, des bouts de mâts, auxquels une houle insensible fait décrire lentement des courbes dans l'air ; autour de nous, au-delà de la chambre silencieuse, obscure, pleine de fleurs et de nattes, avec de rares meubles d'un rococo portugais en bois des îles, où tu reposerais si douce, si nonchalante, si bien éventée, fumant le tabac mêlé à l'opium et au sucre, – au-delà de la varangue, le tapage des oiseaux et le jacassement délicat des négresses.

Mais non ! – Pourquoi cette vaste mise en scène ? – Elle coûterait beaucoup d'or, et l'or ne danse que dans les poches des imbéciles qui ne comprennent pas le Beau. – Le plaisir est à quelques lieues d'ici, il est à deux pas, il est dans la première auberge venue, dans l'auberge du hasard, si féconde en bonheurs. Un grand feu, des faïences voyantes sur les murs, un souper passable, beaucoup de vin, et un lit très large avec des draps un peu rudes, mais frais.

... Le rêve ! Le rêve ! toujours le rêve maudit ! – il tue

---

1. Première version des « Projets » dans *Le Présent*, 24 août 1857.

l'action et mange le temps ! – Les rêves soulagent un moment la bête dévorante qui s'agite en nous. C'est un poison qui la soulage, mais qui la nourrit.

Où donc trouver une coupe assez profonde et un poison assez épais pour noyer la Bête !

IV

Publications préoriginales des poèmes du « Spleen de Paris »

1855 : Dans le collectif *Hommage à C.-F. Denecourt. Fontainebleau* : « Le crépuscule du soir », « La solitude » (voir la reproduction de cet ensemble p. 225).

1857 : Dans *Le Présent* du 24 août, sous le titre « Poèmes nocturnes » : « Le crépuscule du soir », « La solitude », « Les projets », « L'horloge », « La chevelure », « L'invitation au voyage » ; « (la suite prochainement) ».

1861 : Dans la *Revue fantaisiste* du 1er novembre, sous le titre « Poèmes en prose » : I, « Le crépuscule du soir » ; II, « La solitude » ; III, « Les projets » ; IV, « L'horloge » ; V, « La chevelure » ; VI, « L'invitation au voyage » ; VII, « Les foules » ; VIII, « Les veuves » ; IX, « Le vieux saltimbanque » ; « (la suite à la prochaine livraison) ».

1862 : Dans *La Presse* du 26 août, sous le titre « Petits Poèmes en prose » : « À Arsène Houssaye » ; I, « L'étranger » ; II, « Le désespoir de la vieille » ; III, « Le *Confiteor* de l'artiste » ; IV, « Un plaisant » ; V, « La chambre double » ; VI, « Chacun la sienne » ; VII, « Le fou et la Vénus » ; VIII, « Le chien et le flacon » ; IX, « Le mauvais vitrier » ; « (la suite à demain) ».

Dans *La Presse* du 27 août, sous le titre de « Petits Poèmes en prose » : X, « À une heure du matin » ; XI, « La femme sauvage et la petite maîtresse » ; XII, « Les foules » ; XIII, « Les veuves » ; XIV, « Le vieux saltimbanque » ; « (la suite prochainement) ».

Dans *La Presse* du 24 septembre, sous le titre de

« Petits Poèmes en prose » : XV, « Le gâteau » ; XVI, « L'horloge » ; XVII, « Un hémisphère dans une chevelure » ; XVIII, « L'invitation au voyage » ; XIX, « Le joujou du pauvre » ; XX, « Les dons des fées » ; « (la suite prochainement) ».

Sur épreuves pour *La Presse*, mais non publiés : XXI, « Les tentations ou Éros, Plutus et la Gloire » ; XXII, « Le crépuscule du soir » ; XXIII, « Les projets » ; XXIV, « La solitude » ; XXV, « La belle Dorothée » ; XXVI, « Les yeux des pauvres ».

1863 : Dans la *Revue nationale et étrangère* du 10 juin, sous le titre « Petits Poèmes en prose » : « Les tentations ou Éros, Plutus et la Gloire », « La belle Dorothée ».

Dans *Le Boulevard* du 14 juin, sous le titre « Poèmes en prose » : I, (sans titre) [« Les bienfaits de la lune »] ; II, « Laquelle est la vraie ? »

Dans la *Revue nationale et étrangère* du 10 octobre sous le titre « Petits Poèmes en prose » : I, « Une mort héroïque » ; II, « Le désir de peindre ».

Ibid., le 10 décembre : « Le thyrse », « Les fenêtres », « Déjà ! ».

1864 : Dans *Le Figaro* du 7 février avec un « chapeau » signé « G. Bourdin » et sous le titre général « Le Spleen de Paris. Poèmes en prose » : « La corde », « Le crépuscule du soir », « Le Joueur généreux », « Enivrez-vous » ; « (Sera continué) ».

Ibid., le 14 février, sous le même titre général : « Les vocations », « Un cheval de race » ; « (Sera continué) ».

Dans *La Semaine de Cusset et de Vichy* du 28 mai : « Les vocations ».

Dans *La Vie parisienne* du 2 juillet : « Les yeux des pauvres » (non signé).

Ibid., le 13 août : « Les projets » (signé « C. B. »).

Dans *L'Artiste* du 1er novembre sous le titre « Petits Poèmes en prose » : « Une mort héroïque », « La fausse monnaie », « La corde ».

Dans la *Nouvelle Revue de Paris* du 25 décembre, sous le titre « Le Spleen de Paris. Poèmes en prose » : I, « Les yeux des pauvres » ; II, « Les projets » ; III, « Le port » ; IV, « Le miroir » ; V, « La solitude » ; VI, « La fausse monnaie ».

1865 : Dans *L'Indépendance belge*, du 21 juin : « Les bons chiens ».

1866 : Dans *La Revue du XIXᵉ siècle*, du 1ᵉʳ juin, sous le titre « Petits Poèmes lycanthropes » : I, « La fausse monnaie » ; II, « Le diable ».

Dans *L'Événement* du 12 juin sous le titre « Le Spleen de Paris » et précédé d'un avertissement par Alphonse Duchesne : « La corde ».

Dans *La Petite Revue* du 27 octobre : « Les bons chiens ».

Dans *Le Grand Journal* du 4 novembre : « Les bons chiens » (avec un avertissement de Poulet-Malassis).

1867 : Dans la *Revue nationale et étrangère*, le 31 août : « Les bons chiens » ; le 7 septembre : « L'Idéal et le Réel » [« Laquelle est la vraie ? »] ; le 14 septembre : « Les bienfaits de la lune » ; le 21 septembre : « Portraits de maîtresses » ; le 28 septembre : « *Any where out of the world* » ; le 11 octobre : « Le tir et le cimetière ».

1869 : Poèmes inédits publiés dans le t. IV des *Œuvres complètes* de Michel Lévy : « Le galant tireur », « La soupe et les nuages », « Perte d'auréole », « Mademoiselle Bistouri », « Assommons les pauvres ! ».

V

Publications successives des poèmes en prose du « Spleen de Paris » et informations diverses (selon l'ordre de la table des matières définitive)

À Arsène Houssaye, p. 59 : *La Presse*, 26 août 1862 ; Coupure P, incomplète et sans corrections [1].

I. « L'étranger », p. 62 : *La Presse*, 26 août 1862 ; Coupure P corrigée.

---

1. L'abréviation « Coupure P » désigne les poèmes imprimés dans *La Presse* des 26 et 27 août 1862, découpés et montés ensuite par Baudelaire sur grande feuille (avec ou sans corrections de sa part).

II. « Le désespoir de la vieille », p. 63 : *La Presse*, 26 août 1862 ; Coupure P non corrigée.

III. « Le *Confiteor* de l'artiste », p. 64 : *La Presse*, 26 août 1862 ; Coupure P sans corrections.

IV. « Un plaisant[1] », p. 66 : *La Presse*, 26 août 1862 ; Coupure P sans corrections.

V. « La chambre double », p. 68 : *La Presse*, 26 août 1862 ; Coupure P.

VI. « Chacun sa Chimère », p. 73 : *La Presse*, 26 août 1862, porte le titre « Chacun la sienne » ; Coupure P, sans variantes, mais avec le titre corrigé par le titre actuel.

VII. « Le fou et la Vénus », p. 75 : *La Presse*, 26 août 1862 ; Coupure P sans corrections.

VIII. « Le chien et le flacon », p. 77 : *La Presse*, 26 août 1862 ; Coupure P sans corrections.

IX. « Le mauvais vitrier[2] », p. 78 : *La Presse*, 26 août 1862 ; Coupure P sans corrections.

X. « À une heure du matin », p. 83 : *La Presse*, 27 août 1862 ; Coupure P sans corrections.

XI. « La femme sauvage et la petite maîtresse[3] », p. 86 : *La Presse*, 27 août 1862 ; Coupure P sans corrections.

XII. « Les foules », p. 90 : *Revue fantaisiste*, 1er novembre 1861 ; *La Presse*, 27 août 1862 ; Coupure P sans corrections.

XIII. « Les veuves », p. 93 : *Revue fantaisiste*, 1er novembre 1861 ; *La Presse*, 27 août 1862 ; Coupure P sans corrections.

XIV. « Le vieux saltimbanque[4] », p. 97 : *Revue fantaisiste*, 1er novembre 1861 ; *La Presse*, 27 août 1862 ; Coupure P incomplète et non corrigée.

XV. « Le gâteau », p. 101 : *La Presse*, 24 septembre 1862.

---

1. Ce poème figurera dans la première édition de l'*Anthologie de l'humour noir* (1940) d'André Breton, mais sera écarté de la seconde, en 1950.   **2.** André Breton a fait figurer ce poème dans son *Anthologie de l'humour noir* en 1940 et dans les éditions suivantes.   **3.** Dans une lettre à A. de Calonne du 15 décembre 1859, Baudelaire caractérisait ce texte comme suit : « sermon adressé à une petite-maîtresse qui a des douleurs imaginaires » (C, I, p. 637).   **4.** Mallarmé s'est inspiré de ce texte dans son poème en prose « La déclaration foraine » (première publication dans *L'Art et la Mode* du 12 août 1887, reprise dans *Divagations*, 1897).

XVI. « L'horloge », p. 104 : *Le Présent*, 24 août 1857 ; *Revue fantaisiste*, 1er novembre 1861 ; *La Presse*, 24 septembre 1862 (texte adopté).

XVII. « Un hémisphère dans une chevelure », p. 106 : *Le Présent*, 24 août 1857, sous le titre « La chevelure » ; *Revue fantaisiste*, 1er novembre 1861, sous le titre « La chevelure » ; *La Presse*, 24 septembre 1862, sous le titre définitif, avec la précision en sous-titre de « poème exotique ». – Les sept paragraphes du poème en prose correspondent aux sept strophes du poème en vers « La chevelure » (FM, p. 72).

XVIII. « L'invitation au voyage[1] », p. 108 : *Le Présent*, 24 août 1857 ; *Revue fantaisiste*, 1er novembre 1861 ; *La Presse*, 24 septembre 1862 (texte adopté).

XIX. « Le joujou du pauvre », p. 112 : *La Presse*, 24 septembre 1862.

XX. « Les dons des fées », p. 114 : *La Presse*, 24 septembre 1862.

XXI. « Les tentations ou Éros, Plutus et la Gloire[2] », p. 118 : Épreuve P corrigée[3] ; *Revue nationale et étrangère*, 10 juin 1863 (texte adopté).

XXII. « Le crépuscule du soir », p. 123 : *Hommage à C.-F. Denecourt*, 1855 ; Épreuve corrigée *Denecourt* ; *Le Présent*, 24 août 1857 ; *Revue fantaisiste*, 1er novembre 1861 ; Épreuve P corrigée ; *Le Figaro*, 7 février 1864 (texte adopté).

XXIII. « La solitude », p. 126 : *Hommage à C.-F. Denecourt*, 1855 ; Épreuve corrigée *Denecourt* ; *Le Présent*, 24 août 1857 ; *Revue fantaisiste*, 1er novembre 1861 ; Épreuve P ; *Nouvelle Revue de Paris*, 24 décembre 1864 (texte adopté).

---

1. Voir « L'invitation au voyage » en vers (FM, p. 101). **2.** Dans une lettre à Calonne du 15 décembre 1859, Baudelaire parle d'un projet de poème en vers intitulé « Le rêve » et le présente comme suit : « La *fortune*, l'*amour* et la *gloire* s'offrent, pendant son sommeil, à un homme qui les repousse, et qui dit en se réveillant : si j'avais été éveillé, je n'aurais pas été si sage ! » (C, I, p. 637). **3.** « Épreuve P » désigne les épreuves des poèmes XXI à XXVI qui devaient paraître dans *La Presse* à l'automne de 1862, mais qui n'y furent pas publiés.

XXIV. « Les projets », p. 129 : *Le Présent*, 24 août 1857 ;
   Revue fantaisiste, 1er novembre 1861 ; Épreuve P ; *La Vie
   parisienne*, 13 août 1864 ; *Nouvelle Revue de Paris*,
   25 décembre 1864 (texte adopté).

XXV. « La belle Dorothée[1] », p. 132 : Épreuve P corrigée
   (texte adopté) ; *Revue nationale et étrangère*, 10 juin
   1863 (texte en partie censuré par l'éditeur[2]).

XXVI. « Les yeux des pauvres[3] », p. 135 : Épreuve P ; *La
   Vie parisienne*, 2 juillet 1864 ; *Nouvelle Revue de Paris*,
   25 décembre 1864 (texte adopté).

XXVII. « Une mort héroïque », p. 138 : *Revue nationale
   et étrangère*, 10 octobre 1863 (texte adopté) ; *L'Artiste*,
   1er novembre 1864.

XXVIII. « La fausse monnaie[4] », p. 144 : *L'Artiste*,
   1er novembre 1864 ; *Nouvelle Revue de Paris*,
   25 décembre 1864 (texte adopté) ; *Revue du XIXe siècle*,
   1er juin 1866.

XXIX. « Le joueur généreux[5] », p. 147 : *Le Figaro*, 7 février

---

1. Dans une lettre à A. de Calonne du 15 décembre 1859, Baudelaire dit de ce poème qu'il exprime la « beauté de la nature tropicale », l'« idéal de la beauté noire » (C, I, p. 637). Voir aussi lettre à Poulet-Malassis du 13 mars 1860 (C, II, p. 9). **2.** Le 20 juin 1863, Baudelaire proteste par lettre auprès de Gervais Charpentier en raison des modifications que ce dernier a fait subir à son texte : « [...] Croyez-vous réellement que *les formes de son corps*, ce soit là une expression équivalente à *son dos creux et sa gorge pointue* ? – Surtout quand il est question de la race noire des côtes orientales. Et croyez-vous qu'il soit *immoral* de dire qu'une fille est *mûre à onze ans*, quand on sait qu'Aïscha (qui n'était pas une négresse née sous le Tropique) était plus jeune encore alors que Mahomet l'épousa ? » (C, II, p. 307). **3.** Dans des notes sur ses poèmes en prose, Baudelaire a indiqué « Les pauvres devant un Café neuf » (voir OC, I, p. 371), titre qui semble coïncider avec le sujet traité ici. **4.** On trouve dans les notes de *L'Art philosophique* (OC, II, p. 607) cette indication : « Le paradoxe de l'aumône », et dans *L'École païenne* (1852 ; OC, II, p. 49), publié dans *La Semaine théâtrale* du 22 janvier 1859 : « Je me rappelle avoir entendu dire à un artiste farceur qui avait reçu une pièce de monnaie fausse : Je la garde pour un pauvre. Le misérable prenait un infernal plaisir à voler le pauvre et à jouir en même temps des bénéfices d'une réputation de charité. » **5.** Voir lettre à A. Houssaye, vers le 20 décembre 1861 (C, II, p. 197).

1864 (texte adopté) ; *Revue du XIXe siècle*, 1er juin 1866, sous le titre « Le Diable ».

XXX. « La corde », p. 153 : *Le Figaro*, 7 février 1864 (texte adopté) ; *L'Artiste*, 1er novembre 1864 ; *L'Événement*, 12 juin 1866. – La dédicace « À Édouard Manet » ne figure pas en tête de la publication de *L'Artiste* qui, d'autre part, contient un alinéa supplémentaire. La publication de *L'Événement* est précédée d'une note d'Alphonse Duchesne : « Voici un morceau que nous venons de retrouver ; il est tout à fait dans la manière du traducteur d'Edgar Poe [...]. »

XXXI. « Les vocations[1] », p. 159 : *Le Figaro*, 14 février 1864 ; *La Semaine de Cusset et de Vichy*, 28 mai 1864 (même texte).

XXXII. « Le thyrse[2] », p. 165 : *Revue nationale et étrangère*, 10 décembre 1863.

XXXIII. « Enivrez-vous », p. 168 : *Le Figaro*, 7 février 1864.

XXXIV. « Déjà ! », p. 170 : *Revue nationale et étrangère*, 10 décembre 1863.

XXXV. « Les fenêtres », p. 173 : *Revue nationale et étrangère*, 10 décembre 1863. – Le texte de l'édition posthume (1869) a été profondément modifié et faussé par les éditeurs. Nous rétablissons donc celui de 1863, publié du vivant de Baudelaire.

---

1. Ce poème a été refusé par Édouard Lebarbier, directeur de la *Revue libérale* qui, dans une lettre adressée à Taine, le 19 janvier 1864 (voir éd. des *Petits Poèmes en prose* [1926] de J. Crépet, p. 234-235) en parle ainsi : « Un enfant de dix ans qui raconte une nuit passée *avec sa bonne*, qui remarque que ses bras et ses tétons sont plus gros que ceux des autres femmes [...] ce n'est pas un enfant de dix ans. C'est M. Baudelaire qui monte le bourrichon du bourgeois. [...] [Baudelaire] m'a parlé de *pionneries*. / *Après m'avoir permis de choisir* les poèmes qui me conviendraient, il m'a renvoyé, avec une lettre d'injures, les quatre poèmes que j'avais fait composer (quatre sur neuf). » – Max Jacob dans son *Cornet à dés* (Gallimard, 1945, éd. définitive) a donné un équivalent de ce poème, « Poème dans un goût qui n'est pas le mien », dédié « *À toi*, Baudelaire » et comportant quatre personnages : Don Juan, Rothschild, Faust et un peintre (lui-même ?). 2. Le thyrse, sous la forme du caducée, se trouvait déjà mentionné dans *Les Paradis artificiels* (Le Livre de Poche, p. 161 et 264) et Baudelaire, inspiré alors par Thomas De Quincey, en inférait toute une poétique.

XXXVI. « Le désir de peindre », p. 175 : *Revue nationale et étrangère*, 10 octobre 1863, où il paraît, chiffré « II », après « Une mort héroïque ».

XXXVII. « Les bienfaits de la lune », p. 177 : *Le Boulevard*, 14 juin 1863 (sans dédicace) ; *Revue nationale et étrangère*, 14 septembre 1867 (texte adopté).

XXXVIII. « Laquelle est la vraie ? », p. 180 : *Le Boulevard*, 14 juin 1863 ; *Revue nationale et étrangère*, 14 septembre 1867 (texte adopté), sous le titre « L'Idéal[1] et le Réel ». Nous avons donné les deux titres, le premier étant le seul adopté dans les éditions précédentes du *Spleen de Paris*.

XXXIX. « Un cheval de race[2] », p. 182 : *Le Figaro*, 14 février 1864.

XL. « Le miroir », p. 184 : *Nouvelle Revue de Paris*, 25 décembre 1864.

XLI. « Le port », p. 185 : *Nouvelle Revue de Paris*, 25 décembre 1864. Le manuscrit prêt pour l'imprimeur se trouve à la Bibliothèque littéraire Jacques Doucet (texte adopté).

XLII. « Portraits de maîtresses », p. 186 : Ancien ms. A. Godoy, reproduit dans *Le Manuscrit autographe*, 1927 (texte adopté) ; *Revue nationale et étrangère*, 21 septembre 1863.

XLIII. « Le galant tireur[3] », p. 193 : Poème refusé en 1865 par la direction de la *Revue nationale et étrangère*. Première publication dans le t. IV des *Œuvres complètes* (Michel Lévy, 1869) (texte adopté).

---

1. On retiendra cette remarque de Baudelaire dans son *Salon de 1847* : « Les poètes, les artistes et toute la race humaine seraient bien malheureux, si l'idéal, cette absurdité, cette impossibilité, était trouvé ! Qu'est-ce que chacun ferait désormais de son pauvre *moi* – de sa ligne brisée ? » **2.** Ce type d'éloge paradoxal (pseudo-encomiastique) est comparable au poème « Le monstre, ou le paranymphe d'une nymphe macabre » (*Les Épaves* de 1866, voir FM, p. 224). Comparer aussi avec « Allégorie » (FM, p. 170-171). **3.** On peut lire dans *Fusées* (f° 17) : « Un homme va au tir au pistolet, accompagné de sa femme. Il ajuste une poupée et dit à sa femme : Je me figure que c'est toi. – Il ferme les yeux et abat la poupée. – Puis il dit (en baisant la main de sa compagne) : Cher ange, que je te remercie de mon adresse ! »

XLIV. « La soupe et les nuages[1] », p. 195 : Ancien ms. A. Godoy, reproduit dans *Le Manuscrit autographe*, 1927 (texte adopté) ; montage fait par Baudelaire (voir ici même p. 194) ; première publication dans le t. IV des *Œuvres complètes* (Michel Lévy, 1869). Ce poème a été écarté par la direction de la *Revue nationale et étrangère*.

XLV. « Le tir et le cimetière[2], », p. 196 : *Revue nationale et étrangère*, 11 octobre 1867.

XLVI. « Perte d'auréole[3] », p. 198 : Poème écarté par la direction de la *Revue nationale et étrangère* en 1863. Première publication dans le t. IV des *Œuvres complètes* (Michel Lévy, 1869).

XLVII. « Mademoiselle Bistouri », p. 200 : Ancien ms. A. Godoy, reproduit dans *Le Manuscrit autographe*, 1927 (texte adopté) ; première publication dans le t. IV des *Œuvres complètes* (Michel Lévy, 1869). Le poème avait été annoncé dans la *Revue nationale et étrangère* du 28 septembre 1867, mais n'y a pas été publié ensuite.

XLVIII. *Any where out of the world*[4], p. 205 : *Revue nationale et étrangère*, 28 septembre 1867.

---

1. Dans un article sur « Les drames et les romans honnêtes » (*La Semaine théâtrale*, 27 novembre 1851), Baudelaire écrivait déjà : « [...] Généralement les maîtresses des poètes sont d'assez vilaines gaupes, dont les moins mauvaises sont celles qui font la soupe et ne payent pas un autre amant. »   **2.** On lit dans *La Belgique déshabillée* (f° 304, Cocasseries) : « *À la vue du Cimetière, estaminet* : pour Monselet, un jour que je contemplais un enterrement de *solidaire* [*sic*], et une bière à la porte d'un cabaret. » L'enseigne aurait vraiment existé, près de la Barrière Saint-Gilles, à Bruxelles. Baudelaire a composé une poésie de huit vers sur le même sujet : « Un cabaret folâtre » (reprise dans *Les Épaves* de 1866, voir FM, p. 239).   **3.** Dans *Fusées* (f° 17), Baudelaire a noté : « Comme je traversais le boulevard, mon auréole s'est détachée et est tombée dans la boue du macadam. J'eus heureusement le temps de la ramasser, mais cette idée malheureuse se glissa un instant après dans mon esprit, que c'était un mauvais présage ; et dès lors l'idée n'a plus voulu me lâcher ; elle ne m'a laissé aucun repos de toute la journée. »   **4.** Le titre (graphie fautive : il faut écrire *anywhere*) vient d'un poème de Thomas Hood, *The Bridge of Sighs* (Le Pont des Soupirs) traduit par Baudelaire (OC, I, p. 269 et s.) : « Folle du roman de la vie, / Souriant au mystère de la Mort, / Impatiente d'être engloutie... / N'importe où, n'importe où / Hors de ce monde ! » (p. 270-271). Sur le manuscrit de cette traduction

XLIX. « Assommons les pauvres[1] ! », p. 208 : Ancien ms.
   A. Godoy, reproduit dans *Le Manuscrit autographe*, 1927
   (texte adopté). Poème écarté par la direction de la *Revue
   nationale et étrangère*, en 1865 ; première publication
   dans le t. IV des *Œuvres complètes* (Michel Lévy, 1869).
L. « Les bons chiens[2] », p. 212 : Ancien ms. A. Godoy,
   reproduit dans *Le Manuscrit autographe*, 1927 (texte
   adopté ; la dédicace n'y figure pas. Nous l'avons ajoutée,
   car elle se lit sur toutes les autres publications) ; *L'Indépendance belge*, 21 juin 1865 ; *La Petite Revue*,
   27 octobre 1866 ; *Le Grand Journal*, 4 novembre 1866 ;
   Revue nationale et étrangère, 31 août 1867.

VI

Réception critique

Dès la publication des « poèmes en prose » du *Spleen de
Paris* dans *La Presse* des 26 et 27 août 1862, Théodore de
Banville, ami de Baudelaire et poète déjà célèbre à l'époque,
a donné le 31 août 1862 dans *Le Boulevard*, revue d'Étienne
Carjat, un court article signalant cette parution comme un
« véritable événement littéraire » prouvant que sans vers et

---

figure l'indication : « Traduction *exacte* écrite sous la dictée de
Ch. Baudelaire. Bruxelles, 8 avril 1865. »
   1. Dans une lettre à F. Nadar, datée du 30 août 1864 et envoyée
de Bruxelles, Baudelaire écrit : « Croirais-tu que *moi*, j'aie pu
battre un Belge ? C'est incroyable, n'est-ce pas ? » Mais rien ne
dit que ce Belge ait été un pauvre !   **2.** Dans une lettre à Mᵉ Narcisse Ancelle, son conseil judiciaire, en date du 28 juin 1865, Baudelaire désigne ce poème comme une « bagatelle » publiée malgré
lui dans *L'Indépendance belge* (C, II, p. 509). À la fin du texte
sont rappelées les circonstances qui l'ont motivé, à savoir le don
d'un gilet que fit à Baudelaire, dans un café, le peintre Joseph
Stevens, frère du marchand de tableaux Arthur Stevens qu'il
connaissait et spécialiste de scènes animalières, notamment la
représentation de chiens. À titre de remerciement, Baudelaire aurait
composé pour lui ce poème en prose.

sans rimes peut exister la poésie. Deux ans plus tard, dans *Le Figaro* du 7 février 1864, une notice signée « G[ustave] Bourdin » précède la publication de « La corde », « Le crépuscule du soir », « Le Joueur généreux », « Enivrez-vous ». Très certainement inspirée par Baudelaire, pour ne pas dire dictée par lui, la notice présente cette œuvre « où l'idéal et le trivial se fondent dans un amalgame inséparable », et elle ajoute, non sans reprendre en toute connaissance de cause certains éléments de la lettre-préface adressée à Houssaye : « Dans l'ouvrage en prose, comme dans l'œuvre en vers, toutes les suggestions de la rue, de la circonstance et du ciel parisien, tous les soubresauts de la conscience, toutes les langueurs de la rêverie, la philosophie, le songe, et même l'anecdote peuvent prendre leur rang à tour de rôle. »

Dans la notice générale qu'il composera pour les *Œuvres complètes* de Baudelaire (M. Lévy, 1868), Théophile Gautier à son tour parlera, dans les toutes dernières pages de son étude, des *Petits Poèmes en prose*. Autant il avait su caractériser *Les Fleurs du Mal* et *Les Paradis artificiels*, autant son jugement critique à propos de cette œuvre trahit quelque faiblesse, lorsque, pensant à ses propres *Émaux et Camées*, il compare ces compositions à des « tableaux, médaillons, bas-reliefs, statuettes, émaux, pastels, camées ». Or précisément ce que nous montre Baudelaire n'a rien de figé, de structuré, ni de précieux. Tout y est variété, instabilité, contradiction, voire contrariété. Le poème-thyrse porte là un durable défi au formalisme qui trop souvent paralyse la littérature.

Chronologie

1821 *9 avril* : naissance à Paris, 13, rue Hautefeuille, de Charles-Pierre Baudelaire, fils de Joseph-*François* Baudelaire, chef des bureaux de la préture du Sénat sous l'Empire, et de Caroline Defayis, qu'il avait épousée en deuxièmes noces après son veuvage. De son premier mariage, il avait eu un fils, Alphonse, demi-frère du poète.

1827 *10 février* : mort de François Baudelaire.

1828 *8 novembre* : le chef de bataillon Jacques Aupick épouse Caroline Baudelaire.

1831 À l'*automne*, le lieutenant-colonel Aupick est envoyé à Lyon où il réprime les émeutes des canuts. Il est nommé dans cette ville chef d'état-major et y fait venir sa femme et son beau-fils.

1832 Baudelaire entre en sixième au Collège royal de Lyon.

Octobre : il entre en cinquième comme interne.

1836 Le colonel Aupick est nommé chef d'état-major de la 1re division militaire de Paris. Baudelaire est pensionnaire au collège Louis-le-Grand (dont il sera renvoyé pour indiscipline en 1839). Durant plusieurs années consécutives, il obtiendra prix ou accessits de vers latins au Concours général.

1839 *12 août* : Baudelaire est reçu à l'examen du baccalauréat. La même année, il s'inscrit à l'École de droit qu'il ne fréquente guère et se lie, à la pension Bailly où il loge, avec un groupe d'étudiants : Ernest Prarond, Gustave Le Vavasseur, Philippe de Chennevières, Jules Buisson.

1841 Baudelaire, qui délaisse ses études de droit et fréquente les filles (Sarah la Louchette), inquiète par sa conduite dissipée son beau-père qui décide de l'éloigner de Paris en lui faisant faire un voyage. Le *9 juin*, Baudelaire embarque à destination de Calcutta sur le *Paquebot-des-Mers-du-Sud* ; mais après une tempête, une escale à l'île Maurice, puis à l'île Bourbon (la Réunion), il décide de revenir en France et rentre le *4 novembre* sur l'*Alcide*. Le *15 février 1842*, il débarque à Bordeaux.

1842   Baudelaire, qui a vingt et un ans, prend possession de son héritage (100 000 francs-or) qu'il dissipera fort vite. Il loge dans l'île Saint-Louis au cœur de Paris. Outre de nouvelles fréquentations littéraires (Gautier, Hugo, Sainte-Beuve, Esquiros), il se lie avec une quarteronne, Jeanne Duval (ou Lemer ou Prosper).

1843   *Vers*, recueil collectif écrit par Le Vavasseur, Prarond et Dozon et auquel il devait collaborer, est publié. Toujours à l'île Saint-Louis, Baudelaire loge sous les combles de l'hôtel Pimodan, 17, quai d'Anjou. Il écrit des articles satiriques qui lui sont refusés et songe à composer un drame, *Idéolus*.

1843-1844   Il collabore aux *Mystères galants des Théâtres de Paris*. Le *21 septembre 1844*, sur les instances de sa mère, le tribunal le pourvoit d'un conseil judiciaire, Me Narcisse Ancelle, notaire à Neuilly.

1845   Baudelaire publie son *Salon de 1845*, où se trouvent annoncés deux ouvrages en préparation : *De la peinture moderne* et *De la caricature*. *L'Artiste* du *25 mai* donne « À une dame créole », premier poème publié sous le nom de Baudelaire. – *Juin* : tentative de suicide.

Il commence à collaborer au journal *Le Corsaire-Satan*, notamment le *24 novembre* par une étude : *Comment on paie ses dettes quand on a du génie*. Le volume de vers *Les Lesbiennes* par Baudelaire-Dufaÿs est annoncé en quatrième de couverture de *L'Agiotage*, satire de Pierre Dupont.

1846   Diverses collaborations dans des journaux : *Le Musée classique du bazar Bonne-Nouvelle* dans *Le Corsaire-Satan* du *21 janvier*, *Choix de maximes consolantes sur l'amour* dans le même journal, *Conseils aux jeunes littérateurs* dans *L'Esprit public*, qui donne également sa nouvelle *Le Jeune Enchanteur* (traduite, en réalité, de l'Anglais Croly). Deux poèmes sont publiés dans *L'Artiste*, et le *23 mai* paraît chez Michel Lévy frères son *Salon de 1846*.

1847   *La Fanfarlo*, nouvelle originale, paraît dans le *Bulletin de la Société des Gens de Lettres* à laquelle Baudelaire avait adhéré le *16 juin de l'année précédente*. – Baudelaire

commence une liaison avec l'actrice Marie Daubrun, la
« Belle aux cheveux d'or ».

1848	Pendant les journées révolutionnaires de février,
Baudelaire prend le parti des insurgés. Il collabore à divers
journaux de gauche, le très éphémère *Salut public, La Tribune nationale*, dont il est secrétaire de rédaction, *Le Représentant de l'Indre*, dont il est rédacteur en chef. *La Liberté
de penser* publie sa première traduction de Poe : *Révélation
magnétique.*

1849	Baudelaire se lie avec Théophile Gautier et avec
Auguste Poulet-Malassis, imprimeur à Alençon.

1850	Il habite Neuilly avec Jeanne.

1851	*7, 8, 11 et 12 mars* : publication dans *Le Messager
de l'Assemblée* de son étude *Du vin et du hachisch. – 9 avril,*
dans le même périodique, sous le titre *Les Limbes,* onze de
ses poèmes. – *27 novembre* : *Les Drames et les Romans
honnêtes* dans *La Semaine théâtrale.* – Le *2 décembre,* le
coup d'État, qui voit l'établissement du prince-président
Louis-Napoléon Bonaparte, provoque sa colère.

1852	*Mars-avril* : Baudelaire a le projet de quitter
Jeanne définitivement. Il publie de nombreuses traductions
des contes de Poe, ainsi qu'une étude sur ce dernier : *Edgar
Allan Poe, sa vie et ses ouvrages* dans *La Revue de Paris.*

9 décembre : Première lettre, accompagnée d'un poème,
à Mme Apolline Sabatier, dite la Présidente.

1853	Baudelaire continue de publier ses traductions des
contes de Poe et donne aussi celle du *Corbeau* dans *L'Artiste*
du *1er mars.* – Il fait paraître dans *Le Monde littéraire* sa
Morale du joujou.

1854	Traduction des *Histoires extraordinaires* et des
Nouvelles Histoires extraordinaires de Poe, en feuilleton,
dans *Le Pays.* Il note le plan d'un mélodrame, *L'Ivrogne.*

1855	La vie de Baudelaire continue d'être vagabonde :
« six déménagements en six mois », écrit-il à sa mère, le
6 avril. – 1er juin : la *Revue des Deux Mondes* publie, sous
le titre, *Les Fleurs du Mal,* dix-huit poèmes. Le *2 juin,* deux
petits poèmes en prose et les deux « Crépuscule » dans
l'*Hommage à C.-F. Denecourt.* – L'*Exposition universelle*
sort dans *Le Portefeuille* et *Le Pays.* – *8 juillet* : *De l'essence
du rire* dans *Le Portefeuille.*

1856	Les *Histoires extraordinaires* sont éditées par
Michel Lévy. – *11 septembre* : nouvelle rupture avec Jeanne

Duval. – *30 décembre* : Baudelaire vend à Poulet-Malassis et De Broise : *Les Fleurs du Mal* et *Bric-à-brac esthétique* (qui deviendra, posthume, *Curiosités esthétiques*).

1857 *8 mars* : mise en vente des *Nouvelles Histoires extraordinaires* de Poe, précédées de sa préface *Notes nouvelles sur Edgar Poe*. – *27 avril* : décès à Paris du général Aupick. – *25 juin* : mise en vente des *Fleurs du Mal*, comportant cinquante-deux poèmes inédits. – *5 juillet* : un article de Gustave Bourdin dans *Le Figaro* dénonce l'immoralité des *Fleurs du Mal*. – *20 août* : la 6e chambre correctionnelle condamne Baudelaire à 300 francs d'amende (amende ramenée à 50 francs l'année suivante). Six pièces du recueil doivent être supprimées. – *24 août* : *Le Présent* publie sous le titre *Poèmes nocturnes* six petits poèmes en prose.

1858 Mise en vente des *Aventures d'Arthur Gordon Pym* (Michel Lévy). *30 septembre* : *La Revue contemporaine* publie *De l'Idéal artificiel. – Le Hachisch*. – Baudelaire, *début novembre*, loge chez Jeanne, 22, rue Beautreillis.

1859 *27 janvier-mars* : Baudelaire est chez sa mère à Honfleur dans la « Maison-joujou » qu'y avait achetée le général Aupick. Il y reviendra en *mai-juin*, puis à partir du *17 décembre*. – Nombreuses traductions de contes de Poe et de *Méthode de composition*, sous le titre *La Genèse d'un poème*, dans *La Revue française* du *20 avril*. Le *Salon de 1859* paraît dans cette même revue. Poulet-Malassis et De Broise publient une plaquette de Baudelaire : *Théophile Gautier*, avec une lettre-préface de Victor Hugo.

1860 *1er janvier* : Baudelaire vend à Poulet-Malassis et De Broise les manuscrits de quatre livres : celui de la deuxième édition des *Fleurs du Mal, Les Paradis artificiels*, les *Curiosités esthétiques* et un volume de *Notices littéraires*. Il a également le projet d'un essai sur *Le Dandysme littéraire ou la Grandeur sans convictions*. – *13 janvier* : il subit une première attaque cérébrale. – *15* et *31 janvier* : *La Revue contemporaine* publie son adaptation de De Quincey : *Enchantements et tortures d'un mangeur d'opium*. – Le mois suivant, après avoir entendu des extraits du *Vaisseau fantôme*, de *Tannhäuser* et de *Lohengrin*, il écrit une lettre enthousiaste à Wagner. – *Fin mai* : mise en vente des *Paradis artificiels* qui annoncent, sous presse, *Réflexions sur quelques-uns de mes contemporains*. – *15 novembre* : il reçoit une indemnité littéraire de 200 francs du ministère de l'Instruction publique.

1861 *Première semaine de février* : mise en vente de la deuxième édition des *Fleurs du Mal*, augmentée de trente-cinq poèmes dont la plupart ont déjà été publiés en revues depuis 1857. − *1er avril* : *Richard Wagner* dans la *Revue européenne* (repris sous forme de plaquette et publié chez Dentu avec le titre *Richard Wagner et « Tannhäuser » à Paris*). − Baudelaire éprouve de graves ennuis de santé (évolution de sa syphilis) et songe au suicide. Le ministre d'État lui alloue une indemnité de 300 francs. − Du *15 juin* au *15 août*, il publie dans la *Revue fantaisiste* de Catulle Mendès neuf des dix notices qui constitueront les *Réflexions sur quelques-uns de mes contemporains*. − *1er novembre* : la *Revue fantaisiste* publie neuf poèmes en prose. − *11 décembre* : Baudelaire pose sa candidature à l'Académie française et fait la connaissance de Vigny.

1862 Baudelaire se désiste de sa candidature le *10 février*. Il reçoit de l'État une indemnité de 300 francs. − *2 août* : le tome IV de l'anthologie *Les Poètes français* d'Eugène Crépet reprend sept notices de Baudelaire (Hugo, Gautier, Banville, Marceline Desbordes-Valmore, Pierre Dupont, Leconte de Lisle, G. Le Vavasseur) et publie sept « Fleurs du Mal », précédées d'une notice de Gautier sur Baudelaire. − *18 août* : Baudelaire propose à Arsène Houssaye, directeur de *L'Artiste*, la publication de pensées sous le titre de *Fusées et Suggestions* ou *Soixante-six Suggestions*. Le même mois (*26-27 août*) paraissent dans *La Presse*, précédés d'une lettre-dédicace à A. Houssaye, quatorze *Petits Poèmes en prose*. Le *24 septembre*, la même revue donne les six suivants (XV-XX). − *12 novembre* : sur la plainte de l'imprimeur Poupart, Poulet-Malassis est incarcéré à la prison pour dettes de Clichy.

1863 Publication dans diverses revues de *Petits Poèmes en prose*. Baudelaire souhaite quitter la France pour la Belgique où il compte faire des conférences et vendre ses œuvres complètes à Lacroix et Verboeckhoven. − Vers le *22 septembre*, Poulet-Malassis s'exile à Bruxelles, où il s'établit de nouveau éditeur de livres rares et souvent licencieux. − *1er novembre* : Baudelaire cède à Michel Lévy pour 2 000 francs les droits de publication de sa traduction de Poe (cinq volumes, dont *Eureka*, publié le même mois, et

Histoires grotesques et sérieuses, à paraître). – Les *26, 29 novembre et 3 décembre*, *Le Figaro* publie *Le Peintre de la vie moderne*, essai sur Constantin Guys, qui a souhaité ne pas y être nommé.

1864 *février* : publication dans *Le Figaro*, sous le titre *Le Spleen de Paris*, de six poèmes en prose. *La Vie parisienne* en publiera deux autres, *le 2 juillet et le 13 août*, et la *Revue de Paris*, toujours sous le même titre, six nouveaux (*25 décembre*). – 24 avril : Baudelaire arrive à Bruxelles et s'installe à l'hôtel du *Grand Miroir*. Il doit y faire des « lectures ». – Série de conférences : le *2 mai* sur Delacroix, le *11 mai* sur Théophile Gautier, les *13 et 23 mai*, le *3 juin* sur les excitants. Déçu par l'accueil qu'on lui fait et par le refus de Lacroix et Verboeckhoven de publier ses œuvres, il accumule les éléments d'un pamphlet contre la Belgique : *Amœnitates Belgicæ* et *Pauvre Belgique !* (ou *La Belgique déshabillée*).

1865 La santé de Baudelaire se dégrade. – *16 mars* : mise en vente des *Histoires grotesques et sérieuses* (Michel Lévy). Baudelaire voyage en Belgique. Il a des difficultés financières venant de la vente simultanée qu'il a faite de ses œuvres à Hetzel *et* à Poulet-Malassis.

1866 Publication par Poulet-Malassis des *Épaves* (vingt-trois poèmes, comprenant les six pièces condamnées), « À l'enseigne du Coq », Amsterdam (en réalité, Bruxelles). – Vers le *15 mars*, lors d'un séjour à Namur chez le peintre et graveur Félicien Rops, Baudelaire, visitant l'église Saint-Loup, s'effondre. Le *30 mars*, il est frappé d'un ictus hémiplégique accompagné d'aphasie. – *31 mars* : *Le Parnasse contemporain*, revue de la nouvelle génération publiée par Alphonse Lemerre, publie quinze *Nouvelles Fleurs du Mal*. – *1er juin* : la *Revue du XIXe siècle* publie sous le titre *Petits Poèmes lycanthropes* deux poèmes en prose. – *2 juillet* : Baudelaire est ramené à Paris et placé dans la maison de santé du docteur Duval, rue du Dôme, près de l'Étoile. Le ministre de l'Instruction publique lui accorde une pension de 500 francs.

1867 *31 août* : mort de Baudelaire. Les obsèques ont lieu le *2 septembre* et le poète est inhumé au cimetière Montparnasse. – Plusieurs poèmes en prose sont publiés en septembre et en octobre dans la *Revue nationale et étrangère*.

1868-1870   Publication chez Michel Lévy des *Œuvres complètes*.

1887   *Œuvres posthumes et Correspondance inédite*, comprenant notamment *Fusées* et *Mon cœur mis à nu*, avec une biographie complète due à Eugène Crépet.

Bibliographie

Œuvres de Baudelaire

Œuvres complètes, texte établi, présenté et annoté par Claude Pichois, Gallimard, « Bibliothèque de La Pléiade », t. I, 1975 ; t. II, 1976.

Correspondance, texte établi, présenté et annoté par Claude Pichois, avec la collaboration de Jean Ziegler, Gallimard, « Bibliothèque de La Pléiade », t. I (janvier 1832-février 1860), 1973 ; t. II (mars 1860-mars 1866), 1973.

Nouvelles Lettres, présentées et annotées par Claude Pichois, A. Fayard, 2000.

Fusées. Mon cœur mis à nu. La Belgique déshabillée, éd. André Guyaux, Gallimard, « Folio », 1986.

Informations biobibliographiques

Carter (A. E.), *Baudelaire et la critique française*, Columbia, University of South Carolina Press, 1963.

Pichois (Claude), *Album Baudelaire*, Gallimard, « Bibliothèque de La Pléiade », 1974.

Pichois (Claude) et Ziegler (Jean), *Baudelaire*, nouv. éd. Fayard, 1986.

Pichois (Claude) et Avice (Jean-Paul), *Dictionnaire Baudelaire*, éd. du Lérot, 2002.

Études baudelairiennes, sous la direction de Claude Pichois, Neuchâtel, La Baconnière, notamment les t. IV-V, 1973.

L'Année Baudelaire (depuis 1995), sous la direction de John E. Jackson, Claude Pichois et Jean-Paul Avice, éd. H. Champion.

Principales éditions séparées du « Spleen de Paris »

Œuvres complètes, t. IV, comprenant *Les Paradis artificiels*
et les *Petits Poèmes en prose*, Michel Lévy, 1869 (enre-
gistré dans la *Bibliographie de la France* du 19 juin
1869).
Petits Poèmes en prose, éd. Jacques Crépet, Conard, 1926.
Petits Poèmes en prose, éd. Daniel-Rops, Les Belles-Lettres,
1934.
Petits Poèmes en prose, éd. H. Lemaître, Garnier, 1962.
Petits Poèmes en prose, éd. Robert Kopp, J. Corti, 1969.
Petits Poèmes en prose (*Le Spleen de Paris*), éd. R. Kopp,
Gallimard, coll. « *Poésie*/Gallimard », 1973, Nouvelle
édition revue en 2006.
Le Spleen de Paris, éd. Max Milner, Imprimerie nationale,
1979.

Livres sur « Le Spleen de Paris »

Burton (Richard), *Baudelaire and the Second Republic :
Writing and Revolution*, Oxford, Clarendon Press, 1991.
Evans (Margery A.), *Baudelaire and Intertextuality*, Cam-
bridge University Press, coll. « Cambridge Studies in
French », 38, 1993.
Hiddleston (James Andrew), *Baudelaire and « Le Spleen de
Paris »*, Oxford, Clarendon Press, 1987.
Johnson (Barbara), *Défigurations du langage poétique : la
seconde révolution baudelairienne*, Flammarion, 1979.
Kaplan (Edward K.), *Baudelaire's Prose Poems. The Esthe-
tic, the Ethical and the Religious in « The Parisian
Prowler »*, Athens et Londres, University of Georgia
Press, 1990.
Labarthe (Patrick), *Patrick Labarthe commente « Petits
Poèmes en prose » de Charles Baudelaire*, Gallimard,
« Foliothèque », 2000.
Murphy (Steve), *Logiques du dernier Baudelaire : lecture
du « Spleen de Paris »*, H. Champion, 2003.

Études sur « Le Spleen de Paris » (articles et passages de livres)

Aynesworth (Donald), « Humanity and Monstruosity in *Le Spleen de Paris* », *Romanic Review*, 73, 1982, p. 209-221.

Benjamin (Walter), *Paris, capitale du XIXe siècle*, éd. du Cerf, 1993 (p. 247-404).

Bercot (Martine), « Miroirs baudelairiens », dans le collectif *Dix études sur Baudelaire*, réunies sous la direction de M. Bercot et A. Guyaux, H. Champion, 1993.

Bernard (Suzanne), *Le Poème en prose de Baudelaire jusqu'à nos jours*, Nizet, 1959, p. 103-152.

Blin (Georges), « Introduction aux *Petits Poèmes en prose* », dans *Le Sadisme de Baudelaire*, J. Corti, 1948, p. 141-177.

Bonnefoy (Yves), *Le Nuage rouge*, Mercure de France, 1977, p. 9-80.

Chambers (Ross), « L'art sublime du comédien, ou le regardant et le regardé », *Saggi e Ricerche di Letteratura francese*, 1971, p. 191-260.

Derrida (Jacques), *Donner le temps. 1. La fausse monnaie*, Galilée, 1991.

Eigeldinger (Marc), « Baudelaire juge de Jean-Jacques », « *Le Thyrse* et la poétique du poème en prose » (p. 187-198) et « *Le Spleen de Paris* » (p. 199-210), dans *Mythologie et Intertextualité*, Genève, Slatkine, 1987.

Fairlie (Alison), « Quelques remarques sur les *Petits Poèmes en prose* » dans *Baudelaire. Actes du colloque de Nice*, 1968, Minard.

Formentelli (Georges), « *Un plaisant* », dans *Dix études sur Baudelaire*, p. 139-155.

Hiddleston (James Andrew), « Baudelaire et le rire », dans *Études baudelairiennes*, XII, 1987. – « Les poèmes en prose de Baudelaire et la caricature », *Romantisme*, n° 74, 1991, p. 57-64.

Holland (Eugene), *Baudelaire and Schizoanalysis. The Sociopoetics of Modernism*, Cambridge University Press, 1993.

Jackson (John E.), « *Le Spleen de Paris* », sixième chapitre de *Baudelaire*, Le Livre de Poche, coll. « Références », 2002.

Klein (Richard), « "Bénédiction"/"Perte d'auréole" : Parables of Interpretation », *Modern Language Notes*, 1970, p. 515-528.

Labarthe (Patrick), *Baudelaire et la tradition de l'allégorie*, Genève, Droz, 1999.

Leakey (Felix W.), *Baudelaire and Nature*, Manchester, Barnes & Noble, 1969.

Mauron (Charles), *Le Dernier Baudelaire*, J. Corti, 1966.

Œhler (Dolf), *Le Spleen contre l'oubli. Juin 1848*, Payot, 1996 (p. 283-384).

Pachet (Pierre), *Le Premier Venu. Essai sur la politique baudelairienne*, Denoël, 1976.

Pizzorusso (Arnaldo), « Baudelaire et la *Morale du joujou* », dans *Da Montaigne a Baudelaire*, Rome, Bulzoni, 1971. – « "Le mauvais vitrier", ou l'Impulsion inconnue », *Études baudelairiennes*, VIII, 1976 (p. 147-171).

Robb (Graham), « Baudelaire, Lucan, and "Une mort héroïque" », *Romance Notes*, 1989 (p. 69-75).

Slyke (Gretchen Van), « Dans l'intertexte de Baudelaire et de Proudhon : pourquoi faut-il assommer les pauvres ? », *Romantisme*, n° 45, 1984 (p. 57-77).

Starobinski (Jean), « Sur quelques répondants allégoriques du poète », *Revue d'Histoire littéraire de la France*, 67, 1967 (p. 402-421). – *Portrait de l'artiste en saltimbanque*, Skira, 1970. Repris dans la coll. « Champs », Flammarion, 1983. – « Le regard des statues », *Nouvelle Revue de Psychanalyse*, n° 50, 1994 (p. 45-64).

Thélot (Jérôme), *Baudelaire. Violence et Poésie*, Gallimard, « Bibliothèque des Idées », 1993 (p. 39-155).

Vibe-Skagen (Margery), « Pour s'exercer à mourir. Ennui et mélancolie dans "Le tir et le cimetière" de Baudelaire », *L'Année Baudelaire*, n° 2 (p. 75-106).

Violato (Gabriella), « Lecture de "La chambre double" », dans *Dix études sur Baudelaire* (p. 157-170). – « *Petits Poèmes en prose* : orientamenti di lettura », *Saggi e Ricerche di Letteratura francese*, vol. XXI, nouvelle série, 1982 (p. 245-282).

Table

LE SPLEEN DE PARIS
pour faire pendant aux *Fleurs du Mal*

DOSSIER

Table 253

PAPIER À BASE DE FIBRES CERTIFIÉES

Le Livre de Poche s'engage pour l'environnement en réduisant l'empreinte carbone de ses livres. Celle de cet exemplaire est de :

250 g éq. CO₂

Rendez-vous sur www.livredepoche-durable.fr

Composition réalisée par NORD COMPO

Achevé d'imprimer en juin 2018, en France sur Presse Offset par
Maury Imprimeur – 45330 Malesherbes
N° d'imprimeur : 227982
Dépôt légal 1re publication : août 2003
Édition 19 – juin 2018
LIBRAIRIE GÉNÉRALE FRANÇAISE – 21, rue du Montparnasse – 75298 Paris Cedex 06